ZEITGEIST

Die Ausstellung steht unter der Schirmherrschaft
des Bundesministers des Innern
und des Senators für Wissenschaft
und Kulturelle Angelegenheiten

Kuratorium

Mrs. Barbara Jakobson
Prof. Dr. Eberhard Roters
Dr. Lucie Schauer
Prof. Dr. Wieland Schmied
Dr. Hans Hermann Stober

Künstlerische Leitung

Christos M. Joachimides
Norman Rosenthal

Veranstalter

Neuer Berliner Kunstverein

Die Ausstellung
haben in großzügiger Weise gefördert:

Der Bundesminister des Innern
Der Senator für Wissenschaft und Kulturelle Angelegenheiten
Der Senator für Wirtschaft und Verkehr
Presse- und Informationsamt des Landes Berlin
Berliner Künstlerprogramm des Deutschen Akademischen Austauschdienstes
Deutsche Lufthansa AG
British Airways

INTERNATIONALE
KUNSTAUSSTELLUNG
BERLIN 1982

MARTIN-GROPIUS-BAU

VERLAG FRÖLICH & KAUFMANN

Dieser Katalog ist eine Veröffentlichung
des Gemeinschaftsverlags der
Kunstbuch Berlin Verlagsgesellschaft mbH
und des Verlags Albert Hentrich OHG.
Die Buchhandels-Ausgabe erscheint im
Verlag Frölich & Kaufmann, Berlin

Herausgeber
Christos M. Joachimides, Norman Rosenthal

Redaktion
Ursula Prinz, Volker Diehl

Übersetzungen
Roman Piesenkam, Bernd Samland und
Thomas Schliesser

Entwurf und Gestaltung
Nicolaus Ott + Bernard Stein, Berlin

Herstellung
Albert Hentrich OHG, Berlin

Lithographien
Meisenbach Riffarth & Co.
Bruns & Stauff GmbH, Berlin

Verlag Frölich & Kaufmann, Berlin
ISBN 3-88725-086-9

Alle Texte in diesem Katalog sind
Erstveröffentlichungen.

Mitarbeiter der Ausstellung

Geschäftsführung
Georg Ralle

Technische Leitung
Jürg Steiner

Pressereferent
Ruprecht Frieling

Sekretariat und Organisation
Tina Aujesky

Projektassistent
Volker Diehl

Transporte
Hasenkamp, Berlin

Versicherung
Hanseatische Assekuranz Vermittlungs AG, Berlin

Inhalt

Leihgeber

The Trustees of the Tate Gallery, London
Whitney Museum of American Art, New York
Museum Boymans – van Beuningen, Rotterdam
Swindon Art Gallery

Thomas Ammann Fine Art, Zürich
Galerie Ariadne, Wien
Heiner Bastian, Berlin
Galerie Karen & Jean Bernier, Athen
Galerie Bruno Bischofberger, Zürich
Mary Boone Gallery, New York
Dr. und Mrs. Armand Castellani, Niagara Falls, New York
Leo Castelli Gallery, New York
Chase Manhattan Bank, New York
Paula Cooper Gallery, New York
Sammlung Dürckheim
Mr. und Mrs. Asher B. Edelman, New York
Gerald S. Elliott, Chicago
Xavier Fourcade Gallery, New York
Gillespie – Laage – Salomon, Paris
Sammlung Grässlin, St. Georgen
Nigel Greenwood Inc. Ltd., London
Prof. Wolfgang Hahn, Köln
Mr. und Mrs. Richard C. Hedreen, Seattle, Washington
Galerie Hetzler, Stuttgart
Galerie M. Knoedler, Zürich
Sydney und Frances Lewis, Richmond, Virginia
Joachim Linte, Köln
Peter Lüchau, Düsseldorf
Galerie Paul Maenz, Köln
Martin Z. Margulies, Coconut Grove, Florida
Emilio Mazzoli, Modena
Galerie Helen van der Meij, Amsterdam
Galerie Neuendorf, Hamburg
Anthony D'Offay Gallery, London
Karl Pfefferle, München
Doris und Charles Saatchi, London
Galerie Folker Skulima, Berlin
Sonnabend Gallery, New York
Galleria Gian Enzo Sperone, Rom
Sperone – Westwater – Fischer Gallery, New York
Galerie Strelow, Düsseldorf
Nicholas Tooth Gallery, London
Waddinton Galleries, London
Galerie Michael Werner, Köln
Willard Gallery, New York
Galerie Elke und Werner Zimmer, Düsseldorf
Galerie Rudolf Zwirner, Köln

Es ist uns eine große Freude,
zum Entstehen
der Ausstellung ZEITGEIST
beigetragen zu haben

Deutsche Lufthansa Aktiengesellschaft

Vorwort und Dank

Christos M. Joachimides
Norman Rosenthal

Die Konzeption der Ausstellung hat verschiedene Phasen durchlaufen und sich erst im Zuge ihrer Realisierung konkretisiert. Wenn sich ihr definitives Bild selbst den Verantwortlichen nur allmählich zeigte, wieviel schwieriger war es dann für andere sie nachzuvollziehen. Hinzu kamen die komplizierten organisatorischen Voraussetzungen für dieses Projekt, die von allen Beteiligten viel Geduld und Einfühlung verlangten. Und um so größer mußte auch das Vertrauen sein, das der Senator für Wissenschaft und Kulturelle Angelegenheiten, Professor Dr. Wilhelm A. Kewenig, von Anfang an in uns gesetzt hat.

Wilhelm A. Kewenig hat unermüdlich und unbeirrt seine Hilfe, seine Begeisterung und seine tatkräftige Unterstützung einem Ausstellungsprojekt gewidmet, das zum ersten Mal seit dem Krieg Berlin in die vorderste Linie der internationalen Kunstdiskussion bringen soll. Ihm gebührt der aufrichtige Dank der künstlerischen Leiter dieser Ausstellung.

Ein besonderer Dank gehört Wieland Schmied, dem Direktor des Berliner Künstlerprogramms des DAAD, der dieses Projekt von den ersten Schritten an mit Sympathie, Rat und Kritik begleitete. Er war unser wertvollster Gesprächspartner. Er hat ständig hilfreiche Anregungen gegeben und sich so mit überzeugender Kraft für das Zustandekommen von Ausstellung und Katalog eingesetzt.

Ohne den unermüdlichen Einsatz der Senatsverwaltung für Wissenschaft und Kulturelle Angelegenheiten, insbesondere von Jochem v. Uslar und Jörg-Ingo Weber, wäre die Realisierung dieser Ausstellung undenkbar gewesen. Für ihr andauerndes persönliches Engagement empfinden wir tiefe Dankbarkeit.

Der Generalsekretär des Neuen Berliner Kunstvereins, Frau Dr. Lucie Schauer, hat diesem Ausstellungsprojekt Obdach gegeben und durch die Bereitschaft, es administrativ zu betreuen, ihm die Organisationsstruktur geliehen, die für die Durchführung der Ausstellung unerläßlich war. In stets freundschaftlichem Sinne hat sie alles in ihren Kräften stehende zum Gelingen der Ausstellung beigetragen.

Barbara Jakobson in New York sowie Eberhard Roters und Hans Hermann Stober in Berlin haben als Mitglieder des Kuratoriums durch großen persönlichen Einsatz und Enthusiasmus das Projekt begleitet und viele Schwierigkeiten zu überwinden geholfen.

Unser größter Dank aber gehört den Künstlern, die in enger Zusammenarbeit mit uns, angeregt von Idee und Konzeption dieser Ausstellung wie ihrem großartigen Heim, dem Martin-Gropius-Bau, so wesentliche Beiträge zur Ausstellung geleistet haben.

Dieses Projekt wäre ein Torso ohne das Engagement von so herausragenden Autoren, wie sie dieser Katalog zur Ausstellung versammelte. Sie haben ihn zu einem Forum der Diskussion über wichtige Aspekte der Situation des Geistes gestaltet.

Der Dank der Organisatoren gehört nicht zuletzt allen Leihgebern, die durch ihre großzügige Bereitschaft, bedeutende Kunstwerke für diese Ausstellung zur Verfügung zu stellen, ihr Gelingen ermöglicht haben.

Ebenso allen denen, die in verschiedenster Weise kenntnisreich und mit Begeisterung uns vielfache Anregungen, Hilfe und Ermunterung gegeben haben. Wir nennen besonders:

Heiner Bastian, Berlin; Bruno Bischofberger, Zürich; Karl-Heinz Bohrer, London; Sir Hugh Casson, London; Leo Castelli, New York; Attilio Codogniato, Venedig; Dr. Ulrich Eckhardt, Berlin; Paul Feyerabend, Berkeley; Dr. Leo-Ferdinand Graf Henckel v. Donnersmark, Berlin; Gerhard Hentrich, Berlin; Konsul Gunther A. Luedecke, Berlin; Karl-Ulrich Majer, Berlin; Emilio Mazzoli, Modena; Robert Rosenblum, New York; Doris und Charles Saatchi, London; Nicholas Serota, London; Ileana Sonnabend, New York; Gian Enzo Sperone, Rom; Michael Werner, Köln; Heribert Wuttke, Hamburg

In der Kürze der Zeit, in der diese Ausstellung vorbereitet werden mußte und in dem strengen finanziellen Rahmen, an den sie sich zu halten hatte, wäre die Vorbereitung dieses Projektes undenkbar gewesen ohne das unermüdliche Engagement des kleinen Organisationsteams, an dessen Spitze Tina Aujesky – nachhaltig und effektiv unterstützt von Volker Diehl – beispielgebend und durch totalen Einsatz die Realisierung ermöglichte. Das gleiche gilt für Jürg Steiner, der erfindungsreich und mit großem Eifer alle Probleme der Ausgestaltung des grandiosen aber schwierig zu handhabenden Martin-Gropius-Baus in der kurzen Vorbereitungszeit bewältigen konnte. In diesem Dank möchten wir alle anderen Mitarbeiter sehr herzlich einschließen.

Achill und Hector vor den Mauern von Troja

Christos M. Joachimides

Ein leidenschaftlicher Disput durchzieht alle Diskussionen über das Gesicht der Kunst heute, zu Beginn der 80er Jahre. Manche meinen einen Januskopf zu erblikken, sind verwirrt, desorientiert, der etwas langweiligen aber gewohnten Ordnung beraubt. Sie sind von einer ungestümen, alle Dämme des ästhetischen Anstands brechenden Wandlung erschreckt. Andere fühlen sich befreit, der Fesseln einer strengen ästhetischen Diät ledig, stoßen sie ein euphorisches Hosianna aus. Vor der hemmungslosen Subjektivität dieser Bilder, ihrer unmittelbaren Sinnlichkeit, der hintergründigen Geschichten, die diese erzählen, geraten sie beinahe in Taumel.

Beider Argumente sind nicht immer zu Ende artikuliert. Das Pro gerät leicht zu einem Fanfarenstoß, zum Jubelruf, das Contra scheint nicht ganz frei von Hochmut, Neid und Frustration.

Wenn man das Ende der Avantgarde mit angeblich tiefem Bedauern konstatiert, dann sollte man tunlichst eingestehen, daß es seit dem Surrealismus – im strengen Sinne der Innovationstheorie – keine genuine Findung im Bereich der bildenden Kunst mehr gegeben hat. Spätestens 1936 war die „Avantgarde" zu Ende. In Auschwitz oder in den Folterkammern der Gestapo ist auch eine Epoche der europäischen Kultur- und Kunstgeschichte untergegangen. Das Zeitalter von Heinrich Schliemann bis André Breton ist zu Grabe getragen. Das sollte man ohne Sentimentalität feststellen und auch erkennen, daß die Nachkriegskunst die Geschichte von *schöpferischen Rekursen* auf die entscheidenden Setzungen dieses Jahrhunderts ist – auf den Expressionismus, die Abstraktion, den Konstruktivismus, den Dadaismus, den Surrealismus. Die glücklichen Augenblicke der Parthenogenese sind in der Geschichte der Kunst äußerst rar.

Tut es etwa der grandiosen Erweiterung unserer visuellen und spirituellen Erfahrung einen Abbruch, wenn der abstrakte Expressionismus auf die mächtige Tradition des europäischen Expressionismus oder die des Surrealismus rekurriert? Ist etwa diese Art des Malens als existentielle Selbstbehauptung datierbar zwischen 1905 und 1913, oder ist es nicht vielmehr seit El Greco und Matthias Grünewald und weiter zurück ein immer wiederkehrendes Ausdrucksbedürfnis des Künstlers?

Norman Rosenthal sagte mir neulich: „Wieso gilt eigentlich Brice Marden (geboren 1938), dessen Werk sich auf die gewichtige Tradition des europäischen Konstrukivismus stützt, als ein Herold der Avantgarde und warum wird Georg Baselitz (geboren 1938) der die kraftvolle Tradition des Expressionismus aufgreift und in seinem Werk weiterführt, als Epigone denunziert? – Weil wir offenbar, durch eine vertrackte Kunstideologie indoktriniert, lange Zeit glaubten, daß die MODERNE/Avantgarde der letzten Jahrzehnte in einer stringenten – apostolischen – Sukzession von der Abstraktion, dem Konstruktivismus, oder vielleicht – als äußerste Konzession – auch ein bißchen von Dada sich abzuleiten hätte."

Sollte man nicht eher die Geschichte der Kunst begreifen als die Geschichte von *dialektischen Mutationen* und zwar nicht nur innerhalb einer historischen Epoche, sondern auch bei der Entwicklung des individuellen Werks des Künstlers selbst? (Denken wir an die mächtigen Weiber von Picasso, die er, für jede kausal-positivistische Geschichtsschreibung ein Greuel, 1920 seinen kubistischen Bildern entgegenstellte!). Gerade die spannende Entwicklung der Kunst in diesem Jahrhundert zeigt die Explosionen, die Träume, die Utopien und die Rückschläge, die ständig von Generation zu Generation, von Jahrzehnt zu Jahrzehnt vor sich gehen. Ein titanischer Kampf voller Widersprüche vor den Mauern von Troja – Mauern, die wie oft von der Geschichte auch geschleift, unser Bewußtsein noch immer umschließen.

Ein Brief erreichte uns vor wenigen Wochen, darin wurde uns ein junger Künstler empfohlen mit der Bemerkung, er sei so „zeitgeistig"! Wie denn – ZEITGEIST, eine neue „Richtung"? Pop art, Minimal, Konzept, Heftige Malerei, ZEITGEIST? ZEITGEIST ist eine *Ausstellung* von fünfundvierzig Künstlern – Malern und Bildhauern. Malerei und Plastik – diese ältesten Kunstdisziplinen – transportieren heute wieder bei weitem die wichtigsten kreativen Vorstellungen der Künstler. Und ZEITGEIST ist der *Titel* dieser Ausstellung. Eine *Metapher* für all die künstlerischen Vorschläge von heute, die eine tiefgreifende Veränderung in der bildenden Kunst signalisieren. Die unmittelbare sinnliche Beziehung zu den Kunstwerken wird gesucht. Das Subjektive, das Visionäre, der Mythos, das Leiden, die Anmut sind aus der Verbannung zurückgeholt. Ein dionysisches Grundgefühl ist oft für das künstlerische Selbstverständnis charakteristisch. Und das kann man weit zurückverfolgen: 1964 heißen die Bilder von Lüpertz „Dithyramben", womit er die „Anmut des 20. Jahrhunderts" benennt. 1966 legt Baselitz mit der Bilderfolge „Ein Neuer Typ" die erste entschiedene Zusammenfassung seiner Bildintentionen vor.

Der Ausgangspunkt der Ausstellung ist *heute*. Sie umfaßt aber das Werk von Künstlern aus drei Generationen. Indem wir von der mittleren und jüngeren Generation von Künstlern ausgegangen sind, die durch die Überzeugungskraft ihrer Arbeit eine deutliche Gegenposition zum akademisch erstarrten Minimalismus bezogen, sahen wir plötzlich aus einer neuen Perspektive die Arbeit von Künstlern der vorangehenden Generation – allen voran die von Joseph Beuys. Das Werk dieser Künstler – Beuys, Twombly, Warhol, Kounellis – löst sich aus seinem historischen Hintergrund und gewinnt für uns eine neue Aktualität. Vor allem Joseph Beuys hat in seinem Werk all die Wünsche, Ahnungen, Sehnsüchte vorweggenommen, die man an die *Idee* von Kunst heute stellen sollte.

ZEITGEIST – in *Berlin*. Berlin als Argos? ZEITGEIST als Agamemnon, aber in welcher Rolle? Als Sieger von Troja? Oder gemeuchelt bei seiner Heimkehr? Oder ZEITGEIST als eine Art Göttin ex machina, willkürlich dem Kopf der Ausstellungsmacher entsprungen? Ist Berlin zufällig der Ort dieser Veranstaltung oder gibt es innere Affinitäten zu der Kunst, die ZEITGEIST zeigt? Ist nicht seit zwei Jahrzehnten Berlin die Heimstatt einer neuen deutschen Malerei? Seit dem Beginn der 60er Jahre und dann wieder in den späten 70ern?

Als vor einigen Monaten Mario Merz nach Berlin kam, den Martin-Gropius-Bau besuchte und mit uns seinen Beitrag für die Ausstellung besprach, sagte er auf Anhieb: „Che bello palazzo!" Ein andermal sprach Norman Rosenthal von der Spannung zwischen Innen und Außen, von Wirklichkeit und Erinnerung. Draußen ein Environment des Schreckens aus deutscher Vergangenheit und Gegenwart. Innen der Triumph der Autonomie, das architektonische Gesamtkunstwerk, das herrisch und souverän die Wirklichkeit vor die Tür verweist, indem es Wirklichkeit herstellt. Da sind sogar die Wunden, die sie ihm bereitet hat, Teil seiner Schönheit. Auch das – ZEITGEIST: Der Ort, *dieser* Ort, *diese* Künstler, in *diesem* Augenblick. Die Inszenierung: Wie verhält sich das autonome Kunstwerk zur autonomen Architektur und zu der Summe von Erinnerungen, die gegenwärtig sind?

Gedanken zu den Quellen des Zeitgeistes

Robert Rosenblum

Bereits in der Mitte des 19. Jahrhunderts, in den Jahrzehnten, die den Beginn der großen internationalen Ausstellungen markieren, strömte das Publikum zusammen, um einen Querschnitt dessen zu sehen, was in der westlichen (und gelegentlich östlichen) Kunst neu war. Ob 1855 und 1867 in Paris, 1862 in London, 1869 in München oder 1873 in Wien, der Besucher wurde mit einer Fülle von Kunstwerken konfrontiert, die ihm als das ästhetische Gegenstück zu den industriellen Erzeugnissen der zahlreich vertretenen Nationen präsentiert wurden. Bei einer so weitläufigen Schau war es möglich, nicht nur die Vitalität und den Geschmack der verschiedenen, in der Regel konkurrierenden Länder zu unterscheiden, sondern auch in einem internationalen Panorama die neuen Richtungen auszumachen, die die Kunst einschlug. Heute, über ein Jahrhundert später, erfüllen internationale Kunstausstellungen wie *Zeitgeist* ziemlich genau dieselbe Aufgabe. Die Zuschauer, die 1982 viele Grenzen überschreiten, um zum Martin-Gropius-Bau in Westberlin zu kommen, werden auch die Möglichkeit haben festzustellen, ob irgendein gemeinsamer Geist die Kunst vereint, die dort von beiden Seiten des Atlantiks, der Alpen, des Rheins und des Kanals versammelt sein wird, ebenso wie sie Gelegenheit haben werden zu beurteilen, ob etwa in den Beiträgen italienischer, deutscher, britischer oder amerikanischer Künstler tief eingefleischte nationale Traditionen entdeckt werden können. Den Geist jener ehrwürdigen Ausstellungen des 19. Jahrhunderts spürt man auch in den fieberhaften, bis zur letzten Minute dauernden Vorbereitungen, die es mit sich bringen, daß der Autor, der wie ich seine Kommentare lange vor der Eröffnung der Schau – statt kurz danach – zur Publikation vorbereiten muß, unvermeidlich im Dunkeln tappt und sie in Unkenntnis jener eben erst zur Vollendung gelangenden Werke schreibt, die im allerletzten Moment enthüllt werden. Zum Beispiel werden acht Künstler (Clemente, Cucchi, Fetting, McLean, Middendorf, Paladino, Salle und Salomé) im weiträumigen zweigeschossigen Atrium gigantische Leinwände (3 x 4 Meter) ausbreiten, die eigens für diesen Raum und für diese Gelegenheit ausgeführt wurden. Auch solche Projekte erinnern uns an die heroischen Anstrengungen sowohl konservativer wie radikaler Künstler (eines Piloty oder eines Courbet) in der Mitte des 19. Jahrhunderts, ihre ganze Kraft in riesige Gemälde zu stecken, die mit Sicherheit, und sei es nur durch ihr bloßes Ausmaß, die Aufmerksamkeit des Besuchers fesseln würden, der in endlosen Ausstellungsräumen von Eindrücken übersättigt ist. Auf andere Weise folgte man dem Beispiel des 19. Jahrhunderts, indem man nicht nur den Jüngeren, die eindeutig in der Mehrheit sind, Raum für ihre Vorhaben überließ, sondern ebenso einigen älteren Meistern. Wie auf der Pariser Weltausstellung von 1855 Delacroix und Ingres große Retrospektiven gewidmet waren (ein Tribut an ihre dauerhafte Autorität inmitten des Stimmengewirrs jüngerer Künstler mit völlig anderer Auffassung), so ehrt auch die *Zeitgeist*-Ausstellung eine kleine Gruppe von Künstlern der älteren Generation, deren Werk unter den neuen Gesichtspunkten der 80er Jahre seine Relevanz behält. Derartige Berührungspunkte können im Bereich kühler Kommentare zur Gesellschaft liegen (wie in Warhols neuen Bildern mit faschistischer und Nazi-Architektur – ein ironisch-historischer Hintergrund für das neue Übergewicht jüngerer italienischer und deutscher Künstler), im Bereich des Stils (wie angesichts Twomblys langfristiger Meisterung der archetypischen Rhythmen von Graffiti, die zwischen Schrift und Bildern hin und her wechseln, oder Stellas Handhabung der wildesten Formexplosionen, des Farbaufruhrs und rasend hingekritzelter Kalligraphie) oder im Bereich der Mythenbildung (wie bei Beuys' fast magischer Fähigkeit, ganz gewöhnliche Gegenstände und Materialien in die Reliquien imaginärer Religionen und geheiligter Stätten zu verwandeln).

Was den Ausgangspunkt der jüngeren Künstler betrifft, haben sie uns ihre Absicht bereits klar gemacht, die kargen, kopfbürtigen abstrakten Stile, die die 70er Jahre beherrschten, völlig über Bord zu werfen und unbekümmert durch einen Überfluß an Bildlichkeit, Erzählung, Materialien, Farben und freiströmenden Räumen zu ersetzen, der mehr nach Kindergarten als nach ästhetischem Laboratorium schmeckt. In die Elfenbeintürme, in denen die Künstler einer vergangenen Dekade gewissenhaft haarfeine Geometrien, semiotische Theorien sowie verschiedenartige visuelle und intellektuelle Reinheiten ausarbeiten, ist eine internationale Armee neuer Künstler eingedrungen, die am liebsten alles mit ihren selbstbewußt schlechten Manieren aufrütteln möchten. Überall ist ein Hauch befreienden Aufbruchs zu spüren, als wenn eine unruhige Welt voller Mythen, Erinnerung, geschmolzener oder zerfetzter Formen und Farben freigesetzt worden wäre, befreit von den repressiven Zwängen des Intellekts, der über die mächtigste Kunst der vergangenen Dekade seine Herrschaft ausübte. Das sachliche Territorium formaler Klarheit, der unpersönlichen, unbewegten Oberflächen fotografischer Bildwelten ist von Erdbeben erschüttert worden, die persönlich wie auch kollektiv betrachtet als Ausbrüche der ureigenen Phantasien der Künstler erscheinen, jedoch zugleich aus dem alleröffentlichsten Erfahrungsschatz gespeist sind, sei dies nun Mythologie, Geschichte oder der unendliche Bildervorrat älterer Kunstwerke, die uns heute schon an jeder Ecke, angefangen bei Kaufhäusern und Postkarten bis zu U-Bahnhöfen und Inneneinrichtungen der Mittelklasse, entgegenkommen.

Aus dieser Büchse der Pandora ergießt sich ein niemals endender Strom legendärer Geschöpfe, der die neuen Leinwände in der unerwartetsten Weise bevölkert. In aggressiver Weise hat dieser Gegenangriff auf den traditionellen Bildersturm der abstrakten Kunst und die empirischen Anmaßungen der fotografischen Anschauungen die tollste Abfolge von Wesen in sich absorbiert, die sich der Bibel, comic strips, Sagenwelt, literarischer Tradition und klassischer Überlieferung entnehmen ließ. Eine Anthologie der hier vertretenen Künstler würde beispielsweise Bilder nicht nur von Jesus (Fetting), Pegasus (LeBrun), Brunhilde (Kiefer), Orion (Garouste), Prometheus (Lüpertz), Victor Hugo (Schnabel) und Picasso (Borofsky), sondern auch von Bugs Bunny (Salle) und Lucky Luke (Polke) umfassen. Das Ergebnis wäre ein visueller Turm von Babel, der die Kulturen — hohe und niedere, gegenwärtige und prähistorische, antike und christliche, legendäre und geschichtliche – mit einer überschwenglichen Unehrerbietigkeit durcheinanderwürfelte, die genau die verwirrende Überstättigung durch enzyklopädische Daten widerspiegelt, die unser tägliches Gesichtsfeld überfluten und uns mit dem Stoff für Träume und Kunst versehen. Natürlich hat diese gefährliche, nicht nur ergötzliche ikonografische Freiheit in der modernen Kunst eine lange Tradition. Spätestens seit Ende des 18. Jahrhunderts, als der Glaube an die überkommenen Systeme der christlichen und griechisch-römischen Bildwelten tief erschüttert war, erkannten Künstler wie Blake und Runge die Notwendigkeit, eine persönliche Symbolsprache zu erfinden, deren Elemente aus dem weitesten Bereich mythenbildender Vorstellungen genommen waren; und gegen Ende des 19. Jahrhunderts hatte die visuelle Traumwelt der Künstler alles - angefangen bei den Gottheiten polynesischer Religionen bis hin zu den Heldengestalten nordischer Sagas - verdaut. Dieses Trachten nach einem umfassenden, universalen My-thos wurde immer wieder von künstlerischen Impulsen durchkreuzt, die der Empirie oder der Abstraktion zustrebten, tauchte jedoch im 20. Jahrhundert erneut mit Nachdruck auf, als die überwältigende Bedeutung der Träume und des Es entdeckt wurde und die Künstler in ihrem Bestreben rechtfertigte, die durch Freud, Jung und deren Schüler abgesteckten Regionen auch ihrerseits zu erforschen. Der universale Mythenstoff, wie er von Anthropologen ans Licht gehoben wird und sich in den Erzählungen und Sinnbildern der Religionen offenbart, seien uns diese so nah wie das Christentum oder so fern wie die Stammesreligionen Afrikas, könnte der Schmelztiegel sein, der beides, die individuelle Einbildungskraft des Künstlers wie die von der ganzen Menschheit irgendwo auf dem Erdball und irgendwann in der Geschichte oder Vorgeschichte gemachten Erfahrungen, zusammenbringen könnte.

Ein derart unermeßliches Terrain, schwer zu überblicken und schwer zu erobern, lockt in den 80er Jahren, so scheint es, wieder einmal die Künstler an. Es gibt keinen Grund, so sagt uns ihr Werk, warum das Hoheitsgebiet der Kunst irgendwelche Einschränkungen dulden sollte. Wenn Borofsky träumt, er sei Picasso, ist das nicht ebenso bildwürdig wie die vollendetsten Harmonien von Licht und Fläche? Wenn Baselitz darauf besteht, daß die Gesetze der Schwerkraft uns heute eher von der Erde, auf der wir stehen fort, als auf sie zu bewegen sollten, ist das nicht das Herzstück außerirdischer Imagination? Wenn Cucchi uns daran erinnert, daß Köpfe körperlos durch verzauberte Landschaften schweben können, oder LeBrun darauf aufmerksam macht, daß Pferde noch fliegen können, fordern sie uns damit nicht auf, wie Künstler und Märchenerzähler es von Anfang an getan haben, die Augen zu schließen und jenen Geist geflügelter Phantasie wiederzuerwecken, der noch immer so leicht zu unseren Kindern kommt, jedoch für die Erwachsenen des 20. Jahrhunderts in der westlichen Welt so schwer erreichbar geworden ist, daß es gewöhnlich der übertriebenen Technologien der jüngsten Science-fiction-Filme bedarf anstatt der traditionellen Stoffe der Kunst, um sie, und sei es nur für einen kurzen Moment im Kino, von den Wahrheiten des geistigen Auges zu überzeugen?

So eifrig scheint diese Generation nach jeder Art von befreiender Imagination zu greifen, daß der Effekt häufig einen fast chaotischen Charakter annimmt - eines windgepeitschten Feldes von Energien, das direkt aus der Luft gegriffen scheint, bevor die Strukturen organisiert, die Konturen gebildet, die Farben geklärt, die Pinselstriche verfeinert werden können. Einen Großteil der mythischen Vorstellungen, die von diesen jüngeren

Künstlern so gierig absorbiert werden, liefert der Mythos der Kunst selbst. In ihren Werken scheint der gesamte Inhalt unserer großen Museen zersplittert in eine Vielheit von Zitaten, die die bewußte und genaue Kenntnis widerspiegeln, die Künstler und Betrachter heute von der gesamten Kunstgeschichte auf unserem Planeten, von der Höhle bis Soho, haben. Aber innerhalb dieses enzyklopädischen Spektrums, das selbst – wie in Garoustes Paraphrasen alter Meister – jene dramatischen Helldunkel-Techniken einschließt, die Greco und Tintoretto anwendeten und die als Stilmittel zeitgenössischer Kunst einmal völlig undenkbar waren, beziehen sich die meisten Anspielungen auf eine kunsthistorische Ahnentafel des 20. Jahrhunderts, die erklärtermaßen die Traditionen des Kubismus, der geometrischen Abstraktion und überhaupt jeder ersichtlich rationalen Systembildung übergeht und die deshalb auch ganz ausdrücklich das jüngste Erbe von Minimal- und Konzeptkunst ausschlägt. Besonders stark ist der Einfluß nordeuropäischer Phantasiekunst und des Expressionismus, so daß zuweilen sogar die hier vertretenen Italiener – Chia, Clemente, Cucchi – mehr wie Schüler Chagalls denn De Chiricos anmuten, zumal angesichts ihrer Faszination durch freischwingende Räume in süßlichen Farben, in denen Geschöpfe und Ereignisse aller Art auftauchen und wieder verschwinden können. Unvermeidlich macht sich die Verwandtschaft mit älterer deutscher Kunst bei vielen der neueren deutschen Künstler bemerkbar. So zum Beispiel standen Corinth und Nolde Pate bei der Entwicklung der kruden Malweise von Baselitz, die die dichten und bewegten Räume, die seine prosaischen Bildgegenstände umhüllen, zersetzt. Die ganze Namensliste der Brücke-Mitglieder – Kirchner, Heckel, Schmidt-Rottluff, Pechstein – klingt von neuem in den ungemischten Farben, den eckigen Schraffuren und der drückenden Stimmung bei Fetting, Hödicke, Salomé an. Und die düstere soziale Realität Deutschlands, wie sie während und nach dem 1. Weltkrieg von Grosz und Dix festgehalten wurde, scheint mir in Immendorffs Alptraumpanoramen der neuen Ängste des gegenwärtigen Deutschland brutal wiederbelebt. Sogar Klee, dessen kleinteiliger Maßstab und feine Sensibilität dem in der Regel extrovertierten und heftigen Gebaren der hier vertretenen jüngeren Deutschen fremd scheinen, kann (besonders in seinen späteren Werken) zu einer Inspirationsquelle für viele der Piktogramme Pencks werden.

Aber in mancher Hinsicht schälen sich gewisse expressionistische Strömungen der 40er und 50er Jahre sowohl in Amerika wie in Europa als engste Bezugspunkte heraus. Die frühen Arbeiten der New Yorker Schule, zumal jene Gemälde aus den 40er Jahren, in denen Pollock, Gottlieb und Rothko auf ihrer Suche nach der grundlegenden Sprache aller Mythen (ob griechisch, biblisch oder indianisch) mit dem geheimnisvollen Material der Anthropologie und Psychologie kämpften, erinnern an viele dieser neuen Erforschungen einer zugleich persönlichen und universalen Phantasiewelt und stehen diesen sogar in der Attraktion durch einen vorsätzlich primitiven Stil nahe, in dem heftige Emotionen in fließenden Räumen aufschäumen und uralte Symbole – Augen, Flügelwesen, männliche und weibliche Urbilder – mit einer überlegten Rohheit wiedergegeben werden, die den Anfang allen Fühlens und Bildens beschwört. In dem Maße, wie die neue Kunst unsere Wahrnehmung der alten Kunst verändert, hat diese Wiedererstehung des Mythos in den 80er Jahren auch dem Frühwerk der abstrakten Expressionisten (das traditionellerweise nur als das unreife Mittel für die reifen, abstrakten Zwecke dieser Künstler angesehen wurde) nachträglich eine unerwartete Aktualität gegeben. Ganz ähnlich schien einst auch die nordeuropäische Gruppe Cobra mit ihren Stützpunkten in Kopenhagen, Brüssel und Amsterdam totgesagt und durch die dominierenden Stile der 60er und 70er Jahre zu Grabe getragen – doch auch für sie scheint eine neue Aktualität bevorzustehen, seit so viele jüngere Maler (wie der Däne Kirkeby) voller Verehrung auf diese künstlerischen Großeltern aus den 50er Jahren zu blicken scheinen und sich von ihnen zu ihrer eigenen absichtsvoll gewaltsamen Behandlung der Malflächen inspirieren lassen, die ganz in der Manier von Jorn oder Appel zerrissen, aufgewühlt und gestrichen erscheinen. Wie so oft in der Kunstgeschichte können Dinge, die ein oder zwei Jahrzehnte lang völlig irrelevant, häßlich oder gar langweilig anmuteten, in der Sicht einer jüngeren Generation urplötzlich wieder interessant und produktiv werden. In diesem Fall scheint eine Reihe von Aspekten des internationalen expressionistischen Stils der 40er und 50er Jahre eine Aufwertung zu verdienen ebenso wie dies für bestimmte Phasen im Werk älterer Meister des 20. Jahrhunderts gilt, die allgemein abschätzig beurteilt wurden (wie das Spätwerk von De Chirico, von Picasso, von Picabia, von Chagall) und von Künstlern der 80er Jahre eifrig wiederentdeckt werden.

Ein heilsamer Effekt von Ausstellungen wie dieser besteht darin, daß sie den Dialog zwischen der Kunst Europas und der Vereinigten Staaten fördern. Bis ganz vor kurzem wurde die amerikanische Kunst auf der amerikanischen Seite des Atlantiks in einem nationalistischen Vakuum betrachtet, und die Kunstgeschichte nach 1945 schien allein in New York stattzufinden –

ganz so wie von der Geschichte der modernen Kunst gewöhnlich angenommen wurde, sie würde ausschließlich in Paris stattfinden. Sogar die New Yorker Retrospektive eines Meisters wie Beuys war nicht dazu in der Lage, das Raster dieser chauvinistischen Geschichtsbetrachtung zu erschüttern, und dies trotz der offensichtlichen Analogien, die zwischen, sagen wir, Beuys und Morris feststellbar sind. Doch auf einmal ist New York, wenn auch erst in den letzten paar Jahren, so empfänglich für europäische Künstler geworden, daß ein deutscher oder italienischer Paß auf der New Yorker Szene fast eher eine Garantie für Erfolg denn für Mißerfolg ist. Die Amerikaner sind sich nicht mehr so sicher, daß sie niemals ernstlich darauf zu achten hätten, was jenseits des Atlantiks passiert, und erfreulicherweise ist es inzwischen möglich, gleichzeitig auf, sagen wir, Clemente und Schnabel, LeBrun und Rothenberg zu achten und die Verwandtschaft wahrzunehmen, die zwischen ihnen besteht. Derartige Konfrontationen, die in den Vereinigten Staaten heute selbstverständlicher geworden sind, können vielleicht sogar dazu beitragen, eine Revision der Geschichte der amerikanischen Kunst seit 1945 insgesamt herbeizuführen, die längst überfällig ist für eine Interpretation im Zusammenhang mit jenen europäischen Künstlern, die uns umgekehrt helfen mögen, den Hintergrund der hier zelebrierten Kunst besser zu verstehen. Die *Zeitgeist*-Ausstellung wird sicherlich dazu beitragen, unsere Anschauungen neu zu ordnen, nicht nur im Hinblick darauf, was gegenwärtig geschieht, sondern auch, was in der Vergangenheit geschah.

Übersetzung Roman Piesenkam

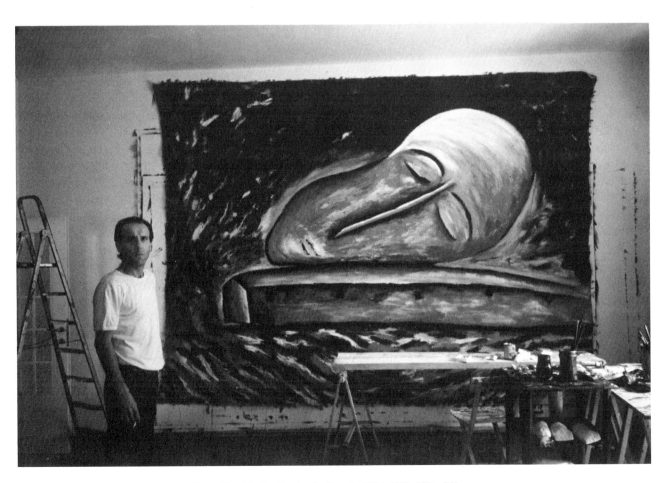

Enzo Cucchi Quadro tondo/Rundes Bild 1982 280 x 360 cm

Zeichen der Leidenschaft

Hilton Kramer

Tatsache ist nämlich, daß sowohl Formvollendung wie Heftigkeit, spezifische Genauigkeit wie großzügige Abstraktion Zeichen der Leidenschaft oder ihres Gegenteils sein können; sie können der Gemütserregung oder der Gleichgültigkeit, dem trägen Verstand oder der geistigen Trägheit entspringen . . . Nun haben Formvollendung wie Unvollkommenheit ihre Berechtigung dort, wo sie Zeichen der Leidenschaft oder des Denkens sind; doch wo sie das nicht mehr sind, verlieren sie ihre Gültigkeit, und von beiden halte ich dabei die Formvollendung für verabscheuungswürdiger.
John Ruskin, *Modern Painters*

Die Eruption neuer stilistischer Initiativen in der Kunst, beileibe doch kein Novum in der Kulturgeschichte des 20. Jahrhunderts, kann immer noch mit einer verstörenden Wirkung auf den etablierten Geschmack rechnen. Zeitweilig vermag sie sogar zu Veränderung und Ressentiments bei jenen Leuten zu führen, die sich rühmen, auf alles in der Kunst vorbereitet zu sein - besonders auf alles Radikale. Warum das zum heutigen Zeitpunkt immer noch der Fall sein muß, erscheint auf den ersten Blick etwas rätselhaft.

Veränderung, stetige und beharrliche Veränderung, ist schließlich, so weit sich heute irgendeiner zurückerrinnern kann, im Leben der Kunst die Regel gewesen. Veränderung war das grundlegende Prinzip, das die Kunst im Zeitalter der Avantgarde beherrscht hat. Und in den letzten Generationen hat das Tempo dieser Veränderung bei weitem nicht nachgelassen; es hat sich eher noch beschleunigt. Sicherlich ist keine andere Kultur in der überlieferten Geschichte der Zivilisation einem solchen unablässigen Druck künstlerischer Innovation unterworfen gewesen, wie er lange schon ein alltägliches Merkmal unserer Kultur ist.

Obwohl es sich doch um ein vertrautes Phänomen handelt, scheinen unsere Reaktionen darauf immer noch sehr geteilt zu sein. Wir sind daran gewöhnt, werden aber gleichzeitig dadurch verstört. Wir sind dafür aufgeschlossen, leisten aber gleichermaßen Widerstand dagegen. Veränderung ist für uns ein Zeichen von Vitalität - aber gleichzeitig empfinden wir sie auch als bedrohlich. Stabilität läßt uns an einen Verlust von Schwung und Energie denken und weckt die Furcht vor Sterilität und Verfall; aber in unseren Gedanken - und in unseren Herzen! - existiert etwas, das sich trotz allem danach sehnt, auf Dauer oder doch für einige Zeit von den ständigen Veränderungen, die über uns hereinbrechen, befreit zu werden. So gehört es zu den Besonderheiten der Beschaffenheit unserer Kultur, daß das Ausbleiben von Veränderungen uns ebenso ängstigt, wie die Ansprüche, die ihr stürmischer Verlauf stellt, uns verunsichern. Unser Verhältnis zur Kunst gleicht in dieser Hinsicht doch sehr unserem Verhältnis zur Ehe. So mögen wir zwar zutiefst entsetzt sein über die steigende Scheidungsrate, weil wir darin vielleicht eine Form gesellschaftlicher Pathologie sehen, aber trotzdem genießen wir die Freiheit, die sich uns dadurch bietet. Gleichzeitig - ein weiteres Paradoxon! - erkennen wir, daß die Scheidungsrate wiederum dauernd von jenen in die Höhe getrieben wird, die nur darauf brennen, bei der nächstbesten Gelegenheit wieder zu heiraten. Ähnlich geteilten Herzens scheinen wir uns heute neuen Kunststilen zu „verbinden" und uns von ihnen wieder zu trennen: Das ist eine der bleibenden Hinterlassenschaften der Avantgarde-Tradition.

Die Eruption einer neuen expressionistischen Bewegung in der Kunst - des sogenannten Neo-Expressionismus, der in letzter Zeit solch eine überraschende und ungeheure Präsenz auf der internationalen Kunstszene erringen konnte - stellt fraglos einen der spektakulärsten und am wenigsten vorhergesehenen „Trennungs"-fälle der neueren Kulturgeschichte dar. Seit dem Entstehen der Pop Art Anfang der sechziger Jahre haben wir nichts vergleichbar Folgenreiches auf dem Gebiet der zeitgenössischen Malerei zu sehen bekommen. Ein wichtiger Motor dieser Bewegung ist natürlich das ausdrückliche Bestreben seitens einer neuen Künstlergeneration gewesen, bestimmte charakteristische Merkmale nicht nur der Pop Art sondern auch die gewisser anderer Stilrichtungen zu negieren, besonders der Minimal Art und der Farbfeldmalerei, Stilrichtungen, die in den sechziger Jahren mühelos und unangreifbar ihre Vormachtstellung ausbauen konnten und seither einen immensen Einfluß auf den zeitgenössischen Geschmack ausüben. Das hat der Bewegung gewiß ihre zentrale Stoßrichtung verliehen, und es erklärt auch viel von ihrer Anziehungskraft. Es ist die Anziehungskraft einer Kunstrichtung, die viele Fragen neu aufwirft, die von einer als „avanciert" geltenden Meinung irrtümlicherweise für erledigt gehalten worden waren.

Welche Kennzeichen der Kunst der Sechziger werden nun abgelehnt, und welche Alternative hat die neo-expressionistische Malerei zu bieten? Diese Fragen zielen auf den Kern der entscheidenden Revision der Kunstauffassung, mit der wir es nun zu tun haben. Dabei darf jedoch nicht vergessen werden, daß die neo-expressionistische Bewegung, wie radikal ihr Bruch mit der Kunst der Sechziger auch immer sein mag, mit der Pop Art durchaus etwas gemein hat – wenn nicht ästhetisch oder geistig, so doch soziologisch. Denn wie Pop gehört sie unverkennbar der post-avantgardistischen Epoche an. Das heißt: eine Periode, in der praktisch jeder neue Ansatz in der Kunst sofort und problemlos ins Rampenlicht geraten konnte und dadurch verdammt war – oder sollte man sagen: privilegiert? die Meinungen darüber werden natürlich auseinandergehen –, vor den Augen eines gierigen, ja neugierigen Publikums seine Stärken zu entwickeln, seine Schwächen zu zeigen und sein Schicksal des weiteren zu gestalten. Daher spielt unweigerlich der historische Zeitpunkt, zu dem der Neo-Expressionismus die Szene betrat, eine Rolle, will man den Geist und die treibende Kraft der Kunstwerke bestimmen, die diese Bewegung hervorgebracht hat.

Ohne zu übertreiben kann man sagen, daß in dem Augenblick, als die neue Bewegung in den siebziger Jahren auf der Kunstszene erschien, der Expressionismus – besonders die an figurale und/oder symbolische Motive gebundene Form des Expressionismus – schon lange als verachteter und absterbender Stil betrachtet wurde. Der abstrakte Expressionismus wurde natürlich als Museumsklassiker in allen Ehren gehalten, und seine lebenden Repräsentanten wurden weiterhin selbst von der Generation geschätzt, die seine künstlerische Praxis verwarf. Die Kunst der Sechziger mochte sich wohl dem abstrakten Expressionismus als Opposition entgegengestellt haben; aber es war eine Opposition, die dem Gegner einen hohen Rang zuerkannte und nicht einen Augenblick lang seine Existenzberechtigung in Frage stellte. Ein Großteil der Künstler, die in der Pop und Minimal Art Ruhm und Einfluß erlangten, waren ja auch in der Tat zu Beginn ihrer Laufbahn beim abstrakten Expressionismus in die Lehre gegangen, und die Farbfeldmaler haben nie geleugnet, in seiner Schuld zu stehen. Völlig anders verhielt es sich dagegen mit dem gegenständlichen Expressionismus, der in den Jahren vor dem Ersten Weltkrieg in Nord- und Mitteleuropa entstanden war. Für die Künstler der Sechziger zählte diese frühe expressionistische Schule kaum. Selbst auf Maler vom Range eines Munch, Kokoschka und Beckmann sah man herab; sie galten als altmodische Figuren, die eine fremde und ferne Tradition verkörperten. Wer auch nur anzudeuten wagte, daß ihre Kunst immer noch ein lebendiger oder gültiger Be-

standteil der Moderne sei und durchaus etwas Wichtiges zur Kunst unserer Zeit beitragen könne, mußte damit rechnen, in der schicken und „swinging" Kunstwelt der Sechziger sich lächerlich zu machen.

Die Gründe für diese Haltung sind alles andere als obskur. Zunächst einmal herrschte die weitverbreitete Auffassung, daß die Vormachtstellung, die die abstrakte Kunst erlangt hatte, eine dauerhafte und irreversible Bedingung des zeitgenössischen künstlerischen Ausdrucks darstelle. Zwar konnte sich die internationale Szene vieler bewunderter Künstler rühmen, deren Werk dieser Auffassung nicht entsprach – Dubuffet, de Kooning, Morandi, Balthus und Bacon waren nur die berühmtesten, aber bei weitem nicht die einzigen. Doch diese Künstler unterschieden sich in Geist und Stil zu sehr, um eine alternative Tradition zu bilden. Sie konnten nachgeahmt werden – und sie wurden es auch. Aber sie ließen sich nicht zur Grundlage eines kraftvollen Neuansatzes in der Kunst machen. Die etablierte kritische Meinung hielt sie für ruhmreiche Ausnahmen. Es war die abstrakte Kunst, in der man die Hauptströmung der Moderne verkörpert sah.

Die Abstraktion selbst machte überdies eine bedeutsame Veränderung durch. In der Kunst der Sechziger wurde sie systematisch ihrer expressionistischen Attribute beraubt. Alle Spuren subjektiven Gefühls, jeder Impuls zur Improvisation und dessen, was Ruskin „Heftigkeit" und „Unvollkommenheit" genannt hatte, alles was an die Rolle des Unbewußten oder des Irrationalen in der Kunst erinnerte – alles das wurde unterdrückt zugunsten glatter Oberflächen und „harter Kanten" [hard edges], zugunsten sofortiger Lesbarkeit, Transparenz und Ordnung. Die aufstrebende Generation schien eine tiefe Abneigung zu hegen gegen alles in der Kunst, was auch nur den Anschein des Geheimnisvollen oder der Verinnerlichung erweckte. Seelische Offenbarungen waren praktisch aus der Kunst verbannt. Die Erregung von Gefühlen wurde für etwas Vulgäres gehalten. Zum ersten Mal in der Geschichte der Kritik galt Langeweile in der Kunst als ein vorbildliches Gefühl. Wir waren in die Epoche jener Stile eingetreten, die „cool" und unpersönlich waren.

Die Pop Art, die in entschiedener Weise die Autorität der abstrakten Kunst herausforderte, indem sie sich die Bildlichkeit der Massenkultur zu eigen machte und sie in den Rang der schönen Künste erhob, trieb diese Tendenz zum Unpersönlichen in der Kunst noch einen kritischen Schritt weiter. Sie fügte der dandyhaften Distanziertheit, die auch längst in die abstrakte Kunst eingedrungen war, noch ein Element der unbekümmerten und ansteckenden Ironie hinzu – bisweilen sogar des Spotts. So fand vor allem in der Pop Art die

Tendenz zum „coolen" und unpersönlichen Stil ihre historische Apotheose. Denn sie brachte in diese Kunstrichtung noch eine leichte Ungezwungenheit ein und machte sie so unterhaltsam und zugänglich. Anders als die karge und utopische Kunst der Minimalisten war die Pop Art weltgewandt und locker. Sie trat ihrem Publikum augenzwinkernd gegenüber und lud es ein, sich zu vergnügen. Sie lockte uns, unsere Zweifel und Ängste zu vergessen, die bloße Idee des Metaphysischen zu vertreiben und für immer in einem Universum glänzender gesellschaftlicher Oberflächen zu verharren.

Daraus wird leicht ersichtlich, warum es in der Atmosphäre, die durch diese Haltung entstanden war, keinen Platz gab für den expressionistischen Impuls. Expressionismus eignet sich nicht zur Reinlichkeit und Distanz. Er hat eher die Neigung, „hot" zu sein als „cool." Er strotzt vor Verweisen auf das Visionäre und Irrationale, und schon die bloßen Spuren, die er auf Papier oder Leinwand hinterläßt, sind hemmungslose Gefühlsbekenntnisse. Der Expressionismus sieht in der Malerei wirklich ein Medium der Entdeckung und Erforschung. Lustvoll genießt er die rein materiellen malerischen Mittel und sieht in ihnen die Möglichkeit zur Schaffung bildlicher Vorstellungen und zur Erregung von Gefühlen. Vor allem aber steckt in ihm ein tiefes Verlangen nach dem Geheimnisvollen und dem Metaphysischen.

Historiker werden sich noch lange Zeit mit der Frage beschäftigen, warum eigentlich die Kunst der sechziger Jahre sich diesen Impulsen gegenüber so entschieden ungastlich verhielt. Denn schließlich war es ja ein Jahrzehnt, das auf anderen Gebieten durchaus für seine Erhitztheit bekannt war. Mit seiner Drogenkultur und seiner Aussteigermentalität, mit seinem gesellschaftlichen Radikalismus und der sexuellen Revolution, mit seiner Opposition gegen die bürgerliche Ordnung und dem bereitwilligen Aufgreifen apokalyptischer und irrationaler Zukunftsvisionen hätte, wie es scheint, der Geist der sechziger Jahre - besonders mit jener Richtung, die dann die Gegenkultur genannt werden sollte - einen äußerst fruchtbaren Nährboden abgeben können für das Entstehen einer expressionistischen Strömung. Aber dazu kam es nicht. Vielmehr, wie wir wissen, begünstigte dieses heißeste aller Jahrzehnte unerbittlich die „coolsten" Kunststile. Der expressionistische Impuls blieb dem Leben vorbehalten und galt nicht für die Kunst.

Die Beziehungen nämlich, die zwischen der Kunst und der Gesellschaft herrschen, zwischen der schöpferischen Gestaltung und der Geschichte, sind gewöhnlich viel widersprüchlicher und weniger direkt als

gemeinhin angenommen. Und deshalb waren viele Leute so verblüfft und unvorbereitet, als die Neo-Expressionisten Ende der siebziger und Anfang der achtziger Jahre über uns hereinbrachen. Verglichen mit dem Umwälzungen, die sich in den Sechzigern ereignet hatten, war die westliche Welt gegen Ende der Siebziger ein weitaus ruhigerer Ort. Ihre Kunst schien es sich in einem friedlichen Pluralismus bequem gemacht zu haben. Nachdem sie jahrelang die Vorstellung bekämpft hatten, daß das Zeitalter der Avantgarde vorüber sei, hatten sich schließlich auch die letzten ihrer unbelehrbaren Verteidiger mit dieser Tatsache abgefunden. Die großen Ereignisse, die die Aufmerksamkeit der Kunstwelt beherrschten, waren im wesentlichen zumeist retrospektiv. Fast niemand war vorbereitet auf einen neuen und ungewöhnlichen Umbruch, der den herrschenden Geschmack herausforderte. Doch als die neo-expressionistische Herausforderung kam - und sie kam plötzlich und gleichzeitig in verschiedenen Ländern -, traf sie offensichtlich einen empfindlichen Nerv. Es kam natürlich zu Aufschreien des Entsetzens, man sprach von Betrug, und es gab auch die üblichen Unterstellungen eines Komplotts. Kritiker, die zwanzig Jahre lang ohne mit der Wimper zu zucken jede nur erdenkliche modische Reputation verteidigt hatten, fanden sich in der seltsamen Position, ausgerechnet jetzt eine neue „Mode" zu geißeln. Die Situation war nicht ohne komische Aspekte für alle, die gewitzt genug waren, sie zu genießen.

Es war ganz klar: etwas Wichtiges hatte sich ereignet. Wir wurden Zeugen eines echten Geschmackswandels. In diesem Zusammenhang sei mir gestattet, aus einer Rezension zu zitieren, die ich im April 1981 für die *New York Times* geschrieben habe, und zwar anläßlich des zufälligen Zusammentreffens zweier Einzelausstellungen - von Malcolm Morley und Julian Schnabel; ich fühle mich zu diesem Zitat berechtigt, weil meine Ausführungen des öfteren woanders zitiert worden sind - und nicht immer korrekt oder zustimmend. „Nichts in der Kunst ist so unberechenbar - und so unausweichlich - wie ein echter Geschmackswandel," schrieb ich und machte dann folgende Bemerkungen: „Obwohl der Geschmack auf gewisse Weise dem Gesetz der Kompensation zu gehorchen scheint, so daß mit der Negation bestimmter Qualitäten einer Periode fast automatisch der Boden bereitet wird für ihre spätere triumphale Rückkehr, läßt sich doch der Zeitplan des Geschmacks niemals genau vorhersagen. Seine Wurzeln liegen in einer tieferen und geheimnisvolleren Schicht als in einer bloßen Mode. Den Kern eines jeden echten Geschmackswandels bildet, glaube ich, ein schneidendes Gefühl des Verlusts, ein existentieller

Schmerz – ein Gespür dafür, daß etwas absolut Wesentliches für das Leben der Kunst in einen Zustand unerträglicher Atrophie geraten ist. Und der sofortigen Behebung dieses einmal wahrgenommenen Mangels widmet sich, in seiner tiefsten Schicht, der Geschmack."

Das Gefühl des Verlustes, von dem ich in dem Artikel sprach, war in der Tat schneidend gewesen. Fast zwei Jahrzehnte lang hatten alle von der „avancierten" Meinung anerkannten Stile des großen Erfahrungsbereiches verwehrt, eine wie auch immer geartete Rolle bei der Schaffung einer neuen Kunst zu spielen. Genauer gesagt: den Erfahrungen der sechziger Jahre – nicht den Kunstrichtungen der Sechziger, sondern den gesellschaftlichen und geistig-seelischen Erfahrungen – war auf programmatische Weise der Zutritt zur malerischen Imagination verweigert worden. Gegenüber diesem Feld der Erfahrung nahm die bildende Kunst eine Haltung ein, die einem Wahrnehmungsverlust gleichkam. Die Kunst schien ihre Fähigkeit verloren zu haben, sich auf die Welt, in der sie doch bestand, einzulassen. Die Erfahrungen und Ereignisse der sechziger Jahre und die Veränderungen, zu denen sie führten – im Familienleben, in der Beziehung der Geschlechter, in der Kleidung, in der Arbeitswelt und in Erziehung und Religion – wurden in der Malerei praktisch zu verbotenem Gelände erklärt. So wurde eine unerträgliche Spannung zwischen Kunst und Leben erzeugt.

Mit dem Versuch, diese Spannung zu lösen und aufzuheben, entstand die neo-expressionistische Bewegung. Ihre erste Aufgabe war es, der Malerei die Fähigkeit zurückzuerobern, jene Poesie und Phantasie in sich aufzunehmen, die ihr lange Zeit verwehrt worden waren; und zu diesem Zweck war sie gezwungen, einen Angriff auf die Bildoberfläche zu führen – manchmal im buchstäblichen Sinne, wie es schien. Auf der Stelle verworfen wurden leichte Lesbarkeit und Transparenz, die ja in Wahrheit längst zur gefälligen Konvention verkommen waren. Statt alles aus dem Bild auszuklammern und aus dem, was übrig blieb, eine ordentliche, reine, vollkommene Form zu machen, waren die Neo-Expressionisten wild entschlossen, alles hineinzupacken. Ihre Bilder überschwemmten das Auge mit lebhaften Zeichen und taktilen Wirkungen; die vertrauten mehr dem Instinkt und der Imagination als einer durchdachten Komposition. Das Mystische, das Erotische und das Halluzinatorische waren wieder willkommen in der Malerei, die jetzt das Makellose und Karge zugunsten von Energie, Körperlichkeit und überbordender Fülle verschmähte.

Es war diese Erfahrung überbordender Fülle, glaube ich, die den etablierten Geschmack am stärksten verstörte. Wir hatten uns an die Vorstellung gewöhnt, daß

Veränderungen im Stil der Malerei unweigerlich auf Läuterung, Reinigung, Reduktion abzielten. Hundert Jahre oder noch länger schien die Vitalität der Malerei darauf beruht zu haben, daß sie sich ihrer Konventionen, ihrer malerischen Möglichkeiten entledigte, um so einen unreduzierbaren Kern, die wesentliche Substanz zu isolieren. Indem die neo-expressionistische Bewegung sich in offene Opposition zu dieser Tendenz begab, präsentierte sie sich nicht nur als neuen Stil. Sie stellte eben diese Praxis in Frage: die Vitalität der Kunst mit dem Prozeß fortschreitender Reduktion zu identifizieren. Und genau das erwies sich für den puristischen Geschmack als so verstörend. Denn damit wurde an einen teuren Glaubenssatz gerührt: ein althergebrachter Trend wurde umgekehrt. Kein Wunder, daß man entsetzt war und von Betrugsmanövern sprach. Ähnliches war in den zwanziger und dreißiger Jahren geschehen, als Reaktion auf den Surrealismus; und noch heute gibt es kämpferische Anhänger der abstrakten Kunst, die im gesamten Surrealismus ein Phänomen sehen, das nicht in die Moderne gehört; also müssen sie den Begriff neu definieren, so daß derartige „abweichende" Tendenzen ausgeklammert werden können. Doch Übungen dieser Art gehören in den Bereich der Polemik und kaum in die Kunstgeschichte.

Es ist natürlich noch zu früh für ein definitives Urteil über die Leistungen der Neo-Expressionisten. Die Bewegung ist noch neu und jung – ein Tatbestand, der inmitten all der Publicity und Kontroversen, die sie hervorgerufen hat, manchmal vergessen wird. Wir haben damit noch nicht einmal ein Jahrzehnt gelebt. Und doch: was für Veränderungen hat sie bereits in uns bei der Wahrnehmung zeitgenössischer Kunst ausgelöst, und was für Veränderungen auch auf der, wie man sagen könnte, Landkarte der zeitgenössischen Kunst. Zum ersten Mal seit mehr als einer Generation brauchen die Maler ihre heimatlichen Wurzeln nicht mehr zu verbergen. Die Amerikaner in dieser Bewegung wird man nicht so leicht mit den Italienern verwechseln, und die Italiener unterscheiden sich stark von den Deutschen – wie sie sich auch untereinander alle unterscheiden. Der Druck, der die Kunst dazu zwang, anonym und „international" zu erscheinen, paßt ganz deutlich nicht zu einem Stil, der vom Künstler fordert, sein eigenes Ich stärker ins Zentrum seines Werkes zu stellen. Kunst ist wieder zum Medium von Träumen und Erinnerungen geworden, von Symbolen und Szenarien des Gefühlslebens. Sie hat sich ihre Fähigkeit zur dramatischen Darstellung zurückerobert – besonders aber der dramatischen Darstellung des Ich in seinem bewußten und unbewußten Zustand. Dies ist eine historische Umwertung von beträchtlichen Konsequenzen, deren

Folgen uns in den kommenden Jahren noch lange beschäftigen werden. Verändern sich dadurch doch unsere Erwartungen an die Kunst.

In dem Abschnitt aus *Modern Painters*, den ich diesem Essay vorangestellt habe, erinnert uns Ruskin daran, daß wir an jedem Stil der Malerei – ob er nun von Formvollendung oder „Heftigkeit" bestimmt wird – das am meisten schätzen, was er die „Zeichen der Leidenschaft oder des Denkens" nennt, und auf diese reagieren wir am lebhaftesten. Der Neo-Expressionismus ist sicherlich nicht die einzige Malerei der zeitgenössischen Szene, die diese Forderung erfüllt. Weil er aber – gerade jetzt jedenfalls, wo seine Energien noch frisch sind und seine Leistungsfähigkeit noch im Wachsen begriffen ist – so reich ist an diesen „Zeichen der Leidenschaft", übt der Neo-Expressionismus seinen unwiderstehlichen Reiz aus.

Übersetzung Bernd Samland

Sandro Chia – Enzo Cucchi Scultura andata – Scultura storna Verlorene Skulptur – Graue Skulptur 1982 200 x 180 cm

Der Dilettant als Genie

Über wilde Musik und Malerei in der fortgeschrittenen
Demokratie

Walter Bachauer

Ein von Kunstphilosophen stets wieder graziös betretener Gemeinplatz besagt, die ideologische Avantgarde werde in den Künsten immer von den Augenmenschen gestellt. Das träge Volk der Tönemacher laufe dem geistigen Status quo hinterher. Die Malerei als Kavallerie des Fortschritts, die Musiker auf dem MarketenderWagen. Dieser Unsinn vergißt nicht nur die Zeitgenossenschaft Strawinskys mit Picasso, Schönbergs mit der Wiener Sezession, Stockhausens mit dem Nachkriegs-Konstruktivismus, es handelt sich um Unsinn a priori, der die Natur des Handelns hier und dort verkennt. Weil Unvergleichbares verglichen wird, ist's bequem, historische Perspektiven herbeizuschwafeln, während in Wahrheit Henne und Ei weiter ungerührt ihre Doppelexistenz führen, etwa in Gestalt von Cage und Duchamp. Das Müßige an der Frage leuchtet umso heller auf, als man sich, wenn Vergleiche sein müssen, der handwerklichen Basis der Künste nähert. Musik, die sich nicht ganz und gar mit der Collage von Geräusch einläßt, hat es sofort mit einem absoluten, scharf bemessenen Tonraum zu tun, einem Kosmos von Zahlenverhältnissen. In ihm „stilistische" Qualität zu entfalten, erfordert den Fachmann. Der Autodidakt hat in der Musik nur in dem klassischen Wortsinn eine Chance, als er sich selbst die Navigation durch die Galaxis der Oktaven, Quinten und Terzen beigebracht hat. Er mag dem Muff der Akademien ausgewichen sein, die Tasten seines Klaviers sagen ihm spätestens, worum es sich handelt. Dieser Zwang zur Erkenntnis der technischen Sachlage kann nur durch das Zersägen des Instruments temporär beseitigt werden.

Für die Malerei, die ja dem Monopol der Handwerklichkeit jahrhundertelang kaum weniger versklavt war, haben indes fünfzig Jahre ausgereicht, die akademischen Festungen restlos zu schleifen. Die Möglichkeit, dies ohne Niveauverlust zu tun, liegt im Bauch des Mediums. Weitaus nicht alle Ideen, die visuelle Form erheischen, sind auf mediale Gelehrsamkeit verwiesen. Manchen ist sie sogar Feind. Der Autodidakt kann daher in der kühnen Rolle des Dilettanten verharren und den Orden der Professionalität durch Selbstverleihung erwerben. Demgegenüber ist der Musiker in der verzweifelten Lage, daß auch der größte Dummkopf falsche Töne hört und daß nur der Intellektuelle in der Lage ist, den Ausdruck der Dissonanz als schmerzhaftes Gegengift zur Trivialität hinabzuwürgen. (Diese von den Avantgarde-Programmen der Medien in wahren Trimm-Dich-Kursen geförderte Fähigkeit erwarb allerdings bloß eine Minorität beflissener Fakire.) Musik, die sozial relevante Positionen einnimmt, ja die Definition eines „Zeitalters der Rolling Stones" erlaubt, spielt immer noch in Dur und Moll. Und dies sagt nicht einmal etwas über ihren Innovationswert. Die modische Massenmusik kommt mit Methoden aus, gegen die sich Bach wie ein Mensch des nächsten Jahrtausends ausnähme, ginge es überhaupt noch um kulturelle Verfeinerung. Doch um die geht es nicht mehr.

Der Dilettant als Genie, jene in der bildenden Kunst seit Grandma Moses sanktionierte Figur, rannte das Tor zur Musik in der Ära der Sex Pistols ein. Bis dahin war die Massenmusik Domäne von Leuten, die Melodien erfanden, sie harmonisieren und für wechselnde Klangapparate aufputzen konnten. Die Neuen Wilden der New Wave-, Punk-, Ska- und Oi-Musik mit ihren vitalen deutschen Clans stießen die letzten Reste musikalischen Sentiments in den Brunnen. Damit fiel das Monopol der Melodie in der Populärmusik. Damit ließ sich das Theorem verkünden, mit der Kenntnis dreier Akkorde sei auszukommen und jeder weitere schaler Zierat. Die Flut der Amateure, die auf der Basis dieses Evangeliums bis in die Hochebenen der Popularität schwappte, schätzten die Strategen der industriellen Verbreitung zunächst als kurzlebiges Unwetter ein. Das hat sie inzwischen vielfach das materielle Überleben gekostet. Die multinationalen Kolosse, die ihre finanzielle Muskulatur nicht für die Dilettanten spielen ließen, sind von produzierenden Zwergen zerrieben worden, von Dilettanten, die den Feldzug des Dilettantismus organisierten. Nun ist es eine irreversible Tatsache, daß man mit dem Text „Aha-Aha-Da-Da-Da", begleitet von Instrumenten, die jedes Warenhaus führt, zum Medien-Millionär aufsteigen kann.

Der Rhythmus dieser Entwicklung hallt auch aus der Beziehung der Musik zur bildenden Kunst wider. Wer in der wilden Malerei Entsprechungen zur Avantgarde der „Kunst"-Musik von heute sucht, geht fehl. Er wird hier Relationen gekappt finden, die noch für die Generation von Konstruktivismus bis Fluxus eisern geschnürt schienen. Die frühen Happenings von Beuys, die klangliche Inbetriebnahme alltäglicher Materialien durch Vostell, die Ideen-Berge der concept art hatten leicht identifizierbare Spiegelbilder in den Ritualen der Komponisten, zumal denen der Cage-Schule. Cage hatte dem betulich lauschenden Kulturbürger schon kurz nach dem Krieg die Lieferung von musikalischem „Sinn" aufgekündigt. Er erklärte, eine Musik, deren reale Erscheinung er auf dem Papier planen könne, sei jenseits seines Interesses, weil daraus nichts mehr zu erfahren sei, was er nicht ohnehin wisse. Die Strategie der „Unbestimmtheit", die Cage dem Begriff des „Werks" wie ein auf die Vergangenheit gerichtetes Messer entgegenhielt, hatte für den Urheber keineswegs destruktive Qualität. Sie schien im höchsten Grad egoistisch auf den Wahrnehmungsrahmen des Komponisten selbst bezogen. Indem er mit peniblen Zufallstechniken „Ereignisse" in Szene setzte, die jede Vorhersage durch ihn und das Publikum ausschlossen, gönnte er sich den Luxus der pursten, mathematisch unendlichen Variation. Vor seinen Augen und Ohren wuchsen die Stücke zu Giganten der Wahrnehmungsveränderung heran, die das Subjekt des Erzeugers und mit ihm die letzten Schimmer von „Form" paralysierten. Cage, der Nichtbesitzer seiner Musik, legte es exklusiv darauf an, sich selbst zu überraschen. Er erklärte das Staunen zur Haltung des Komponisten, erklärte dem Publikum, es müsse die Produkte nicht um jeden Preis „Musik" nennen, wenn es den Ausdruck „schockierend" finde.

Nun könnte man annehmen, diese Ära, in der Komponisten wie bildende Künstler den Werkbegriff ins Säurebad tauchten, in der Geiger nach wilden Graphiken improvisierten, Orchestermusiker den Zeitpunkt des Einsatzes wählen konnten, Beuys Sauerkraut ins Piano schüttete und endlich jede beliebige klangliche wie visuelle Realität per definitionem zur Kunst wurde – dies könnte die Sternstunde des Dilettanten als Genie gewesen sein. Doch diese These wäre fundamental naiv. Sie verkennt den philosophischen Charakter jener Revolution gegen die handwerkliche Komplexität in den Kunstmedien. Denn eine sehr bestimmte Philosophie, die sich überdies auf Ahnenreihen bis tief hinab in den Zen-Buddhismus berief, führte solchen Geist des künstlerischen Handelns durch „Nichthandeln" an. Ein intellektuelles Über-Ich, seinerseits nur von Intellektuellen durchschaubar. Eine schmale Elite, die in der Glaubensfrage prinzipiell mit den Künstlern einig war, strapazierte ihre Genußfähigkeit zum Äußersten. Und die Künstler ihrerseits arbeiteten unverblümt für die happy few. In diesem Ghetto wurde es üblich, sich gegenseitig mit Hegel- und Suzuki-geladenen Traktaten totzuschreiben, die das Publikum wie Pommes frites zum Steak genoß, weil es an der Sache selbst, den Auf-

führungen und Aktionen, nicht satt geworden wäre. Sie waren ja auch bloß als Ausgeburten der schieren Abstraktion verständlich, bedurften der verbalen Auslegung. Die schreibenden Komparsen der Kunst hatten darob Höchstkonjunktur. Für denjenigen, der ihren Debatten nicht folgen mochte, blieb über den Steinway drapiertes Sauerkraut bedeutungslos. Man kann also sagen, die Künste hätten sich bis hierher um keine Handbreit aus dem Rahmen jenes Bildungsfeudalismus fortbewegt, von dem sie in früheren Jahrhunderten geboren, gehegt und nun wieder in Frage gestellt wurden. Nur die Besteller sind andere geworden. An die Position von Königen und Fürsten, die eine persönliche, in der Sache kundige Haltung zu ihren komponierenden und malenden Handwerkern einnahmen, rückte die bürgerliche Kulturbürokratie. Eine Armada von Austauschbaren, in der Sache Ohnmächtigen, die ihren Sinn bereits erfüllt, wenn sie die komfortable Ausstattung des Ghettos mit Geldmitteln sichert. Unter ihrem Schirm werden heute allenthalben Feste des Konservatismus gefeiert. Die Neue Musik etwa kann jetzt Cages siebzigsten Geburtstag in dem Bewußtsein feiern, das von ihm eroberte Terrain an Theorie und Klang nicht mehr mehren zu können und schon gar nicht das Publikum. Während sich die Zeitgenossen von Brahms und Bruckner die Köpfe über deren Symphonien einschlugen, können heute nur die Mitglieder einer berufsmäßigen Insider-Lobby die Hauptwerke von Cage, Kagel, Nono, Stockhausen im Schlaf hersagen. Nichts davon ist ins allgemeine Repertoire eingegangen. An diesem Spätstadium des musikalischen Museums ist die Massenkultur der fortgeschrittenen Demokratien vorbeigerauscht, ohne sich nach deren ergrauter Würde umzublicken. Die Relation zwischen Musik und bildender Kunst war schlagartig gegeben, als Andy Warhol das Bananen-Bild auf das Cover der Velvet-Underground-Band drucken ließ. Millionen haben es gekauft und Lou Reeds Stücke gehört, genuine Beispiele frühester „wilder" Musik. Warhol seinerseits bediente sich über seine gesamte Karriere hinweg jener Image-Technologie, die in den Werbe-Etagen der Film- und Platten-Industrie schon längst entwickelt war. Diese Leute hatten keine geringere Weisheit in ihrem Besitz, als daß allein der Name, seine Dauerpräsenz in den Medien zählt, unabhängig von der Originalität oder gar dem Wert des Produkts. Sie wußten, daß man Milliarden Blechbüchsen verkaufen kann, wenn darauf Coca-Cola steht. Und sie wußten, daß der auf einen Bildungsmittelwert fixierte Bürger der fortgeschrittenen Demokratien mit unterschwelligem Haß auf jene reagiert, die etwas besser wissen oder besser können und überdies unverfroren genug sind, dies zu zeigen. In diesem Klima, das den Dorfidioten und den Weisen gleichermaßen ausrottet, herrscht zwangsläufig die Entropie des Könnens, ein allmähliches Zustreben auf den minimalen Konsensus der Verständlichkeit, der weder die Beherrschung des Kontrapunkts noch der Lasurenmalerei voraussetzt. Warhols Banane, die Bezeichnung seiner Kunstwerkstatt als Factory und die Tatsache, daß er kein Avantgarde-Ensemble, sondern eine Rock-Band förderte, stellten den Zusammenhang zwischen Kunst und industriellem Denken ein für alle Male her. Dies, und nur dies, läutete die Stunde des Dilettanten als Genie ein. Das Gebot dieser Stunde ist die direkteste Übertragung von Ideen in Produkte, ihr Gesetz – das zeigt sich nun immer schlagender – ist die Berühmtheit, die fünf Minuten währt.

Warhol indes konnte wohl nicht ahnen, wie sehr die ihm folgende Generation mit den handwerklichen Disziplinen aufräumt, die in jenen Tagen der Pop-Kultur als Rudimente der Kunstfertigkeit galten. Die frühe Musik der Rolling-Stones-Ära war stets noch von minimaler Kenntnis der historischen Basis geprägt. Noch regierte die Melodie, die gegliederte Song-Form, die gezielte Kadenz der Akkorde, der Wechsel von Dur und Moll, Lernprozesse, die den Dilettanten vom Medienstar trennten. Ein gewaltiges Arsenal von Elektronik wurde in Betrieb genommen, Ingenieursleistungen aktiviert, die ein Minimum von Komposition in ein Maximum von Sound ummünzten. Die Verluste des Denkens gegenüber der emotional geladenen Oberfläche blieben hinter den Klangmauern unsichtbar, zumal unerheblich hinsichtlich des Erfolgs. Denn die Prämisse dieser Kunstübung war die nahtlose Identifikation des Konsumenten, die es nun zur Pflicht machte, auch noch die Rudimente des kompositorischen Könnens hinter der neon-schrillen Erscheinung zu verbergen. In Mißkredit kam zunächst das Handwerk des Umrahmens. Die Musik der Swing- und Schlager-Ära setzte noch gern eine Einleitung von den eigentlichen Kick des melodischen Einfalls, fernste Erinnerung daran, daß Haydn und Mozart die Allegro-Kopfsätze ihrer Symphonien oft mit Adagios begannen anstatt mit der Tür ins Haus zu fallen. Solche Reste höfischer und großbürgerlicher Etikette hat die Massenmusik spätestens in den Siebziger Jahren der Verachtung preisgegeben. Ideen, die nicht mit steinebrechender Energie in den ersten zehn Takten zünden, sind industrielles Tabu. Die nachfolgende Form besteht aus purer Wiederholung, einer mediengerechten Zeitspanne, um das Massengedächtnis an die Kette zu legen. Wer in Warhols Banane, seinen Polaroids – einer Jedermann-Technologie – und den Piß-Bildern die-

selbe Energie in anderem Medium nicht wiedererkennt, ist mit Blindheit geschlagen. Seine Designs für die Schallplatten der Rolling-Stones sind exakte Travestien der musikalischen Industrieform. Alles ist für Jedermann auf den ersten Blick erfahrbar, eine Untersuchung auf verborgene Dimensionen schiere Zeitverschwendung. Die Kunst der fortgeschrittenen Demokratien verschwendet niemandes Zeit. Sie kennt den Wert dieses Stoffs.

Am Beginn der Achtziger Jahre aber nehmen sich Warhol und die Stones wie Überlebende einer Hochkultur aus, verglichen mit der Perspektive der Neuen Wilden. Die Väter der Pop-Kultur waren immerhin hinter Mischpulten und Druckmaschinen thronende Technik-Fetischisten, der Glätte und Eleganz von Oberflächen verpflichtet. Dies vielleicht war auch der letzte Wall, der die Inthronisierung des Dilettanten als Genie hinauszögerte, obwohl er die Zugbrücke längst genommen hatte. Die Heroen der Londoner Jugendkultur, die der Vergangenheit ohnehin jedes Existenzrecht in ihren Köpfen absprachen und überdies die Zukunft mit dem „No future"-Verdikt belegten, bekamen als erste heraus, daß man den Schein der Technik nicht wahren muß. Als die ersten Hits gelandet waren, deren Klang in jedem Vorstadt-Keller produzierbar ist, als die ersten Texte mit blankem Gold honoriert wurden, deren Weltschmerz-Poetik jedem pubertären Tagebuch eigen ist, drehte das Management dieser Kunst den Spieß um, direkt auf das Herz der Professionalität. Was bei Mick Jagger noch Melodik heißen kann, wurde unter diesem Diktat zum „Signal", ein Häufchen Töne, gerade hinreichend, um die fragmentarischen Textsignale in einer Form zu halten, die man musikalisch nennen darf im Sinn der Musikalität von Werbeaussagen im Radio. Während der Bassist von Pink Floyd noch wissen mußte, in welcher Tonart er gerade spielt, sind die Bass-Lines der New Wave rhythmische Artefakte, in denen die Unkenntnis der Tonalität triumphiert. Man kann sie nur als Taktmaschine verstehen, Teil jener Percussion, die nun eine Regentschaft antritt, ähnlich der Schamanentrommel, ohne die keine Zauberformel zum Nerv des Patienten vordringt. (Aber die Dorfschlagzeuger Kameruns wären beleidigt, auf derlei Simplizität verpflichtet zu werden.) Die hochgerüsteten Tonstudios, in denen sich einst glitzernde Disco-Queens aalten, bestens eingehüllt vom Wissensstand der Computer-Elektronik, verwaisten in Schönheit. Die neue Musik brauchte keine Politur. Umgekehrt: der bloße Anschein, der Prozeß vom Einfall zur Plattenpressung habe länger als ein paar Minuten gedauert, stimmte das Publikum suspekt. Nur ein Schritt war es von hier zu der Erkenntnis, daß die

Ware formal Musik heißen mag, während es sich tatsächlich um die Botschaft handelt, dies könne jeder andere auch, sofort, jetzt. Das Medium war einst die verkäufliche Botschaft. Jetzt ist die Botschaft verkäuflich, daß der Mensch von nebenan es bedient, heiße er darob Künstler oder nicht. Die unzählbaren Fünf-Minuten-Stars der neuen deutschen Welle geben auch gar nicht vor, etwas für die Ewigkeit zu erdenken. Gerade die Spuren dieses Versuchs erscheinen ihnen als das eigentlich Verwerfliche an der alternden Pop-Generation. Der Dilettantismus selbst, die Urgewalt der Unkenntnis irgendwelcher medialer Gesetze, ist das Markenzeichen der Gegenwart. Um den Bildungsgrad des Publikums nicht zu überfordern, bleibt der Mensch so, wie ihn die Grundschule erschaffen hat, vor allem dann, wenn er die Bühne betritt. Das Material dieser Musik ist glaubhaft nur dann, wenn es unbehauen daherkommt, unvergiftet wie die Körner im Napf des Makrobiotikers.

Erinnert uns das nicht an die Steine, die Beuys in Kassel ablud? Erkennen wir nicht die Bäume wieder, die er danebenpflanzte? Material, das der völlige Laie auftürmen könnte, hätte er die Macht, die Idee, das Geld. Der Stein ist wild wie gerade gebrochen, die Bäume haben den Hobel nie gesehen. Es ist klar, daß die Bäume wachsen werden, die Steine nicht. Auch dann, wenn längst vergessen ist, was Beuys zur prime time der ARD dazu gesagt hat. Hat er überhaupt etwas dazu gesagt, mußte er? Sind ihm da die Musiker nicht weit voraus, die sagen und singen, das Leben sei – „ernst". Oder Sex in der Wüste stimme – „melancholisch"? Ist die politische Botschaft hinter unbetasteten Bäumen und Steinen nicht das typische Kennzeichen einer Generation, die immer etwas behauptete, bevor sie zur Tat schritt? Reicht es nicht, sich die Haare abzuschneiden, Ketten anzulegen und nichts mehr außerhalb der Wahrheit zu verkünden, die jeder kennt? Das Leben ist wirklich ernst. Genügt es nicht, dies ohne Hintergedanken für ein paar tausend Mark zu verkünden?

Es genügt. Wer das verkennt, lebt auf dem Ast, der abstirbt. Er ist ein Intellektueller, er hat sein Teil gehabt. Die Museen sind vollgepfropft mit der Ware, die seiner Klasse, seinem Selbstverständnis, seiner philosophischen Gier entsprachen. Dem Trieb wertloser Offenbarungen aus dem Überbau wird jetzt Einhalt geboten. Zu lange hat die Masse der Dilettanten zugesehen, wie schnell die Wahrheiten der künstlerischen Oberschicht vergehen und daß in ihre Asche stets wieder ein Samen gepflanzt wird, den die staatlichen Kulturgärtner begießen bis er blüht. Gleichgültig, in welcher Farbe. An diesem Mechanismus der „Moderne" teilzuhaben war

eine Sehnsucht des Amateurs allemal. Nur das Bildungsprivileg hat ihn daran gehindert. In der wilden Musik ist es jetzt abgeschafft, nicht, weil dies jemand wollte oder je hätte verordnen können, sondern weil die Masse nur noch Messages entgegennimmt – und königlich bezahlt –, die ihrem eigenen Horizont entsprechen. Trivial zu sagen, daß nun die Urheber selbst aus dieser Klasse kommen. Noch trivialer, daß es sich nicht um das ausgestorbene Proletariat handelt, sondern um die Einheitsklasse der fortgeschrittenen Demokratien, die mit gefülltem Geldsack nach Spielen verlangt. Caligula hat schließlich im Circus Maximus keinen Sophokles inszenieren lassen.

Wer mit den Riten der jüngsten Populärmusik vertraut ist, dem offeriert die Neue Wildheit der Malerei keinerlei Schock. Sie liebt den schnellen Schuß, die auch noch im Bild überschaubare Raserei des Malvorgangs, die Verselbständigung der Farbe gegenüber den rudimentären Objekten der Darstellung. Den New-Wave-Musikern genügt das Rudiment, ihr Spielplatz ist das Trümmergrundstück, auf dem einst die Paläste des Show-Business standen. Dem Einwand, Kunst komme von Können, dröhnt ein Hohngelächter entgegen. Damit weist sich der Kulturbourgeois aus, gegen den die Energie aus den Verstärkertürmen ja gerade vorgeht. Und mit derselben Siegesgewißheit, die hier die Freiheit der falschen Töne, der auf Matsch reduzierten Akkorde oder die Verkündigung eines „Deutschland, Deutschland, alles ist vorbei!" feiert, kommt uns aus den Bildern das energische Dementi der Qualität entgegen. Die wilde Malerei holt zum entscheidenden Schlag gegen das Kunsthandwerk aus, indem sie die Fundamente der Handwerklichkeit zerbricht. Und dies ist nunmehr kaum noch eine Frage des Stils. Denn „Stil" setzt als historische Kategorie voraus, daß sich der Künstler um die Frage der Neuigkeit schert. Der Wilde aber schafft diese Frage ab. In der Musik fliegen einem jetzt die Leichenteile der Fünfziger Jahre um die Ohren, der auf seine Knochen reduzierte Nierentisch-Rock'n'Roll. Die Fünf-Minuten-Stars fischen aus dem Schutt, was sich mit ihrem reduzierten Spielvermögen verwerten läßt. Dabei bleibt das Haaröl, das Elvis Presleys Locken und Melodien so attraktiv machte, auf der Strecke. Das „Recycling of the past" wäre verkannt, würde man es mit Nachahmung vergangener Musiken verwechseln. Diese neue Nostalgie nimmt nämlich unverhohlen den Weg über den Müllplatz.

Deshalb erscheint mir der fragmentierte Expressionismus der malenden Wilden keineswegs als eine Übung in stilistischer Wiederkehr. Es ist eher ein Zufall, daß sich die schrille Energie der Verbrennungsöfen, in denen jetzt die „Moderne" zu Klumpen schmilzt, mit Kirchner-Farben äußert. Die „Junk-Electronics", die schreienden Slogans der musikalischen Wildheit stehen ja auch kaum im Zeichen einer halbstarken Renaissance, sie sind nichts als das aktuelle Mittel der Aggression, unbeschadet dessen, daß dieses Mittel schon zwanzig Jahre zurück unter anderer Flagge benutzt wurde. Die neue Wildheit muß den Vorwurf, sie sei nekrophil, nicht ertragen, weil sie ahistorisch ist. Die Reaktionsgleichungen der stilistischen Dialektik scheinen aufgehoben. Der Dilettant als Genie reagiert nicht auf die Geschichte, es genügen ihm die Inventionen seiner spontanen Natur, die er verabsolutiert. Die Entropie des Könnens wäre denn auch keine Absicht, kein wissentlicher Akt. Einem Eric Satie, dem Clown der Pariser Moderne, nahm man die falschen Akkorde mit Gelächter ab, weil die Musik selbst sie als Laune eines Professionals denunzierte. In der wilden Musik wäre solche Travestie ohne Chance. Der Könner, der sich unter Zeremonien dieses Stammes mischt, wäre rasch demaskiert. Man erkennte ihn an der Art seiner Fehler und zöge ihm die Haut ab. Die Band des Malers Salomé heißt „Geile Tiere".

Jörg Immendorff Zeitschweiß 1982 265 x 60 x 60 cm

Schein und Chock
Zur esoterischen Ästhetik Walter Benjamins

Karl-Heinz Bohrer

Merkwürdig, in den letzten Dekaden ist irgendwie vergessen oder verdrängt worden, daß die Kunst nicht unbedingt den Geist darstellt. Seit Kandinsky, den Niederländen (de Stijl) und der politisch neu motivierten Avantgarde nach dem 2. Weltkrieg haben wir den Anspruch des „Geistes", im Hegelschen, im mystischen und im utopisch-moralischen Sinne. Auch alle Formen der Kommunikations- und Funktionsbestimmungen der Kunst enthalten die optimistisch-rationale Bestimmung bis hin zur pädagogischen Aufgeräumtheit, in der das ästhetische Objekt sich fugenlos einfügt in die behauptete Identität und Kontinuität des aufgeklärten Welt-Ich-Zusammenhangs. Alles andere ist vom Teufel. Daß Diskontinuität herrscht und Kommunikation diese elementare Differenz nicht aufheben könnte, diese Frage Batailles hat bisher wenig Spuren in der zeitgenössischen westdeutschen Kunsttheorie hinterlassen. Die Frage ist zu exklusiv, zu elitär und auch zu hart für eine Kunst- und Literatur-Diskussion, die sich zu lange moderner Gesellschaftstheorie unterworfen hat. Ihre Begriffe haben keine Aufnahmefähigkeit für diese Frage. Das hängt mit den nachwirkenden Tabus der Faschismusbewältigung zusammen. War der Faschismus – und gewiß der Nationalsozialismus auf dem Höhepunkt des 2. Weltkriegs – praktisch und mental ein Todes- und Tötungsritual, dem gewisse existentiell-archaische Motive bei Geistern wie Jünger, Benn und Heidegger korrespondierten, dann drängte sich die Herausarbeitung des Gegenprinzips „Geist" geradezu auf. Daß der Zuneigung von Tod und Kunst theoretisch und praktisch Rechnung getragen werde, kam politisch und moralisch dem Zeitgeist nach solcher Vorgeschichte nicht gelegen.

Und die Möglichkeit, daß im Kunstwerk sogar das Böse nicht nur dargestellt werde, sondern die noch weiter fortgetriebene, ob das Kunstwerk nicht selbst eine böse Handlung darstellen könne, diese Potentialität des Ästhetischen ist niemals von den Maßgeblichen in der letzten Epoche bedacht worden. Selbst die verbotenen, Obszönität und Kriminalität verbindenden Aktionen von Nitsch sind ja noch als Befreiungs-Ästhetik zu integrieren. Das Böse des Kunstwerks ist nicht zu entdecken im symbolistischen Verstande von Baudelaires „Fleurs du Mal", sondern als noch unbegriffene Herausforderung in Flauberts „Salammbô". Die Menschheit, wie sie dort jenseits von Geschichtsphilosophie und Reflexion der Natur ausgeliefert ist, bleibt noch unterhalb von Nietzsches dionysischem Schrecken. Der grauenhafte Schmerz nach grauenhafter Folter ist dort nicht tragisch, sondern unbegriffen wie das Bild der gekreuzigten Löwen. Seine tiefsinnige Relevanz ist auch durch den Hinweis auf die sadistisch-ästhetizistischen Implikationen nicht ideologiekritisch zu relativieren. Adornos berühmte Bemerkung, nach Auschwitz seien keine Gedichte mehr schreibbar, hätte eigentlich den Zusammenhang von Tod/Natur und Kunst zurückerinnern lassen müssen. Stattdessen die politische Utopie. Sie war das Alibi: die Kunst als Vor-Schein, im Sinne Blochs oder Adornos, war akzeptabel. Die Kategorie des „Bösen" in der Ästhetik ist hingegen die radikalste Realisierung der „Natur", nicht „Wahrheits"-Bezogenheit der Kunst.

Hätte man diese Einsicht nicht verdrängt, dann hätte die konservative Reaktion gegen die Avantgarde nicht so viel Wind machen können. Als ob die Erschöpfung gewisser formaler, der Avantgarde zugeschriebener Mittel eine Rückkehr zur vor-avantgardistischen Kunstpraxis erlaubte, sei sie konventionell, akademisch oder manieristisch! Als ob andererseits Fundamentalismus konservativ wäre! Die immer wiederholbare seelische Radikalität – und nur über solche kann Kunst mit Absicht verfügen – war und ist die Avantgarde: Absage an die Nachahmung, an die Moral, an die . . . Wahrheit? Nun, hier liegt sicher irgendetwas begraben, das man ausbuddeln muß und identifizieren, bevor man weitergeht. Kriterien der Identifikation sind durch das Schema Kontinuität – Diskontinuität zu gewinnen. Was Diskontinuität ästhetisch bedeutet, ist durch die Begriffe des „Scheins" und des „Chocks" angesagt, die beide den „Plötzlichkeits"-Charakter des ästhetischen (und erotischen) Phänomens theoretisch darstellen. Beide Begriffe erläutern, warum in der Kunst etwas legitim ist, was es außerhalb nicht wäre, und sich mitunter dem Wahnsinn und dem Verbrechen näherte.

Warum aber Walter Benjamin?

Weil gerade dieser Esoteriker die Debatte Geist-Natur, ethische Norm – ästhetische Illegitimität, Innerlichkeit – mythisches Draußen durch seine eigene Surrealität hindurch auf weißglühende Konzentration gebracht hat. Weder materialistische Aktualisierung noch epigonale Exegese im Schatten Adornos hat diese elementare Spannung auch nur beim richtigen Namen benannt, geschweige entwickelt. Es ist abzusehen, daß die emphatische Benjamin-Mode vorbei ist. Das kann die Bedeutung seiner kunsttheoretischen Intuition für die Arbeit an einer modernen Ästhetik, einer Ästhetik der Modernen, nicht mindern. Sein spröde sich verschließendes Werk ist von den esoterischen Goethe-Studien der frühen Zwanziger Jahre bis zum dialektischen Baudelaire-Werk der späten Dreißiger ein fortlaufender Kommentar zu der einen Frage: Wie naturverfallen ist Kunst? Dieser Frage wird im Folgenden auf dem Fuße gefolgt.

Nach den Begriffen des „Scheins" und des „Chocks" als den neben der „Allegorie" zentralen in Benjamins esoterischer Ästhetik zu fragen, impliziert, daß die materialistischen Kategorien der Aufsätze „Das Kunstwerk im Zeitalter seiner technischen Reproduzierbarkeit" und „Der Autor als Produzent" ausgeklammert bleiben, insofern sie die Problematik von „Schein" und „Chock" nicht unmittelbar erläutern. Die Frage nach rein ästhetischen Distinktionen ist ohnehin von Walter Benjamin selbst nie zugunsten der Frage nach der „sozialen Funktion" aufgegeben worden. Die relativ späten Einsichten in die neuen technischen Produktionsbedingungen und ihre Wirkung auf ein Massenpublikum stehen nicht im unvermittelbaren Widerspruch zur ästhetisch-metaphysischen Begrifflichkeit der großen Abhandlungen („Wahlverwandschaften"-Aufsatz, „Trauerspiel"-Aufsatz, Baudelaire-Studien). Die Konzentration auf letztere behauptet also keine Unterscheidung zwischen einer mytisch-theologischen und einer marxistisch-politischen Werkphase und vita[1]). Sie behauptet hingegen, daß mit der Einsicht in die instrumentale Rationalität des modernen Kunstwerks, in die Ausdifferenziertheit plus Autonomie-Anspruch, sowie in die Transparenz seiner Herstellung noch nichts für die Frage nach Benjamins Theorie einer spezifischen Phänomenalität des Schönen gewonnen ist, die mit den Begriffen des „Scheins" und des „Chocks" theoretisch darstellbar wird.

Hiervon sollte auch nicht ablenken, daß Benjamin den Begriff des „Scheins" in den „Baudelaire"-Studien in Anlehung an Marx' Analyse der Warenform ideologiekritisch verwandt hat. Die dort vorgenommene Identifikation des „Scheins" mit dem Fetisch „Ware"[2]) folgt jenem von Marx übernommenen idealistischen Verständnis des Begriffs „Schein", wonach dieser nur die Verhüllung von etwas definiert Anderem, Eigentlichen ist. Bei Übernahme der zuletzt von Hegel formulierten logischen Struktur einer Relation, wird anstelle der Wahrheit bzw. der Idee nun der Fetisch gerückt. Die Frage ist, so meinen wir, erst richtig gestellt, konzentriert man sie auf die von der Idee- (bzw. der Wahr-

heits-)Relation entlasteten reinen Phänomenalität des Schönen, so wie sie der späte Adorno in seiner „Ästhetischen Theorie" versuchte darzustellen. Hierzu bieten sich Benjamins Begriffe des „Scheins" und des „Chocks" vor allen anderen systematisch an: Wie verhalten sich – so soll die Frage lauten – beide Begriffe im Kontext einer Ästhetik des „Plötzlichen", die die Wahrheit als Kriterium ihrer Bestimmung aufgegeben hat. Eine solche Ästhetik ist in den nachhegelschen Reflexionen über den „Schein"-Begriff auf der Linie von Nietzsches Tragödien-Schrift (1870/71), den kunsttheoretischen Arbeiten der Warburg-Schule (1920), Adornos „Ästhetischer Theorie" (1970) und auch innerhalb des Französischen Strukturalismus begründet und weiterentwickelt worden. Gemeinsam ist allen, daß sie im Gegensatz zu Hegel das Naturschöne im Begriff des ästhetischen Scheins wieder aufnehmen.

Wenn ich für die also systematisch schon etablierten oder doch vorbereiteten Begriffe dennoch den Terminus „Esoterik" wähle, dann weil Plausibilität nach Benjamins eigenem Verständnis nicht nur nicht im Sinne des Systembegriffs des 19. Jahrhunderts vermieden ist[3]), sondern weil diese Begriffe auch nach den aktuellen Kriterien von Theoriefähigkeit nicht unmittelbar zugänglich sind[4]). Esoterik gilt also nicht nur für den relativ frühen, kunstmetaphysischem Interesse verbundenen „Schein"-Begriff, sondern auch für den relativ späten, materialistisch-politischem Interesse verbundenen Chock-Begriff[5]). Esoterik eignet diesen Begriffen deshalb, weil sie die nach Nietzsche neu verlaufende Spannung zwischen Wahrheitsanspruch und Epiphanie-Charakter des Schönen einerseits der idealistisch-neukantianischen Verpflichtung nicht ganz entziehen, sie andererseits der Erfahrung des Nicht-Identischen aussetzen. Beide Begriffe sind also in keine historisch-systematische Terminologie rückübersetzbar, sondern können nur in dem aporetischen Status beschrieben und verstanden werden, den Nietzsches Tragödien-Schrift für die ästhetische Theorie der Moderne hinterließ, an der Benjamin weitergearbeitet hat.

1. Zum Begriff des „Scheins"
Das Dilemma taucht schon auf, wenn man Benjamin einen vom Wahrheitsbegriff losgekoppelten Begriff vom Schönen unterstellt. Denn es ist zu fragen, ob Benjamin überhaupt als Paradigma für einen solchen nachhegelschen Versuch taugt, wo es ihm doch immer um eine „Metaphysik im Medium des Ästhetischen"[6]) ging, also um ein Ästhetisches, das beglaubigt, begründet wird durch ein Trans-Ästhetisches. Ardorno hat zwar gemeint, Benjamin habe, und sei es unbewußt, die Einsicht Nietzsches befolgt, „daß die Wahrheit nicht mit

dem zeitlos Allgemeinen identisch sei"[7]). Dieser Hinweis muß indes ergänzt werden: Walter Benjamin hat sehr bewußt Nietzsches vom Wahrheitsanspruch gelösten Begriff des ästhetischen Scheins gesehen und ihn wegen seiner ästhetizistischen Konsequenzen abgelehnt. In den Notizen zum „Wahlverwandtschaften"-Aufsatz, genannt „Kategorien der Ästhetik" (bzw. „Über ‚Schein'") notiert Benjamin lakonisch: „Nietzsches Bestimmung des Scheins in der Geburt der Tragödie"[8]). Er erläutert diese quasi-alarmierte Bemerkung an zwei Stellen: in den gleichen Notizen vergleicht er den „Schein, dem Nietzsche tief verfallen war", mit des Satans „trügerischem, glückhaften Gelingen"[9]), im „Trauerspiel"-Aufsatz begründet er diese Metapher, zunächst die „Schein"-Dialektik beschreibend: „Der tragische Mythos gilt (...) Nietzsche als rein ästhetisches Gebilde und das Widerspiel von apollinischer und dionysischer Kraft bleibt ebensowohl, als Schein und Auflösung des Scheines, in die Bereiche des Ästhetischen gebannt"[10]). Dann folgt sein zentraler Einwand: „Mit dem Verzicht auf eine geschichtsphilosophische Erkenntnis des Mythos der Tragödie hat Nietzsche die Emanzipation von der Schablone der Sittlichkeit, die man dem tragischen Geschehen aufzulegen pflegte, teuer erkauft"[11]). Für Benjamin tut sich in Nietzsches Tragödienschrift, vornehmlich im dort entfalteten Schein-Begriff, „der Abgrund des Ästhetizismus" auf, an den diese geniale Intuition zuletzt alle Begriffe verlor..."[12]).

Inwiefern darf man also dennoch Benjamins eigene Theorie des „Scheins", die zweifellos durch seine Nietzsche-Lektüre inspiriert wurde und weite Passagen des „Wahlverwandtschaften"-Aufsatzes beherrscht, sowie in der erkenntniskritischen Vorrede des „Trauerspiel"-Aufsatzes wiederkehrt, inwiefern darf man diese Theorie des „Scheins" dennoch auf dem Hintergrund der von Nietzsche inaugurierten Konzeption des reinen „Scheins" lesen? Bevor ich die hierfür sprechenden Argumente diskutiere, sei Nietzsches „geniale Intuition", das ist die Konstruktion des reinen „Scheins", auf die von Benjamin beklagte Begriffslosigkeit, d. h. auf die Abkoppelung von Geschichtsphilosophie und Sittlichkeit hin (Ethos) kurz charakterisiert und die an ihre Stelle tretenden poetologischen Substitute[13]), die auch in Benjamins „Schein"-Ästhetik wiederkehren werden: In der Absicht, den ästhetischen Schein von jeder außerhalb seiner selbst liegenden Sphäre zu befreien, gleichzeitig aber die reine Tautologie bzw. Paradoxie des Satzes „Der Schein ist der Schein" zu vermeiden, entdeckt Nietzsche wirkungsästhetisch am dionysischen Ereignis einmal den Erscheinungs-Charakter, d. h. die temporale Struktur. Diese Struktur

impliziert 1. das momentanistische Element der Plötzlichkeit, 2. den Verlust der cognitiven Subjektivität, d. h. den Verlust des „principium individuationis" und schließlich das mit „Lust vermischte Grausen"[14]). Zum andern hebt Nietzsche, sozusagen strukturell-phänomenologisch, auf das Scheinen des Scheins ab. Er konterkarierte mit diesem Begriffseinfall bewußt Hegels Definition der Kunst als das „Scheinen der Idee" und dieses Manöver zog Benjamins Vorwurf der Begrifflosigkeit auf sich. Obwohl auch Hegel dem „Scheinen" des Schönen partielle Zugeständnisse machte[15]), zog er daraus doch keine systematische Konsequenz. Die Dignität des „Scheinens" steht bei ihm nicht zur Diskussion. Nietzsches Begriffsmanöver aktiviert vielmehr einen Gedanken Platos, der zwar im 10. Buch des „Staates" die Kunst als „mimesis", als trügerische Nachahmung des Wirklichen denunzierte und damit die theoretische Grundlage für die Auffassung der Kunst als falschen Schein legte, der andrerseits aber im „Phaidros" wenn nicht die Kunst, so doch die „Schönheit" von der „Gerechtigkeit" und der „Besonnenheit" positiv im Begriff des „Scheinens" (Θεγγος) zu unterscheiden versuchte, dem Scheinen den Status eines Begriffs verlieh[16]). Nietzsche, der in der Tragödien-Schrift im Unterschied zu Hegel zwischen Naturschönem und Kunstschönem nicht ausdrücklich differenziert, knüpft also dort an der platonischen Ästhetik an, wo diese nicht vom Kunstschönen handelt. Fragt man also danach, was denn in beiden Modellen des „Scheins" scheine, was da das logische Subjekt des „Scheinens" sein könne, dann wäre der Begriff des „Naturschönen" bzw. der „Natur" einzuführen. Damit ist die Wahrheits-Ästhetik ohnehin distanziert. Nietzsche spricht nicht direkt von der „Natur" als Subjekt des „Scheins", sondern spricht vom „Schein des Scheins", von einer doppelten Spiegelung, vom „Depotenzieren des Scheins zum Schein"[17]). Was will er damit sagen? Ohne eine letzte Konsistenz seiner Darlegung zu behaupten, ist Folgendes erkennbar: Er vermeidet jede logische und substantielle Zuordnung eines Begriffs zum Begriff des „Scheinens" dadurch, daß er (hier unausgesprochen) Platos Höhlengleichnis gewissermaßen umkehrt: Platos Höhlen-Gefangene – das sind wir im empirischen Wahrnehmungszustand – erblicken nur die Widerspiegelung der „Ideen" als Schatten an der Höhlenwand. Nietzsches dionysisch Ergriffener sieht im „Schein" keine solche Relativierung einer eigentlichen „Idee", sondern im Gegenteil die im Schein nur ertragbare „Natur", deren metaphysische Qualität, dargestellt in der Grausamkeit der Tragödie, ohne solche Spiegelung nicht zu ertragen wäre. Was Nietzsche als „ästhetische Metaphysik"[18]) charakterisiert, ist diese Reduktion des „Scheins" auf den „Schein" als das letzte Substrat unserer ästhetischen Wahrnehmungsfähigkeit, hinter das nicht mehr – etwa auf der Suche nach etwas Substantiellerem im ontologischen Sinne – zurückgegangen werden kann (hier setzt deshalb auch Heideggers Kritik an). Benjamins Vorwurf der „Begriffslosigkeit" ist also insoweit berechtigt, als Nietzsche für den tragischen „Schrecken" – das ist das poetologische Äquivalent des Widerscheins des dionysischen Scheins – keine geschichtsphilosophische bzw. moralische Begründung (zur Überwindung der Tragödie) liefert. Die Begründung, die Nietzsche für den ästhetischen Schein am Ende gibt, ist anthropologischer Natur: die letzte causa der dionysisch-ästhetischen Lust am „Scheinen des Scheins" ist das „Grausame", das „Ur-Eine", der „Schmerz"[19]. Benjamin hat Nietzsches Attacke gegen die falsche Versittlichung der Tragödie (Katharsis-Lehre) akzeptiert. Er akzeptiert nicht die anthropologische Auflösung des „Scheins", da diese in seinem Verständnis keine Auflösung, sondern eine Verfestigung der mythischen Aktualität darstellt. Er hat im „Wahlverwandtschaften"-Aufsatz das Beispiel einer solchen metaphysisch (geschichtsphilosophisch-sittlichen) Auflösung des „Scheins" gesetzt und gleichzeitig an einer Terminologie des ästhetischen Scheins festgehalten, um das Inkommensurable des Kunstwerks bzw. des Schönen (wie Nietzsche unterscheidet er nicht zwischen Naturschönem und Kunstschönem) darzustellen. Wir werden im Folgenden diesen Widerspruch zu zeigen versuchen: Inwiefern setzt nämlich Benjamin, gestellt in einen Konflikt zwischen geschichtsphilosophischer Befreiung des Ästhetischen als Mythischem und einer reinen Phänomenologie, erstere nur als deus ex machina ein, ohne die Immanenz der Struktur des ästhetischen Scheins selbst aufzulösen?

Benjamin argumentiert auf einer doppelten Ebene: Einerseits wird der Schein des Schönen der Wahrheit verknüpft. Andererseits ist dieser durchaus im Sinne Nietzsches nicht auflösbare Verhüllung. Dieses Doppelspiel wiederholt sich in der Deutung des Goetheschen Romans selbst: einerseits stellt die Benjaminsche sittliche Kritik eine „Rettung" vom mythischen Verhängnis dar, andererseits wird allzu deutlich, daß diese Rettung nicht im Kunstwerk selbst stattfindet, das Benjamin ausdrücklich als „Natur"- und „Mythos"-, d. h. „Schein"-Verfallen darstellt. Es ist zu klären, ob Benjamins eigener Phänomenen-ausgelieferter Ästhetizismus die sittlich-metaphysische Lösung um so stärker als Ausweg suchte, je mehr er das Ästhetische an sich vom Wahrheitsbegriff abgetrennt erfuhr. Die geschichtsphilosophische Rettung stellt nämlich nur die Rahmenbedingung von Benjamins Reflexion über das

Schöne dar. Seit seiner frühen Kierkegaard-Lektüre sowie unter dem neukantianischen Einfluß von Cohen ist Benjamin der Konflikt zwischen Sittlichkeit und Ästhetentum ein privilegiertes Motiv gewesen[20]. Insofern unterwirft er jedes ästhetische Konstrukt einem theologischen Apriori, das selbst nicht innerhalb dieses Konstrukts gefunden werden kann. Die Forderung nach dem „Wahrheitsgehalt" des Kunstwerks, die Benjamin an den Anfang des „Wahlverwandtschaften"-Aufsatzes stellt, zu Beginn des 3. Teils wieder aufnimmt und in der „Erkenntniskritischen Vorrede" zum „Trauerspiel"-Aufsatz wiederholt, ist eine Variation der platonischen Definition der Schönheit. Das „Wahrheits"-Kriterium ist aber nicht die Forderung des Ästhetikers oder Künstlers, sondern das des „Kritikers"[21]; „Wahrheit" ist immer nur im Verständnis des philosophischen Sprechens über das Schöne ein Definitionsmerkmal (nur mit Plato darf man sagen, daß Wahrheit und Schönheit eine wesentliche Einheit bilden)[22]. Der „virtuelle Ort" der Wahrheit ist nicht die Kunst, sondern die „Philosophie"[23]. Sie hat keinen eigentlichen Platz im „Sachgehalt" des ästhetischen Konstrukts, das Benjamin, am Beispiel der „Wahlverwandtschaften" als Ort des Mythos analysiert (wobei hier nicht die philosophische Richtigkeit seiner Deutung zur Erörterung steht)[24].

Schon auf der Ebene der Rahmen-Bedingung läßt Benjamin also keinen Zweifel an der außerästhetischen Virulenz des Wahrheitsbegriffs. Er stellt in der „Erkenntniskritischen Vorrede" die kunststrategische Frage: „Ob Wahrheit dem Schönen gerecht zu werden vermag?" und gibt schon die Andeutung seiner systematischen Antwort: „Solange nämlich bleibt das Schöne scheinhaft, antastbar, als es sich frank und frei als solches einbekennt. Sein Scheinen, das verführt, solange es nichts will als scheinen, zieht die Verfolgung des Verstandes nach und läßt seine Unschuld einzig da erkennen, wo es an den Altar der Wahrheit flüchtet."[25]. Wahrheit aber ist nach Benjamin in diesem ästhetischen Kontext „nicht Enthüllung (...)", die das „Geheimnis vernichtet, sondern Offenbarung, die ihm gerecht wird"[26]. Benjamin hat im „Trauerspiel"-Aufsatz entsprechend seiner dort ausgeführten Theorie der „Allegorie" als dem wissenden Bild die „Geheimnis"-Metapher, ursprünglich vorbehalten nur der Kunst selbst, wenn nichts an die Wahrheit, so doch an das Wissen rückgebunden, das Wissen sozusagen ästhetisiert. Im „Wahlverwandtschaften"-Aufsatz hat er die Problematik des von der Wahrheit gelösten schönen „Scheins" in eben dem Sinne beschrieben, auf den Adornos zitierter Hinweis wahrscheinlich anspielt: „Nicht Schein, nicht Hülle für ein anderes ist die Schönheit. Sie selbst ist nicht Erscheinung, sondern durchaus Wesen, ein solches freilich, welches wesenhaft sich selbst gleich nur unter der Verhüllung bleibt. Mag daher Schein sonst überall Trug sein – der schöne Schein ist die Hülle vor dem notwendig Verhülltesten."[27]) Schönheit ist für Benjamin also „Geheimnis", notwendige „Verhüllung", „Schein"[28]). Sie ist nicht die „sichtbar gewordene Wahrheit", wie Solger in seiner Ästhetik entwickelt hatte, weshalb Benjamin ihm und den ihm bis zur Gegenwart folgenden Ästhetikern die „grundsätzliche Entstellung dieses großen Gegenstandes"[29]) und „philosophisches Barbarentum"[30]) anlastete. Benjamin kommt also trotz der platonisierenden Fragestellung, die Beziehung von Wahrheit und Schönheit betreffend, zu einem Diktum, das Nietzsches Begriff vom „Schein" und vom „Schleier", der nicht enthüllt werden will, sehr nahe kommt. Wenn Benjamin bei dieser ästhetischen Lösung nicht verharrt, sondern sie gleichzeitig wieder relativiert, dann deshalb, weil das metaphysisch-theologische Apriori als Zensur rigoristisch eingreift: Das Schöne ist zwar „in unendlich verschiedenen Graden dem Schein verbunden"[31]), aber als „Lebendiges" erreicht es nie seine wesentlichste Form, sondern nur dann, wenn der „Schein" verlöscht. Benjamin umschreibt diese Schönheit des „verlöschenden Scheins" mit dem Begriff des „Ausdruckslosen"[32]). In den Notizen aus dem Nachlaß heißt es (aufschlußreicher als im Text selbst) hierzu: „Kein Kunstwerk darf durchaus lebendig scheinen, ohne bloßer Schein zu werden (...). Das in ihm bebende Leben muß erstarrt und wie in einem Augenblick gebannt erscheinen. Das in ihm bebende Leben ist die Schönheit, die Harmonie, welche das Chaos durchflutet und – zu beben nur scheint. Was diesem Schein Einhalt gebietet, das Leben bannt und der Harmonia ins Wort fällt, ist das Ausdruckslose. Jenes Beben macht die Schönheit, diese Erstarrung die Wahrheit des Werkes aus."[33]) Und definitiv noch deutlicher: „Im Ausdruckslosen erscheint die erhabne Gewalt des Wahren."[34]) Sie ist „jene kritische Gewalt, welche Schein vom Wahren in der Kunst zwar nicht zu scheiden vermag aber ihnen verwehrt sich zu mischen"[35]). Diese kritische Gewalt des „Ausdruckslosen" erschlägt nämlich „die erlogne, die irrende Totalität"[36]), die der schöne Schein vermittelt.

Bevor man diese Entlarvungs-Strategie gegenüber dem „Schein"-Begriff im ideologiekritischen Einverständnis mitvollzieht[37]), muß auch hier der Widerspruch benannt werden: Benjamin kann das „Ausdruckslose" der Wahrheit, die den trügerischen Schein der Totalität zerschlägt, selbst wiederum gar nicht anders als ein Erscheinendes denken. Er belegt dieses Erscheinende ausdrücklich mit einer eminent ästhetischen, in unserem Zusammenhang aufschlüsselnden Qualität: es ist „erhaben". Erhabenheit aber, davon wird noch zu reden sein, ist das Synonym für den nachhegelschen Begriff des Naturschönen, in dem das Kriterium der Wahrheit gelöscht ist. Die Überwindung des Subjektiven in der Kunst, die im Begriff des „Ausdruckslosen" gefordert ist, gehört eben zu dieser wahrheitsfernen Ästhetik des „Erhabenen", die Nietzsche in der Tragödienschrift durch eine gleiche Ablehnung des Subjektiven begründete[38]). Der ästhetische Modus des „Ausdruckslosen" ergibt sich allein schon, wenn nicht aus der semantischen Bedeutung des Wortes selbst, dann durch einen Hinweis Scholems, Benjamin habe an Grünewalds Bildern das „Ausdruckslose" überwältigt[39]). Es erhebt sich also der Verdacht, daß Benjamin demjenigen, das nur einen Modus des „Scheins" darstellt, den Status der „Wahrheit" verleiht. Die schon erwähnte Zensur des Ethikers, die hier manipulativ eingreift, kann noch genauer gefaßt werden: Es ist Benjamins antierotischer Puritanismus – er spricht in den Notizen des Nachlasses einmal von der „Versuchung des Heiligen Antonius" gegenüber der „Schamlosigkeit, der Nacktheit des Scheins"[40]) – der das Erscheinende nur in seiner „erhabenen", nicht in seiner „verführerischen" Form akzeptiert[41]), eine Quasi-Vorentscheidung der Disposition, die bis in die Fassung der „Allegorie" des Melancholikers wirkt, dessen antifeministischer Ausdruck Benjamin am Beispiel von Baudelaires Bild der „Hure" verdeutlichte. Was Benjamin als eine ontologische Differenz zwischen „Wahrheit" und „Schönheit" ausgibt, könnte also als bloße poetologische Distinktion zwischen dem „Gefälligen" und „Erhabenen" oder, um mit Schillers Begriffen zu sprechen, zwischen „Anmut" und „Würde" begriffen werden, d. h. als eine der Ästhetik selbst innewohnende Dychtonomie. Diese Vermutung wird belegt in der eigentlichen Deutung von Goethes Roman. Die, wenn auch eingeschränkte, Identifizierung Ottiliens als der „untergehende Schein"[42]), d. h. als „wesentliche Schönheit", soll den Roman selbst vom Mythos, seinem eigentlichen Sachgehalt[43]) erlösen. Die Unterscheidung des „untergehenden Scheins", der freilich noch immer von Scheinhaftigkeit getrübt ist, und dem „triumphierenden blendenden" Schein der „Luccane" oder „Lucifers"[44]), wiederholt also den der Schönheit selbst immanenten Gegensatz. Deutlicher noch als die „Schein"-Theorie selbst würde eine Analyse von Benjamins Deutung des Romans zeigen, inwiefern er im konkreten Kunstwerk selbst nur den ästhetischen „Schein" als Strukturgesetz ausmachen kann. Gerade seine negativrettende Kritik der „Wahlverwandtschaften" enthält eine komplette Poetik der Kunst als Mythos, als ein der Vernunft und Moral abgewandtes Konstrukt. Der von Benjamin ausgemachte dunkle Symbolismus der Natur, des Todes, des Eros, des Opfers und des Schweigens, der selbst noch den „untergehenden Schein" Ottiliens trübt und später die spiritualisierte Form der „Allegorie" berührt, knüpft indirekt an Nietzsches anthropologische Begründung der Tragödie an und ließe sich als exemplarisch naturbezogene Ästhetik in der Vorläuferschaft Batailles und Foucaults lesen. Der „Kritiker" Benjamin entdeckt zwar die Selbstkritik im Ende des Goetheschen Werkes selbst, aber diese Entdeckung bleibt eine äußerliche, der erörterten ethischen Zensur entstammende. Benjamin erkennt für Goethes Werk und Ästhetik eine totale Natur-Verfallenheit, die kein Kriterium ihrer eigenen Kritik enthält. Und er verallgemeinert diese These zu einem Theorem, das die Absage an die Wahrheits-Ästhetik impliziert: „Die Abkehr von aller Kritik und die Idolatrie der Natur sind die mythischen Lebensformen im Dasein des Künstlers."[45] Wir haben uns deshalb zu fragen, inwiefern diese nur äußerlich relativierte Ästhetik des „Scheins" in dem später zentral gewordenen Begriff des „Chocks" (bzw. der „Allegorie") eine schärfer begründete Aufhebung[46] erfahren hat und nicht bloß eine des Alibis[47]).

2. Zum Begriff des „Chocks"

Vollzog sich die Auflösung des „Scheins", bzw. des „Mythos" in der kunstmetaphysischen Phase sozusagen als ethischer Imperativ, den „Schein" dabei erst wahrhaft rettend in eine ästhetische Metaphysik, so wiederholt sich dieser Zwang, den Schleier oder, wie es fortan heißen wird, die „Aura" zu zerstören, nach 1928 in einer materialistischen und poetologischen Analyse des Kunstwerks bzw. der ästhetischen Erfahrung: Die Aufhebung des schönen Scheins bringt nicht mehr der „Wahrheitsgehalt" der theologisch-metaphysischen Kritik, sondern die Erfahrung des modernen Wahrnehmers im Ereignis des „Chocks". Dieser Begriff darf nicht mit der sozusagen umgangssprachlichen Bedeutung verwechselt werden, noch reduziert auf den Sinn von Provokation, in der Sinngebung verweigert wird[48]). Benjamins „Chock"-Begriff ist komplex, hat Varianten, die analytisch jeweils Verschiedenes beinhalten. Eine ahndungsvolle Präfiguration dieses seit 1928 auftauchenden Begriffs bietet schon die zitierte Darstellung des zum „Ausdruckslosen" erstarrten „schönen Scheins": das bebende Leben „erstarrt" und erscheint „wie in einem Augenblick" gebannt[49]). Damit nimmt Benjamin ein Bild der plötzlich eintretenden „Epiphanie" vorweg, das in den „Geschichtsphilosophischen

Thesen" von 1940 seine letzte Begründung fand, durch die utopische Augenblicks-Emphase von Prousts „mémoire involontaire" indirekt angeregt worden ist, sicherlich in ihr ein strukturähnliches Bewußtseins-Modell hat[50]). Es handelt sich in all den von Benjamin als „Chocks" begriffenen Fällen um Wahrnehmungsformen, deren phänomenologisches Signum die „Plötzlichkeit" ist. Um sich die begriffliche Konsequenz dieses Wortes absehbar zu machen, hat man sich zu erinnern, daß „Plötzlichkeit" ein Bestimmungsmerkmal des dionysischen „Scheins" bei Nietzsche war. Sie ist dort connotiert mit der Aufgabe des reflexiven Subjektbegriffs des Idealismus, d. h. des Wissens. Benjamin, so zeigt sich, hat also noch bei der Auflösungsprozedur des „Scheins" sich eines Denkbildes bedient, das gerade die phänomenologische Tradition des „Scheins" begründete. Ist dieser Widerspruch von Schein und Auflösung des Scheins, von ästhetischem Geheimnis und Wissen, im „Chock"-Begriff selbst auch noch enthalten? Benjamin beschreibt den „Chock" auf verschiedene Weise seit den 1926 entstandenen Texten der „Einbahnstraße". Am Beispiel der „Berliner Kindheit" (1938) hat ihn Peter Szondi eindrücklich im Vergleich mit Proust als plötzliches „Eingedenken" reflektiert[51]). Er taucht auf auch in den Texten „Der destruktive Charakter" (1931) und „Kleine Geschichte der Photographie" (1931). Die im Kontext besonders begrifflich Aufschluß gebenden Texte sind wohl der Aufsatz „Der Sürrealismus" (1928), der schon im Untertitel das Argument des Momentanen ankündigt: „Die letzte Momentaufnahme der europäischen Intelligenz", so dann das Theorem „Das Kunstwerk im Zeitalter seiner technischen Reproduzierbarkeit" (1935) und schließlich die Baudelaire-Studien, vornehmlich „Über einige Motive bei Baudelaire" (1939). Im „Sürrealismus"-Aufsatz und in der „Reproduzierbarkeits"-These wird der „Chock" generell als spezifisches Wahrnehmungs-Ereignis des modernen Menschen sowohl angesichts moderner Technik, Verkehr als auch moderne Kunst (Film, Fotografie, Avantgarde) beschrieben. Abermals unterscheidet Benjamin nicht zwischen Kunst und Naturschönem. In den „Baudelaire"-Studien analysiert Benjamin den Bewußtseinsprozeß, der den „Chock" zur Auslösung der kreativen Erfahrung vornehmlich des Dichters macht. Der „Chock-"Begriff deckt also rezeptionsästhetisch, produktionsästhetische Erfahrung sowie modernästhetische Erfahrung überhaupt ab. Im „Sürrealismus"-Aufsatz ist der „Chock" verstanden als „profane Erleuchtung", die als „materialistische, anthropologische Inspiration" gekennzeichnet wird[52]), was immer das heißen mag, denn Benjamin gibt hier nur den Hinweis auf seine Breton-Lektüre, speziell auf die Bretonsche Bemerkung, „Nadja" sei ein „Buch, wo die Tür klappt" („libre à porte battante")[53], eine Metapher, die einen literarisch vieldeutigen surrealen Assoziationsraum schafft, die Benjamin mit einer persönlichen „Chock"-Erfahrung angesichts des paradox-elitären Verhaltens einer Sekte erläutert, d. h. mit der plötzlichen Einsicht, daß revolutionäres Bewußtsein darin bestehe, im Sinne des „destruktiven Charakters" nicht mehr verinnerlicht privat, sondern extrovertiert-öffentlich zu leben)[54]. In der „Erleuchtung", der „Ekstase", dem „blitzhaften" Wahrnehmen einer hintergründigen Verbindung „der Dinge"[55]) sind eigentümlich heterogene Sinneserfahrungen in der Großstadt zu einer meta-sinnlichen Erfahrung von „Plötzlichkeit" gezwungen. Das danach zentral gewordene Theorem von den „Correspondences" der Dinge und vom Wiederauftauchen des Veralteten, also die Theorie einer ästhetischen Erfahrung in der Moderne, ist hier rudimentär schon angelegt. Der „Chock"-Begriff kann trotz rhetorischer Vergewisserung des „materialistischen" Prinzips die dezisionistische[56] Emphase nicht verbergen. Der Anteil des „Geheimnisses", das, wie wir sahen, den unerlösten Schein kennzeichnete, ist auch hier noch immer groß. Die Vermittlung mit der politischen Revolution ist nur über die sehr polyvalente Metapher vom surrealistisch „entscheidenden Augenblick", in dem „die Revolte" träumt[57], möglich. Strukturell bedeutet dies, daß der „Chock"-Begriff im frühen Stadium des „Sürrealismus"-Aufsatzes noch mit der Kategorie des Inkommensurablen, die dem „Schein"-Begriff analytisch eignete, übereinstimmt.

Im „Reproduktions"-Aufsatz (1935) ist die „Plötzlichkeit" des „Chocks", ursprünglich ein Apriori der surrealen Intuition, einer materialistischen Aufklärung näher gebracht worden: der temporale Modus der momentanistisch reduzierten Zeit erklärt sich nunmehr aus der Beobachtung unserer visuellen, haptischen und auralen Erlebnisse in punktueller Aufmerksamkeit gegenüber technologisch-industrieller Veränderung und angesichts der neuen Künste Fotografie und Film. Die ästhetische Wirkung sowohl der literarischen Avantgarde (Dada) als auch die des Films wird als „Chock" definiert[58]. Die Verkürzung der Wahrnehmungsfähigkeit durch die sich ständig verändernden Filmbilder lassen kontemplatives Verhalten wie vor einem Gemälde nicht zu. Diese Reduktion der Kontemplation auf den „Chock" reduziert jedoch keineswegs die ästhetische Einstellung selbst, sondern sie ändert sie nur auf signifikante Weise: Hinsichtlich der dadaistischen Kunst spricht Benjamin nämlich von einem „Geschoß"[59], den Film nennt er „die der gestei-

gerten Lebensgefahr, der die Heutigen ins Auge zu sehen haben, entsprechende Kunstform"[60]. Er fügt hinzu: „Das Bedürfnis, sich Chockwirkungen auszusetzen, ist eine Anpassung der Menschen an die sie bedrohenden Gefahren." Benjamins Bemerkung im Nachwort zur faschistischen „Ästhetisierung der Politik" und die exemplarische Erwähnung von Marinettis Manifest zum äthiopischen Krieg sollte uns nicht unterschlagen lassen, daß sein „Chock"-Begriff hier die Konnotation der militärischen „Sensation" und des Existantials „Gefahr" enthüllt, dessen Analogie zu Ernst Jüngers rechtsanarchistischer Darstellung moderner Technik nicht zu übersehen ist[61]. Diese durchaus undialektische Pathetisierung haftet allen Materialien an, die den „Chock" erzeugen. Die unvermittelt beschworene Opposition zwischen Ausstellungswert und Kultwert, Magie und Apparat, Urzeit und Jetztzeit gibt dem jeweiligen Repräsentanten der Moderne noch immer eine elementare Dignität, die sie sich heimlich vom Mythos leiht, den Benjamin so emphatisch distanziert. Adorno hat in seinem Brief vom 18. 3. 1936 Benjamin vor einer undialektischen Auflösung des „Scheins" gewarnt und im „Chock"-Begriff eine „inverse Tabuisierung", eine Ontologisierung, eine „zweite Romantik" zu entdecken geglaubt[62]. Offenbar überzeugte ihn nicht ganz das Argument des „Chocks" als Vermittlung zu einer materialistischen Ästhetik.

Was sich in der „Chock"-Erfahrung rezeptionsästhetisch vollzieht, hat Benjamin im „Reproduktions"-Aufsatz erstmalig als Verlust der „Aura" identifiziert[63]. Wir dürfen die Bedeutung der „Aura" für die Frage, inwiefern der „Chock"-Begriff den mythischen „Schein"-Begriff distanziert, arbeitshypothetisch mit diesem „mythischen Schein" gleichsetzen[64]. Benjamin illustriert, was er unter „Aura" versteht, an einem Beispiel des „Naturschönen", nämlich in „einer Ferne" liegenden Erscheinung[65]. Ihre ästhetischen Valeurs beschrieb Benjamin schon in der „Kleinen Geschichte der Photographie" (1931)[66]. Die kontemplative Distanz, welche die „Aura" fordert, entspricht der schon zitierten Kategorie des „Erhabenen" in der Natur, die die englische Philosophie des 18. Jahrhunderts an Kant und Nietzsche weitergab[67]. Damit ist geklärt, daß die „Zertrümmerung der Aura" durch den „Chock" einer Auflösung des „Scheins" identisch gesetzt werden kann. Benjamin schreibt in der 1. Fassung des „Reproduktions"-Aufsatzes: „Indem das Zeitalter ihrer technischen Reproduzierbarkeit die Kunst von ihrem kultischen Fundament löste, erlosch der Schein ihrer Autonomie auf immer."[68] Wir ziehen als Schluß, daß auf der Argumentationsstufe des „Reproduktions"-Aufsatzes die Auflösung des schönen Scheins sozusagen in einer ästhetisch-immanenten Argumentation (Analyse formal-ästhetischer Abläufe qua Wechsel der Mittel) rhetorisch vollzogen wird, daß die Metapher des „Chocks" dabei allerdings ihrerseits unter den Verdacht eines repotenzierten „Scheins" gerät. Die angestrengt materialistisch-quantitative Analyse des Zeitmoments kann die qualitativ-mystische Herkunft des Plötzlichkeitsmotivs (Nietzsche, Friedrich Schlegel, spirituelle Mystik) nicht verbergen. Die Doppeldeutigkeit des „Aura"-Begriffs, nämlich als natur- und geschichtsbezogen[69]), bedeutet zudem, daß die Form des Schönen von der Auflösung nicht berührt wird. Brechts bekanntes Verdikt gegenüber dem „Kunstwerk"-Aufsatz „Alles mystik bei einer haltung gegen mystik"[70]) ist nicht die Polemik eines Zynikers, sondern im Kern richtig[71]).

Die vom „Chock" annihilierte „Aura", mittels derer die Auflösung des schönen „Scheins" im „Kunstwerk"-Aufsatz dargetan werden sollte, gerät in den „Baudelaire"-Studien vollends zu einer Restituierung höherer Art als ästhetisches Geheimnis. Es wird sich zeigen, daß die definitive Deutung der Moderne, die in den „Baudelaire"-Studien stattfindet, eine ästhetisch-anthropologische Erfahrung vorführt, in der das „Geheimnis" des „Wahlverwandtschaften"-Aufsatzes einbeschlossen bleibt[72]): Die Bewußtseinsmechanik, die im „Chock" abläuft, ist in dem „Baudelaire"-Aufsatz zunächst am Freudschen „Chock"-Modell der „Unfallsneurose" erläutert. In ihr versagt das Bewußtsein als Reizschutz, das Gedächtnis (die Proustsche „mémoire involontaire") reproduziert die Katastrophe[73]) und im Angsttraum wird die Reizbewältigung nachgeholt. Dieses Nachholen ist nicht notwendig, wo der „Chock" sofort vom Bewußtsein „pariert" wird. Die „Chock"-Abwehr bedeutet, daß der Vorfall zeitlich terminiert ist, d. h. in der Sprache Benjamins „Erlebnis" bleibt, nicht als „Schrecken" in die Erfahrung eingeht. Benjamin überträgt nun dieses Modell vom „Parieren" des „Chocks", durch das Bewußtsein auf das Beispiel des Baudelaireschen Prozesses dichterischer Erfahrung, d. h. der Emanzipation vom „Erlebnis". Es ist der Ausfall der „Chock"-Abwehr, das den dichterischen Prozeß einleitet: „Diesen Befund hat Baudelaire in einem grellen Bild festgehalten. Er spricht von einem Duell, in dem der Künstler, ehe er besiegt wird, vor Schrecken aufschreit. Dieses Duell ist der Vorgang des Schaffens selbst. Baudelaire hat also die Chockerfahrung ins Herz seiner artistischen Arbeit hineingestellt."[74]) Das Chock-Erlebnis ist in der lyrischen Dichtung zur Norm geworden. Daher ist ein hohes Maß von Bewußtheit notwendig. Benjamin hat nicht genau erläutert, wie er sich den kreativen Pro-

zeß zwischen Chock, Ausfall von Chock-Abwehr und schließlichem „Parieren" vorstellt: Da ist der „Schrecken" und da ist das Bild des „Duells"[75]) und des „Fechters"[76]). Der dem psychoanalytischen Trauma analog gesetzte „Schrecken" wird verursacht durch den Entzug auratischer Erfahrung: die blitzschnell sich verändernde großstädtische Menge oder der nur sekundenhaft vergönnte Blick einer Unbekannten bedeutet ästhetisch: die Auflösung des Naturschönen. Aber schon an dieser Leerstelle fällt ein erstes poetologisches Substitut auf, eine sozusagen traditionelle ästhetische Qualität, die dem Zerstörungsfaktor des „Chocks" selbst eignet: das Motiv des Heroischen[77]) und des Satanischen[78]). Der Dichter, der Flaneur, der Dandy ist die Figur des modernen Heros: „Dem Schrecken preisgegeben ist Baudelaire es nicht fremd, selber Schrecken hervorzurufen."[79]) An die Stelle der auf den Augenblick reduzierten Zeiterfahrung der plötzlichen Sekunde kann auch der „Satan" treten[80]), ein Denkbild des Bösen, das ebenfalls bei Kierkegaard auftritt. Den Schrecken als Gegenstand und als Modus moderner Wahrnehmung, Bewußtsein als „Chock" – dieser Aufkündigung der traditionellen Betrachtung der Welt aus „Schein" hervorbringender Distanz ist selbst wiederum eine hochgradige Ästhetisierung zu eigen. Abermals wird das, was die Zerstörung des „Scheins" verursacht, seinerseits in der „Plötzlichkeitsstruktur" von einem neuen Scheinen eingeholt. Die emphatischen Begriffe des „Gefechts" und des „Schreckens" verweisen darauf, daß der zerstörten Aura poetologische Substitute entstehen. Im Unterschied zum „Reproduktions"-Theorem gibt es nunmehr auf Benjamins Seite keine Identifikation mit jener von Erfahrung abgespaltenen Wahrnehmung, sondern die Rekonstruktion eines Erfahrungsbegriffs, der das angesichts der verlorengegangenen „Aura" erfahrene Ursprüngliche wieder einbringt. Im Anschluß an Bergsons Begriff der „durée" und Prousts Baudelaire-Lektüre nennt Benjamin diese Wahrnehmung „Eingedenken". Im Unterschied zum punktuellen Erlebnis ist es die Wahrnehmung der vollendeten Zeit außerhalb des physikalisch-leeren Zeitablaufs. Den Inhalt dieser vollendeten Zeit verdeutlicht Benjamin an Baudelaires Metapher der „Correspondances" und an eben dieser Stelle tritt der Rekurs auf den im „Wahlverwandtschaften"-Aufsatz problematisierten und, wie wir sahen, dennoch festgehaltenen kultischen Schönheitsbegriff: „Wesentlich ist, daß die correspondances einen Begriff der Erfahrung in sich schließt."[81]) Und: „Was Baudelaire mit den correspondances im Sinne hatte, kann als eine Erfahrung bezeichnet werden, die sich krisensicher zu etablieren sucht. Möglich ist sie nur im Bereich des Kultischen. Dringt sie über

diesen Bereich hinaus, so stellt sie sich als ‚das Schöne'
dar. Im Schönen erscheint der Kultwert als Wert der
Kunst."82) In der Fußnote läßt Benjamin keinen Zweifel offen, daß er das Schöne auch als das Naturschöne
zuläßt und daß er es im „Schein", den er das „Aporetische" nennt, beschlossen sieht. Die Position des
„Wahlverwandtschaften"-Aufsatzes ist hier überdeut-
lich. Benjamin hat die „Correspondances" als „Data des
Eingedenkens" nicht durch eine bewußtseinsanaly-
tische Ableitung begründet. Aber das Vorbild des
Proustschen Modells der wiedererinnerten Zeit, in der
die Essenz der Dinge hervortritt, ist ausdrücklich ange-
geben83). Das Wesentliche an ihm ist, daß es nicht
transzendiert, sondern historisch gefaßt wird84). Der
Vergleich der Beziehung von „Chock" und „Aura"
durch die drei Texte zeigt: zu unterscheiden sind Verlust der „Aura" und Verlust auratischer „Erfahrung".
Der Verlust der Aura ist auf das Kunstschöne bezogen
und wird im „Chock" des nachauratischen Kunstwerks
(Film, Fotografie) bewußt. Der Verlust auratischer
Erfahrung ist auf Naturschönes bezogen (Großstadtver-
kehr, einsame Fremde) und wird in einem Prozeß von
Chock und Chockabwehr zur ästhetischen Erfahrung
konterkariert. Dieser ästhetischen Erfahrung entspricht
das moderne Kunstwerk (Baudelaires Lyrik), das wiederum auf „Aura", „Schein", „Mythos" zurückläuft.
Benjamins „Chock"-Begriff ist also nicht reduzierbar
auf die Strategie des avantgardistischen Künstlers, der
durch Sinnentzug die Lebenspraxis des Rezipienten zu
verändern versucht85). Vielmehr läuft es in den „Baudelaire"-Studien auf eine neue Sinn-Gebung hinaus,
freilich nicht mehr im Verständnis des romantischen
Künstlers und seiner Symbole, sondern des modernen
und seiner Allegorien.

Diese nicht-materialistische, sondern erneut spirituelle Auffassung des „Chocks" in den „Baudelaire"-
Studien kommentiert auch die materialistisch-ideolo-
giekritische Variante des „Schein"-Begriffs, den Satz,
der „Schein" des „Neuen", sei die „Quintessenz des falschen Bewußtseins"86). Dieser Satz betrifft die Rettung
der neuen ästhetischen Erfahrung und des neuen kultischen Kunstwerks deshalb nicht, weil er sich auf einer
idealistischen Fassung des „Schein"-Begriffs begründet, mit der Marx seine berühmte Kritik der Warenform erläuterte87), die Benjamins auratisch-ästheti-
scher „Schein" des „Wahlverwandtschaften"- und des
„Trauerspiel"-Aufsatzes sowie der „Baudelaire"-Stu-
dien selbst aber durchweg widerspricht. Marx' Definition der Ware als Nicht-Gebrauchswert, d. h. als Beispiel der Verdinglichung, macht fest am „mythischen
Charakter" der Ware, ihrem äußerlichen ästhetischen
Schein. Dieser Schein, so Marx' Gedanke, vollendet

den Warencharakter und verstellt gleichzeitig die Einsicht in diesen Sachverhalt, d. h., stellt die Ursache des
falschen Bewußtseins dar. Benjamin benutzt hier den
„Schein"-Begriff im Sinne Hegels: als Verhüllung von
etwas Anderem (der Wahrheit, der Idee). Aus dieser
logischen Struktur, dem Bezug auf etwas Eigentliches,
ergibt sich notwendig der peiorative Sinn, wenn dieses
Eigentliche nicht mehr die Idee, sondern der Fetisch
ist, gerade die Umkehrung der Wahrheit, Verdinglichung bedeutet. Aus einer bloßen inhaltlichen Verkeh-
rung bei Beibehaltung des idealistischen Beziehungs-
schemas Form–Inhalt, das Benjamins „Schein"-Begriff
per definitionem gerade theoretisch überall sonst
ablehnt, bekommt er hier die zivilisationskritische
Konnotation. Da bei Marx seine Akzidentien unmittelbar der ästhetischen Sphäre entnommen sind – Marx
nennt sie das „Geheimnisvolle" und das „Phantasma-
gorische"88), so geraten die poetologischen Begriffe der
nachromantischen Ästhetik selbst unmittelbar unter
Ideologie-Verdacht.

Benjamin knüpft in einer Passage von „Paris, die
Hauptstadt des XIX. Jahrhunderts" wohl an diese
Marxsche Analyse der Warenform an, was er im Brief
an Horkheimer vom 3. 8. 1938 erläutert. Er verknüpft in
„Zentralpark" diese Entlarvung der Ware allerdings mit
dem gegenläufigen geschichtsphilosophischen Motiv
der „ewigen Wiederkunft" und der Idee der „Katastrophe"89). Er hat auch zwischen entlarvter moderner
Warenwelt des „Scheins" und dem ihr anhaftenden
ästhetischen Phänomen selbst zu differenzieren ver-
sucht, indem er ihre neuaufgeladene Ästhetizität als
„Allegorie" legitimiert: „Der trügerischen Verklärung
der Warenwelt widersetzt sich ihre Entstellung ins Allegorische. Die Ware sucht sich selbst ins Gesicht zu
sehen."90) Benjamin versteht also im Unterschied zu
Marx den artifiziellen Charakter der Ware durchaus als
ein Problem, das der Ästhetik bleibt, auch wenn seine
Funktion für das falsche Bewußtsein erkannt ist: Eine
Erscheinung behält ihre analytisch-ästhetische Bestimmung, unabhängig der Deutung, die man ihrem Inhalt
gibt. „Der ästhetische Ausdruck verleiht dem, was er
ausdrückt, ein An-sich-sein" (Merleau-Ponty)91) „Phänomenologie der Wahrnehmung". In Bezug auf den
Fetisch Ware hieße das: Phänomenalität ereignet sich
an allen Gegenständen, Natur oder Kunst. Ihr Phäno-
men-Charakter kann nur durch die falsche Identifizierung mit einer „Verhüllung" unterschlagen werden,
weil nur die durch den Begriff Verhüllung gegebene
Form–Inhalt Relation die Form selbst determiniert.
Benjamin geht nicht soweit, wahrnehmungsästhetisch
den Erscheinungs-Charakter der Ware (z. B. die ge-
schminkte Hure) unabhängig von der moralisch-histo-

rischen Implikation zu sehen. Aber das ästhetizistische Argument des L'art pour L'art schlägt als phänomenologischer Ansatz durch, wo er die „artifizielle Verkleidung des individuellen Ausdrucks zugunsten eines professionellen"[92] beschrieb. Im Hinweis auf das „Werk der Schminke" der Dirne will er die objektivierende Leistung erkennen, die selbst noch das Alleräußerlichste der „Schein"-Formen ins Allegorische rettet.

Benjamins partielle Benutzung des Marxschen Begriffs des „Scheins" der Warenform kann also nicht gegen seine aporetische „Schein"-Ästhetik gewandt werden. In den „Baudelaire"-Studien bekommt sie eine neue Fundierung im Begriff der ästhetischen Erfahrung. Was es mit dieser phänomenologisch-anthropologisch auf sich hat, das ist durch ihren Bezug auf die erinnerte Vergangenheit erklärt: Die „Correspondances" sind „keine historischen, sondern Data der Vorgeschichte. Was die festlichen Tage groß und bedeutsam macht, ist die Begegnung mit einem früheren Leben"[93]. Die Sprache, die die aporetische Schönheit in den „Correspondances" hervorbringt, ist die Sprache der verlorenen Dinge jener Vorzeit. Indem sie diese Dinge nachbildet, befindet sie sich im „Stande des Ähnlichseins"[94]. Mit diesem Wort verweist die ästhetische Lehre von den „Correspondances" auf Benjamins Sprachphilosophie, vornehmlich auf den Aufsatz „Über die Sprache überhaupt und über die Sprache des Menschen" von 1916 sowie auf den kurzen Text „Über das mimetische Vermögen" von 1933. Ihre lange übersehene Relevanz für Benjamins Philosophie der „Rettung" ist von Habermas in seinem Aufsatz „Bewußtmachende oder rettende Kritik" verdeutlicht worden, dem neuere Arbeiten folgten[95]. Wir konzentrieren uns nur auf einen Gedanken: „Ähnlichsein" bedeutet im sprachphilosophischen Sinne Benjamins jene sprachliche Mimesis der Natur, die nicht Nachahmung, sondern Darstellung ist und ursprünglich im Tanz, im kultischen Fest vollzogen wurde. Die mimetische Kapazität der Sprache liegt darin, daß sie „alle anderen Dinge benennt"[96]. Im Hinblick auf einen Schönheitsbegriff, der nicht von der Wahrheit determiniert ist, wird wichtig, daß dieses Benennen der Dinge nicht als Abbildung gedacht wird. Ebensowenig wie die Schönheit eine Hülle der Wahrheit ist, so wenig ist die Sprache nur ein „Zeichen" eines ihr zugeordneten Dinges. Benjamins Ablehnung eines instrumentalen Sprachbegriffs knüpft an an Hamanns adamitischer Konzeption einer Offenbarungssprache[97] und verweist ebenso in ihrer Metaphern-Idee auf die Abweisung der Zeichenfunktion bei Derrida und seinen französischen Vorgängern (Picon, Merleau-Ponty). Im Theorem von der „inkommensurablen, einzigartigen Unendlichkeit"[98] der Sprache ist

die Deutung des Schönen als aporetisch vorweggenommen. In den poetischen „Correspondances" wird dieses semantische Erbe in einem Augenblick der „Ähnlichkeit" zurückgerettet. Benjamin hat in dem Essay „Über einige Motive bei Baudelaire" die generelle sozialpsychologische Erfahrung des „Aura"-Verlusts in der Moderne mit der Theorie einer ästhetischen Erfahrung beantwortet, die das auratisch Schöne aus einer erinnerten imaginativen „Vorzeit" zurückholt. Es ist also für die endgültige Klärung des aporetischen „Scheins" notwendig zu wissen, als was man sich diese „Vorzeit" zu denken hat: Ist sie ein symbolistisches Modell bzw. textästhetisches Symbol, das die hermetische Einmaligkeit des ästhetischen Konstrukts beschreibt, ist es die Metapher für die in der an Proust orientierten mémorie involontaire erreichten Vorstellungsinhalte einer psychischen Frühzeit oder denkt Benjamin den Begriff der „Natur" bezogen auf die Schönheit als anthropologisch-ontogenetische Quelle der mimetischen Möglichkeit, also als eine reale Überwindung des modernen Subjekt-Objekt-Dualismus? Tiedemann hat diese Trennung als „unrevozierbar" bezeichnet und Benjamins ästhetische Erfahrung als „mystisch" kritisiert[99], Habermas meinte, Benjamin binde den Ursprung des mimetischen Vermögens an eine einmalige phylogenetische Urvergangenheit ohne vermehrbare Potentiale[100] und hält die Sprachtheorie für abenteuerlich. Ulrich Schwarz hat kürzlich hingegen den „historischen Charakter" von Benjamins „Erfahrungsbegriff" hervorgehoben und von dem „unsinnlichen Übergang der Correspondancen in die Sprache"[101] eine kulturrevolutionäre Theorie der Erfahrung abgeleitet. Die Rettung semantischer Potentiale als aktuell historische Kritik. Obwohl Schwarz seine These mit Hilfe von Gehlens anthropologischer Sprachtheorie begründet[102], leitet ihn die Blochsche Utopie. Nimmt man die Frage nach dem aporetischen Schein ernst, sucht man nicht nach einem Alibi für das Schöne – und als solches Alibi fungiert häufig die Utopie – dann ist Benjamins „Vorzeit"-Begriff auf jene anthropologisch-ästhetischen Elemente zu befragen, die den „Natur"-Bezug innerhalb einer nachhegelschen Ästhetik erst belangvoll machen. Ist nämlich die „Vorzeit" in der adamitischen Sprachphilosophie begründet, dann liegt sie vor der mythischen Grenze, d. h. vor der „Tragödie" und vor der „Grausamkeit". Unser Einwand bezöge sich dann nicht auf die Irrevozibilität (Tiedemann, Habermas, Rombach), d. h. auf den Widerspruch zu einer universalistischen Progressus-Annahme, die bei Benjamins Distanz gegenüber dem Entwicklungsbegriff ohnehin nicht trifft, sondern auf den Widerspruch zum anthropologisch gefestigten Natur-Begriff, den sein Rekurs auf den

Traum, die chockhaft erfahrene Kindheits-Erinnerung und den „Schrecken" beanspruchen könnte. Die adamitische Rückkehr zur Natur wäre nämlich analog zu Rousseaus Idyllen-Konzeption zu denken, die Schiller im Begriff des Sentimentalischen nur noch geschichtsphilosophisch vermittelt dachte. Der mythische Schrecken, den Nietzsche und die ihm folgenden modernen Kunsttheorien ins Zentrum ästhetischer Reflexion rückten, blieben definitiv ausgeschlossen. In einer solchen Utopie der zurückgewonnenen semantischen Bestände wäre die Zweideutigkeit des anthropologischen Erbes, das seit Nietzsche dem „Schein"-Begriff eignet und in Foucaults Kritik der Moderne, im Surrealismus bis Bataille anwesend ist, zugunsten des utopischen Rettungsmotivs zerstört. Hier lag schon die Problematik des Blochschen „Vor-Schein"-Begriffs: er hat Alibi-Funktion, denn er verschafft dem „Schein" des Schönen nur im Verweis auf ein gesellschaftliches Versprechen begrifflichen Status. Eine solche Konsequenz ist aus Benjamins „Schein"-Begriff jedoch nicht zu ziehen. Seine Elemente halten, wie wir sehen, die aporetische Struktur des „Schönen", d. h. das Prinzip der Zweideutigkeit, aufrecht. Vielmehr bestätigt sich der Widerspruch zwischen Geschichtsphilosophie und Ästhetik: So wie der platonische Wahrheitsbegriff und die religionsphilosophische Sittlichkeit als rettende Kritik gegen die Dämonie von Goethes „Wahlverwandtschaften" eingesetzt wurden, so verfährt die adamitische Sprachphilosophie mit der „Vorzeit": Auf dieser Ebene der Rahmenbedingung ist der Anteil des Bösen und Sexuellen, der sehr wohl im späten Allegorie-Begriff des „Trauerspiel"-Aufsatzes eine Ästhetik des Bösen in nuce andeutet, ausgeblendet. Wohl auch deshalb, weil der Anti-Erotiker Benjamin die Nähe zur tierischen Sphäre im Ekel sehr wohl spürte[103]), aber außerhalb des Begriffes stellen mußte. Das Böse und das Gute bleibt, wie er am Ende des „Trauerspiel"-Aufsatzes ausführt, außerhalb der „Namenssprache" des „paradiesischen Menschen"[104]. Es organisiert zwar die barocke Allegorie, aber diese geht wiederum über ins rettende Wunder der Apotheose. Gott greift ins Kunstwerk ein[105]). Gerade weil Benjamin das ihm innewohnende Böse, was keineswegs mit der wirklichen Ausdifferenzierung kultureller Wertsphären erklärbar ist, so nachdrücklich erkennt, muß er die ästhetische Analyse in theologische Synthese überführen. So kommt es, daß das Objektive der „Natur", der Schelling und Nietzsche gegen das Transzendentale Subjekt für die Ästhetik hinzugewannen, nur in seiner „Unschuld" theoriefähig wird. Man wird von einer Spaltung in Ästhetiker und Geschichtsphilosoph sprechen müssen: Das Böse existiert nur ästhetisch, nicht ontologisch: Goethes mythologisches Symbol und die rätselhaft-böse Allegorie werden jeweils durch ein theologisches Argument aufgehoben. Aber die Tatsache, daß Benjamin das Böse mit dem Ästhetischen zusammensieht, kennzeichnet ihn als Ästhetiker des „Scheins", nicht der Wahrheit. Ausdrücklich hat er das allegorische „Wissen" vom „Wahrheits"-Begriff unterschieden[106]) und die romantische Konzeption von der „schrankenlosen Immanenz der sittlichen Welt in der des Schönen" kritisiert[107]). Wie Nietzsche die Griechische Tragödie im Ästhetischen begründete, so begründet Benjamin Goethes Kunst und das barocke Trauerspiel im Ästhetischen, wo das lustvolle Anschauen in keiner Bedeutung Befriedigung findet, sondern nur in der Evidenz der Naturgeschichte. Benjamins Kritik an Schiller[108]) gilt dessen Versuch, die Tragödie nicht in der Natur, sondern in der Geschichte erneuern zu wollen (wobei Benjamin eine solche Erneuerung für unmöglich hielt). Wenn Benjamins „Schein"-Begriff trotz seines analytisch eminent ästhetischen, naturbezogenen Charakters einer nachnietzscheanischen Ästhetik nicht einsetzbar ist, dann wegen der geschichtsphilosophischen Abstinenz und Kontrolle. Seine im „Trauerspiel"-Text formulierte Kritik am „Abgrund des Ästhetizismus" trennt ihn auch in den „Baudelaire"-Studien von einer Art „Rückgang ins Ungedachte" (Dieter Henrich) oder einer „Erfahrung des Draußen" (Foucault). Seine vornehmlich an vortheoretischer Reflexion gewonnenen Denkbilder (Breton, Proust, Mallarmé) berühren aber auch nicht mythologische Erklärungs-Modelle, wie sie Ernst Cassirer („Philosophie der symbolischen Formen") oder die Benjamin beeinflußende Warburg-Schule vorschlugen, etwa Clemens Lugowski mit seinem Begriff des „mythischen Analogons", das die Künstlichkeit des modernen Artefacts rezeptionsästhetisch dem tragischen Mythos der Griechen gleichsetzte[109]). Jenseits solcher Stringenz, die eigene Spannung zwischen Mythos und Moderne, zwischen „Schein" und „Chock" des aktuellen Bewußtseins theoretisch zu vermitteln, scheint es bei Benjamin nur eine Sicherheit zu geben: die theoretisch inkommensurablen Denkbilder des „Scheins" und des „Chocks" konvergieren in einer Erfahrung der „Plötzlichkeit", von der selbst das Theorem der „Allegorie" geprägt ist, die zwar dem „Nu" des Symbols[110]) konfrontiert wird, deren „dialektische Bewegung"[111]) selbst aber der Plötzlichkeit untersteht. „Plötzlichkeit" nicht als geistesgeschichtlich tradierte Epiphanie oder mystische Transzendenz, sondern als lebensgeschichtlich fundierter Argwohn, der eigentlich Sehnsucht (Mythos) sein will und deshalb die „heroische" Suche nach ihr nicht aufgibt.

1) Vgl. Wolfgang Freese, Benjamin und Brecht. Aspekte ihres Verhältnisses, Colloquia Germanica 3, 1979, S. 177 f. 146. Burkhardt Lindner, Technische Reproduzierbarkeit und Kulturindustrie. Benjamins ‚positives Barbarentum' im Kontext, in: ders. (Hrsg), „Links hatte noch alles sich zu enträtseln". Walter Benjamin im Kontext, Frankf. a. M. 1978, S. 189

2) Walter Benjamin, Paris, die Hauptstadt des XIX. Jahrhunderts, in: ders., Illuminationen. Ausgewählte Schriften, hrsg. v. S. Unseld, Frankfurt a. M. 1961, S. 196

3) Benjamin, Erkenntniskritische Vorrede, I, 1, 207. Daneben: ders., Johann Jacob Bachofen, in: Text und Kritik 31/32, 1971, S. 36

4) Zum esoterischen Charakter vgl. Th. W. Adorno, Charakteristik Walter Benjamins, in: ders., Über Walter Benjamin, Frankfurt a. M. 1970, S. 11. Die Theoriefähigkeit bezweifelt Jürgen Habermas, Bewußtmachende und rettende Kritik – Die Aktualität Walter Benjamins, in: Zur Aktualität Walter Benjamins. Aus Anlaß des 80. Geburtstages von Walter Benjamin, hrsg. v. Siegfried Unseld, Frankfurt a. M. 1972, S. 176. Ebenso Lieselotte Wiesenthal, Die Kunst im Prozeß ihrer Verwissenschaftlichung, in: Text und Kritik 31/32, a. a. O., S. 61. Daneben: Dietrich Harth/Martin Grzimek, Aura und Aktualität als ästhetische Begriffe, in: Walter Benjamin Zeitgenosse der Moderne, Kronberg 1970, S. 139. Dagegen: Ulrich Schwarz, Rettende Kritik und anticipierte Utopie. Zum geschichtlichen Gehalt ästhetischer Erfahrung in den Theorien von Jan Mukarovsky, Walter Benjamin und Theodor W. Adorno, München 1981, S. 80

5) Witte setzt 1925 als Übergang von esoterischer und publizistischer Form an, in: Bernd Witte, Walter Benjamin – Der Intellektuelle als Kritiker. Untersuchungen zu seinem Frühwerk, Stuttgart 1976, S. 137 f. 146. Zur Problematik einer Teilung in Früh und Spät-Phase vgl. Freese, a. a. O., S. 228

6) Vgl. Witte, a. a. O., S. 101

7) Adorno, Charakteristik Walter Benjamins, a. a. O., S. 14

8) Benjamin I, 3, 831

9) A. a. O., S. 838

10) I, 1, 280

11) Ebd.

12) Ebd.

13) Hierzu ausführlich: K. H. Bohrer, Ästhetik und Historismus. Nietzsches Begriff des Scheins, in: ders., Plötzlichkeit. Zum Augenblick des ästhetischen Scheins, Frankfurt a. M. 1981, S. 115 ff. Außerdem: Witte, a. a. O., S. 69 ff. und Helmut Pfotenhauer, Benjamin und Nietzsche, in: „Links hatte noch alles sich zu enträtseln", a. a. O., S. 100 ff.

14) Vgl. Nietzsche, Die Geburt der Tragödie aus dem Geist der Musik, in: ders., Werke in drei Bänden, hrsg. v. Karl Schlechta, München 1973, 7. Aufl., 1. Bd, S. 24

15) Hegel, Vorlesungen über Ästhetik, hrsg. v. Rüdiger Bubner, Stuttgart 1971, Bd. I/II, S. 665. Vgl. zur partiellen Würdigung einer nachromantischen Kunst unter dem Begriff des „Scheinens" auch Peter Bürger. Theorie der Avantgarde, Frankfurt a. M. 1980, 2. Aufl. S. 129

16) Vgl. Bohrer, a. a. O., S. 114

17) Nietzsche, a. a. O., S. 33

18) A. a. O., S. 37

19) Ebd.

20) Näheres hierzu Witte, a. a. O., S. 59 f.

21) Benjamin, Goethes Wahlverwandtschaften, in: I, 1, 125

22) Ders., Trauerspiel-Aufsatz, I, 1, 210

23) Ders., Wahlverwandtschaften, I, 1, 173

24) Vgl. hierzu Ulrich Schödlbauer. Der Text als Material. Zu Benjamins Interpretationen von Goethes Wahlverwandtschaften, in: Walter Benjamin – Zeitgenosse der Moderne, a. a. O., S. 94 ff.

25) Benjamin, Wahlverwandtschaften I, 1, 211

26) Ebd.

27) A. a. O., S. 195

28) A. a. O., S. 194

29) Ebd.

30) A. a. O., S. 195

31) A. a. O., S. 194

32) Ebd.

33) I, 3, 832 und I, 1, 181

34) Ebd.

35) Ebd.

36) Ebd.

37) Lindner entproblematisiert die tiefe Widersprüchlichkeit, wenn er meint, Benjamin habe sowohl den „Illusionscharakter des Schönen" wie auch „die klassische Anschauung von der sichtbargewordenen Wahrheit" zurückgewiesen. Vgl. Lindner, „Natur-Geschichte" – Geschichtsphilosophie und Welterfahrung in Benjamins Schriften, in: Text und Kritik 31/32, a. a. O., S. 42. Ebenso hierzu: ders., Technische Reproduzierbarkeit, a. a. O., S. 193. Demgegenüber hat Witte vom „Erschleichen" der Argumente gesprochen, a. a. O., S. 71

38) Nietzsche, a. a. O., S. 37. Auch Pfotenhauer meint, daß hier Nietzsches Konzept vom Leben als ästhetischer Totalität durchschimmert, vgl. ders., Benjamin und Nietzsche, a. a. O., S. 104

39) Vgl. Gershom Scholem, Walter Benjamin. Die Geschichte einer Freundschaft, Frankfurt a. M. 1975, S. 51 f. Auch erwähnt bei Witte, a. a. O., S. 203, Fußnote 202

40) Benjamin, I, 3, 829 f.

41) Zum latenten Anti-Feminismus Benjamins vgl. Witte, a. a. O., S. 72

42) Benjamin, I, 1, 184, 193

43) A. a. O., S. 140

44) A. a. O., S. 193

45) A. a. O., S. 148

46) Dies meint Lieselotte Wiesenthal, die im Trauerspiel-Aufsatz die Ablösung der Schönheit als „Geheimnis" durch die Schönheit des „Wissens" erkennt. Vgl. Wiesenthal, Die Kunst im Prozeß ihrer Verwissenschaftlichung, a. a. O., S. 61

47) Eine solche Alibi-Argumentation zeigt selbst der späte Adorno dort, wo er den von ihm zugestandenen Vorrang des aesthetischen Objekts vor dem transzendentalen Subjekt, also den Vorrang des Nicht-Identischen am Ende in „Wahrheit" überführt. (Hierzu auch Schwarz, a.a.O., S. 214) Zum Alibi-Argument: Witte, a.a.O., S. 72

48) So definiert Peter Bürger den avantgardistischen Chock-Begriff generell, in: ders., Theorie der Avantgarde, a. a. O., S. 108

49) Vgl. Benjamin I, 3, 832 und I, 1, 181

50) Hierzu Bohrer, Utopie des Augenblicks und Fiktionalität, in: ders., Plötzlichkeit, a. a. O., S. 188. Ebenso: Peter Szondi, Hoffnung im Vergangenen. Über Walter Benjamin, in: ders., Satz und Gegensatz, Frankfurt a. M. 1976, S. 88 f. Außerdem: U. Schwarz, a. a. O., S. 121 ff.

51) Szondi, a. a. O., S. 79 - 97

52) Benjamin, Angelus Novus, Ausgewählte Schriften 2, Frankfurt a. M. 1966, S. 202

53) A. a. O., S. 203

54) Ebd.

55) A. a. O., S. 204

56) Ich verwende den Begriff „dezisionistisch" in Referenz zur aktuellen Benjamin-Diskussion. H. Schwarz hat entgegen der orthodoxen Interpretationsschule (vgl. Tiedemann, Materialien zu Benjamins Thesen, über den Begriff der Geschichte) für Benjamins geschichtsphilosophische Rettung der „Gegenwart" den Begriff „dezisionistisch" abgelehnt. (Schwarz, a. a. O., S. 117) Sein Verweis auf die sprachtheoretische Ableitung der „Rettung" ist jedoch nicht brauchbar für den „Sürrealismus" Aufsatz

57) Benjamin, a. a. O., S. 205

58) Ders., Das Kunstwerk im Zeitalter seiner technischen Reproduzierbarkeit, in: I, 2, 503

59) A. a. O., S. 502

60) A. a. O., S. 503, Anm. 29

61) Lindner hat diese Analogie gesehen. Er faßt sie unter dem Begriff des „positiven Barbarentums". Sein Hinweis auf Jünger gilt allerdings nicht dem „Chock"-Begriff, sondern der kulturrevolutionären Destruktion der Tradition generell. Vgl. Lindner, Technische Reproduzierbarkeit, a. a. O., S. 190. Grundsätzlich zur Beziehung zwischen Jünger und Benjamin im Begriff des Surrealismus: Bohrer, Die Ästhetik des Schreckens. Die pessimistische Romantik und Ernst Jüngers Frühwerk, München 1978, S. 359 ff. Die Analogie zu Jünger ist ebenfalls in Benjamins Beschreibung einer „neuen Auslese vor dem Apparat", die sowohl den zukünftigen Filmstars als auch den Diktator hervorbringe (I, 2, 455) gegeben. Die Bejahung der Selbstentfremdung im technischen Prozeß (I, 2, 451) ist Jüngers Pathetisierung des neuen „Arbeiters" verwandt.

62) I, 3, 102 ff.

63) I, 2, 477

64) Zur Systematik des „Aura"-Begriffs grundsätzlich: Peter Bürger, Theorie der Avantgarde, a. a. O., S. 33 f. Außerdem: Harth/Grzimek, Aura und Aktualität als ästhetische Begriffe, in: Walter Benjamin – Zeitgenosse der Moderne, a. a. O., S. 110 - 145

65) Benjamin, I, 2, 479

66) Angelus Novus, a. a. O., S. 239 f.

67) Vgl. hierzu Wolfgang Kemp, Fernbilder. Benjamin und die Kunstwissenschaft, in: „Links hatte sich noch alles . . . ", a. a. O., S. 232 f.

68) Benjamin, I, 2, 447

69) Vgl. Harth/Grzimek, a. a. O., S. 124 f.

70) B. Brecht, Arbeitsjournal, Bd. 1, Frankfurt a. M. 1973, S. 16

71) Vgl. Freese, Benjamin und Brecht, a. a. O., S. 236

72) Vgl. auch Harth/Grzimek, a. a. O., S. 125: „Mit diesem Selbstzitat bringt Benjamin die Position des Wahlverwandtschaften--Aufsatzes in die Exegese der Moderne ein."

73) Benjamin, I, 2, 613

74) A. a. O., S. 615 f.

75) A. a. O., S. 616

76) A. a. O., S. 618

77) A. a. O., S. 634

78) Ebd.

79) A. a. O., S. 616

80) A. a. O., S. 636

81) A. a. O., S. 638

82) Ebd.

83) A. a. O., S. 642

84) H. R. Jauss, Ästhetische Erfahrung und literarische Hermeneutik I, München 1977, S. 133

85) Vgl. hierzu Bürger, Theorie der Avantgarde, a. a. O., S. 108

86) Benjamin, Illuminationen, a. a. O., S. 196

87) Karl Marx, Das Kapital, 1. Bd. Berlin 1969, S. 86

88) Ebd.

89) Benjamin, I, 2, 682 f.

90) A. a. O., S, 671

91) Maurice Merleau-Ponty, Phänomenologie der Wahrnehmung, Berlin 1966, S. 217

92) Benjamin, I, 2, 686

93) A. a. O., S. 639

94) Ebd.

95) Winfried Menninghaus, Walter Benjamins Theorie der Sprachmagie, Frankfurt a. M. 1980 und U. Schwarz a. a. O.

96) Benjamin, Über die Sprache überhaupt . . . in: ders., Angelus Novus, a. a. O., S. 12

97) Ders., a. a. O., S. 16 vgl. Menninghaus, a. a. O., S. 22. Schwarz betont als Einfluß dagegen Herders „Abhandlung über den Ursprung der Sprache"

98) Benjamin, Über die Sprache überhaupt, a. a. O., S. 11

99) Rolf Tiedemann, Studien zur Philosophie Walter Benjamins, Frankfurt a. M. 1965, S. 136

100) Habermas, Bewußtmachende oder rettende Kritik a. a. O., S. 20

101) Schwarz, a. a. O., S. 112

102) A. a. O., S. 93 ff.

103) Benjamin, Einbahnstraße, Frankfurt a. M. 1980, S. 18

104) I, 1, 407

105) I, 1, 408

106) I, 1, 403

107) I, 1, 337

108) I, 1, 301

109) C. Lugowski, Die Form der Individualität des Romans. Mit einer Einleitung von Heinz Schlaffer, Frankfurt a. M. 1976, S. 12 f.

110) I, 1, 342

111) Ebd.

Wissenschaft als Kunst
Eine Diskussion der Rieglschen Kunsttheorie verbunden mit dem Versuch, sie auf die Wissenschaften anzuwenden

Paul Feyerabend

Vormerkung: Der nachfolgende Essay folgt meiner Inauguralvorlesung an der Eidgenössischen Technischen Hochschule Zürich vom 7. Juli 1981. Die Vorlesung selbst war keine Vorlesung, sondern freie Rede. Bei der Nachschrift habe ich den Stil der freien Rede soweit wie möglich beibehalten.
(Es werden drei Kapitel aus diesem umfangreichen Essay wiedergegeben. Anm. d. Red.)

Abstraktionen; „die" Wahrheit

Die Einführung abstrakter Begriffe im griechischen Abendland ist eines der merkwürdigsten Kapitel in der Geschichte unserer Kultur. In den Epen, die dem Ereignis vorausgehen, werden Götter, Menschen, historische Begebenheiten, kosmologische Tatsachen nicht durch Definitionen, auch nicht durch Theorien, sondern durch *Erzählungen* charakterisiert. Uns ist diese Methode aus Romanen, Kurzgeschichten, Legenden, Theaterstücken bekannt, aber auch aus der Geschichte, sofern sich diese nicht mit einer bloßen Aufzählung von Tatsachen begnügt. Sie ist bestens geeignet, einen Gegenstand von vielen Seiten her zu beleuchten, wobei es gelegentlich sehr klar wird, daß die gegebene Information weder vollständig ist, noch „objektiv" - man vergleiche etwa, wie sich das Bild Othellos aus den Berichten des Brabantio, der Desdemona, des Cassio, des Jago, aus ihren Verhalten und aus dem Verhalten Othellos selbst langsam aufbaut, ohne jemals eindeutig festgelegt zu sein (das beweist die Vielfalt der möglichen Inszenierungen dieses Stücks und anderer Stücke). Die Exposition kann sehr lang sein, sie kann sich aber auch durch Kürze auszeichnen, wie etwa die Charakterisierung der Hedda Gabler zu Beginn des Stücks: noch bevor sie auftritt, weiß man genau, was für ein Mensch uns da begegnen wird. Im Epos und in den Mythen, die sich unabhängig von ihm entwickeln, werden die Götter, die Menschen, die Beziehungen zwischen ihnen auf genau die gleiche Weise charakterisiert mit der Ausnahme allerdings, daß es sich hier um erfahrbare Wirklichkeiten handelt, nicht um Fiktionen. Viele Gelehrte (neueres Beispiel, W. Burkert, *Griechische Religion der archaischen und klassischen Epoche,* Stuttgart 1977, Seite 199) haben den Wirklichkeitsbezug geleugnet, allerdings aufgrund einer etwas oberflächlichen Ansicht über das Verhältnis von Erfahrung und Tradition. Nietzsche hat hier viel klarer gesehen. Er schreibt:

An sich ist sich ja der wache Mensch nur durch das starre und regelmäßige Begriffsgespinst darüber im Klaren, daß er wache und kommt eben deshalb mitunter in den Glauben, er träume, wenn jenes Begriffsgespinst einmal...zerrissen wird. Pascal hat recht, wenn er behauptet, daß wir, wenn uns in jeder Nacht derselbe Traum käme, davon ebenso beschäftigt würden, als von den Dingen, die wir jeden Tag sehen...Der wache Tag eines mythisch erregten Volkes, etwa der älteren Griechen, ist durch das fortwährend wirkende Wunder, wie es den Mythos annimmt, in der Tat dem Traume ähnlicher, als dem Tag des wissenschaftlich ernüchterten Denkens. Wenn jeder Baum einmal als Nymphe reden oder unter der Hülle eines Stiers ein Gott Jungfrauen wegschleppen kann, wenn die Göttin Athene selbst plötzlich gesehen wird, wie sie mit einem schönen Gespann in Begleitung des Pisistratus durch die Märkte Athens fährt - und das glaubte der ehrliche Athener - so ist in jedem Augenblick wie im Traume alles möglich, und die ganze Natur umschwärmt den Menschen, als ob sie nur die Maskerade der Götter wäre...

„Über Wahrheit und Lüge im Außermoralischen Sinn" In F. Nietzsche *Erkenntnistheoretische Schriften* Frankfurt 1968, 109 oder *Werke,* Ed. Schlechta, Band III. S. 331f.

Ich habe denselben Gedanken in meinem Buch *Against Method* mehr im Einzelnen ausgeführt (Kap. 17, besonders Seite 244, deutsche Ausgabe Seite 335). Der Mythos und die Epen artikulieren die Erfahrung, von der Nietzsche spricht und geben sie an die nachfolgenden Generationen weiter. Sie sind die einzigen Erklärungs- und Darstellungsformen, die der Komplexität der Phänomene gerecht werden. Man verwendet sie noch lange nach ihrer Auflösung - man erinnere sich nur, wie oft der Platonische Sokrates statt eines Arguments einen „Mythos" vorbringt, und zwar nicht nur so nebenbei, sondern im vollen Bewußsein, daß er sich einer besonderen, vom philosophischen Argument verschiedenen Erklärungsform bedient.

Im sechsten und fünften Jahrhundert schleichen sich nun allmählich ganz andere Erklärungs- und Darstellungsformen ein. Ich sage, sie schleichen sich ein, weil ihre Vertreter so tun, als sei alles Vorhergegangene bloßes Gerede, das man bei etwas größerer Aufmerksamkeit schon vor langem durch Erkenntnis hätte ersetzen können. Es wird nicht eine neue Erkenntnisform vorgeschlagen, es wird insinuiert, daß es mangels an klarem Denken bisher überhaupt noch keine Erkenntnis gegeben hat. Die Veränderungen die (u. a.) als Folge dieses Insinuierens eintreten, werden von den Gelehrten gewöhnlich *inhaltlich* beschrieben, das heißt, es wird angegeben, welche neue Gottesauffassung und welche neuen Ideen von der Seele die Stelle der Ideen des Epos und der älteren Mythen einnehmen und es wird außerdem noch angenommen, daß das vernünftige Denken beim Übergang eine wesentliche Rolle gespielt hat. Zum Beispiel hat nach Mircea Eliade ein „langer Erosionsprozeß...die Homerischen Mythen und Götter ihrer ursprünglichen Bedeutung entkleidet" *(Geschichte der Religiösen Ideen,* Band 2, Herder 1979, Seite 175) wobei die „scharfsinnige Kritik des Xenophanes (Seite 407) und die Entdeckung der Kugelförmigkeit der Erde („*da man jetzt wußte,* daß die Erde eine Kugel ist" – Seite 175, Hervorhebung von mir) eine wichtige Rolle spielte: das Denken setzt beim Mythos an und trägt wenigstens teilweise zu seiner Auflösung bei. Es ist dasselbe Denken, vorher, nachher, damals, heute, es wurde aber (mangels an Intelligenz?) erst im 6. Jahrhundert entschieden eingesetzt. Hier haben wir also einen wichtigen Bestandteil der Wirklichkeitsauffassung, die nach Ansicht vieler Gelehrter und Künstler den Rieglschen Standpunkt ergänzen muß. Gibt er uns eine richtige Beschreibung des „Erosions"prozesses? Ich denke nicht.

Betrachten wir, um der Sache auf die Spur zu kommen, das „scharfsinnige" Argument des Xenophanes. Es lautet (Fragmente 11, 15, 16):

Die Äthiopier bilden ihre Götter schwarz und stumpfnasig, die Thraker blauäugig und rothaarig... Wenn Kühe, Pferde und Löwen Hände hätten, dann würden die Pferde pferdeähnliche und die Kühe kuhförmige Göttergestalten schaffen...

Das Argument nimmt an, zeigt aber nicht, daß eine Gottesauffassung, die sich von Bereich zu Bereich (von Volk zu Volk) ändert *nirgends gilt*. Ist diese Annahme akzeptabel und, vor allem, lag sie der Tradition zugrunde (nur in diesem Fall kann sie bei einer Kritik der Tradition verwendet werden)?

Bei Herodot 3, 38 finden wir die folgende Geschichte:

Als Dareios König war, ließ er einmal alle Griechen seiner Umgebung zu sich rufen und fragte sie, um welchen Lohn sie bereit wären, die Leichen ihrer Väter zu verspeisen. Die aber antworteten, sie würden das um keinen Preis tun. Darauf rief Dareios die indischen Kalatier, die die Leichen der Eltern essen und fragte sie in Anwesenheit der Griechen – durch einen Dolmetscher erfuhren sie, was er sagte – um welchen Preis sie ihre verstorbenen Väter verbrennen mochten. Sie schrien laut auf und baten ihn inständig, solche gottlose Worte zu lassen. So steht es mit den Sitten der Völker und Pindar (sagt Herodot) hat meiner Meinung nach recht, wenn er sagt, die Sitte sei aller Wesen König.

Sie ist aller Wesen König – aber verschiedene Wesen wählen verschiedene Könige:

Wenn man die Völker der Erde aufforderte, sich unter all den verschiedenen Sitten die trefflichsten auszuwählen, so würde jedes nach genauer Untersuchung die eigenen Sitten allen anderen vorziehen. Sosehr ist jedes Volk überzeugt, daß seine Lebensformen die besten sind.

Die Überzeugung ist nicht unsinnig. Zum Verhalten des Kambyses, der Tempel niederriß und Bräuche verspottete, hat Herodot folgendes zu sagen:

Mir ist völlig klar, daß Kambyses gänzlich wahnsinnig war; sonst hätte er sich nicht an Tempeln und Bräuchen vergriffen.

Überzeugungen, Sitten, Gesetze sind also nicht allgemein akzeptiert, sie gelten in gewissen Bereichen, aber nicht in anderen, aber nur ein Wahnsinniger würde sie darum verspotten (man beachte, daß Xenophanes nach dieser Ansicht genau ein solcher „Wahnsinniger" ist).

Auch Protagoras, dem Herodot vielleicht gefolgt ist, betont sowohl die Relativität aller Sitten und Gesetze, als auch ihre Verbindlichkeit. Ohne Gesetze kann der Mensch nicht überleben und ein Staatswesen nicht bestehen. Menschen, die Gesetze wiederholt brechen sind also „zu töten, als eine Krankheit am Leibe der Stadt" (Platon, *Protagoras* 22d – vgl. die „rationale" Parallele 31b). Protagoras hat sich auch als Gesetzgeber bestätigt – er hielt es für sinnvoll, die Gesetze einer Stadt zu verbessern, oder neue Gesetze für sie zu erfinden.

Die Auffassung, die diesen Zitaten und Verhaltensweisen zugrundeliegt ist genau die Auffassung, die Xenophanes ohne weiteres für lächerlich hält: Gesetze, Sitten, Lebensformen sind zwar „relativ" sie sind verschieden in verschiedenen Bereichen, aber sie gelten doch auf ihre Weise in jedem der ihnen zugeschriebenen Bereiche. Können wir diese Auffassung vom Gelten auf das Sein, das heißt auf die Existenz, etwa von

Göttern ausdehnen?

In der *Ilias* 15.184ff, lesen wir:

Drei der Brüder doch sind wir, die Kronos erzeugte mit Rheia Zeus, ich selbst (Poseidon) und Hades, der unterirdische König. Dreifach geteilt war alles und jeder gewann seine Herrschaft. Ich erlangte für immer das schäumende Meer zu bewohnen, da wir losten, und Hades die düstere Schattenbehausung. Zeus erhielt den geräumigen Himmel in Äther und Wolken. Aber die Erde ist allen gemein und der hohe Olympos. Nimmer werd ich drum Zeus mich fügen; in Ruhe Bleib er, wie stark er auch ist, in seinem beschiedenen Drittel.

Hier ist die Natur selbst in Bereiche eingeteilt mit verschiedenen (Natur)gesetzen und zu jedem Bereich gehört ein Gott, *der die Züge dieses Bereiches trägt,* wie auch die äthiopischen Götter die Züge der Äthiopier tragen. *Moira* ist der *räumliche* Teilbereich, der einem Gott, seiner Herrschaft und seinen Idiosynkrasien zugeordnet ist. Die Macht der Götter ist beschränkt, keiner kann sich brüsten, das Ganze zu beherrschen und in seinem Sein die Gesetze des Ganzen auszudrücken. Auch der frühe Sinn von *nomos* entspricht dieser regionalen Auffassung des Seins und des Geltens: in der *Ilias* hat das Verbum *nemein* (urverwandt mit dem deutschen *nehmen*) unter anderem den Sinn von verteilen, zuteilen. Die Welt der *Ilias* ist also, um einen kurzen und treffenden Ausdruck zu verwenden, eine *Aggregatwelt* (Details wieder in Kap. 17 meines Buches *Against Method*). Das Argument des Xenophanes setzt aber eine *Substanzwelt* voraus - es führt eine ganz neue Kosmologie ein *ohne dafür Gründe anzugeben,* verhöhnt aber jene, die sich dieser Kosmologie nicht anschließen. Wir haben nicht ein „scharfsinniges" Argument, wir haben die irrtümliche Annahme der Selbstverständlichkeit gewisser Kosmologien. Woher kommen diese Kosmologien, und warum scheinen sie so selbstverständlich?

Der Gott des Xenophanes hat die folgenden Eigenschaften:

Einen Gott gibt es, weder an Gestalt noch an Gedanken den Sterblichen gleich. Immer bleibt er am selben Ort und ohne Bewegung. Nicht geziemt sichs für ihn hierhin und dorthin zu gehen, denn ohne Mühsal lenkt er das All durch die Kraft seines Geistes.

Man beachte die unmenschlichen, ja monströsen Züge dieses Gottes, den viele Gelehrte als „auf einer geläuterten Gottesauffassung beruhend" gepriesen haben (Schachermayr, von Fritz und andere) - kein Wunder, denn er ist ja das perfekte Ebenbild der Intellektuellen, die die Welt von ihrem Schreibtisch aus, „ohne zu gehen hierhin und dorthin" einfach durch „die Kraft ihres Geistes" lenken wollen. Man beachte auch die Eigenschaftsarmut dieses Gottes. Das verbindet ihn mit gewissen Tendenzen des 7. und 6. Jahrhunderts, die noch bei Platon vorliegen. Untersuchen wir diese Tendenzen, und fragen wir uns nach den Gründen ihrer Entstehung!

Im *Theaetet* (146c3) stellt Sokrates die Frage

So sage mir denn gerade und dreist heraus, was du denkst, daß Erkenntnis ist.

und erhält die Antwort

Ich glaube also, daß sowohl dasjenige, was jemand vom Theodoros lernen kann, Erkenntnisse sind, die Meßkunst nämlich und die anderen, welche du jetzt eben genannt hast, als auch auf der anderen Seite die Schuhmacherkunst und die Künste der übrigen Handwerker scheinen mir alle und jede nichts anderes zu sein, als Erkenntnis.

Im *Menon* ist das Problem die Tugend, und Sokrates fragt (71d)

Doch, bei den Göttern, was meinst du selber, Menon, daß Tugend sei? Sage es und verweigere uns die Antwort nicht...

Menon antwortet

Aber das ist nicht schwer zu sagen, Sokrates. Wenn du zunächst die Tugend des Mannes meinst, so ist dies leicht zu sagen; sie bedeutet imstande zu sein, die Staatsgeschäfte zu führen und dabei seinen Freunden zu nützen, seinen Feinden aber zu schaden und sich in acht zu nehmen, daß einem selbst nichts derartiges widerfährt. Denkst du aber an die Tugend der Frau, so ist es nicht schwer, auch sie zu bestimmen: sie muß das Haus wohl verwalten und instand halten und ihrem Manne gehorchen. Wieder anders ist die Tugend des Kindes, des Knaben und des Mädchens, und die des älteren Mannes, je nachdem du an den Freien denkst, oder an den Sklaven. Und noch sehr viele andere Tugenden gibt es, so daß man nicht in Verlegenheit kommt, wenn man sagen soll, was Tugend ist; denn für jede Lage und für jedes Lebensalter gibt es zu jedem Tun für jeden von uns eine besondere Tugend; gleichermaßen aber auch, glaube ich, Sokrates, eine Untugend.

Die Antworten, die Menon und Theatet geben, sind sachgerecht. Es wird nach Dingen gefragt, die im sozialen Verhalten des Menschen eine wichtige Rolle spielen. Das ist keine einfache Frage, denn soziale Verhältnisse ändern sich und sind oft nur schwer zu durchschauen. Sie liegen nicht offen zutage und kleben an den Umständen. Die Antworten entsprechen dieser Situation. Sie zählen Beispiele auf und lenken dadurch die Aufmerksamkeit in eine bestimmte Richtung. Sie erläutern durch die Art der Beispiele die schillernde Natur des Gegenstandes und durch die Offenheit der gebotenen Liste seine Unabgeschlossenheit und Veränderlichkeit: man kann die Sache in Worten nicht erschöpfen, man kann ihr aber durch Beispiele (vorläufig) gewisse Grenzen setzen. So gehen die Sophisten vor, die ihre Schüler durch Beispiele auf den Reichtum des Lebens in der Stadt vorbereiten und das ist auch die Methode der Epen, wo Tugenden und Kenntnisse *illustriert*, aber nicht ein für allemal *festgenagelt* werden. Sokrates ist mit der Methode ganz und gar nicht einverstanden. Dem Theaetet antwortet er wie folgt:

Freimütig und auf generöse Art, lieber Freund, gibst du vieles, wo man dich um eines gebeten hat, und mannigfaches anstelle des Einfachen

Und im *Menon* findet sie die folgende Bemerkung:
Da habe ich ja offenbar großes Glück gehabt, Menon: ich suchte ja eine Tugend und fand gleich einen ganzen Schwarm von Tugenden bei dir lagern.

Die Klage ist zunächst einmal rein verbal: nach *einem* wurde gefragt, und *vieles* wurde zur Antwort gegeben. Die Klage ist berechtigt nur dann, wenn dem einen *Wort* auch ein *Ding*, oder eine *gemeinsame Eigenschaft von Dingen* entspricht. Theaetet geht dieser Annahme auf die folgende Weise nach

Ich fürchte es geht dir mit deiner Frage, wie uns das kürzlich bei einer Unterredung gegangen ist, die ich mit deinem Namensgenossen Sokrates hatte.
SOKRATES: Wie war denn das, Theaetet?
THEAETET: Theodoros da zeichnete uns einige Figuren, um die Quadratzahlen darzustellen; er bewies uns, daß das Viereck, das drei Quadratfuß mißt und ebenso das, welche fünf Quadratfuß mißt, durch das mit einem Quadratfuß nicht meßbar ist, und so nahm er eines nach dem andern vor bis zum siebzehnfüßigen; bei diesem blieb er stehen. Uns kam nun beiläufig folgender Gedanke: da die Anzahl der Quadratzahlen unendlich schien, sollte man doch versuchen, sie unter einen Begriff zusammenzufassen, mit dem wir alle diese Quadratzahlen bezeichnen könnten.

In heutiger Sprechweise bewies also Theodoros die Irrationalität der Quadratwurzel von Drei, Fünf und so weiter bis Siebzehn. Er bewies das für jede Zahl separat und bot mit Hilfe der Beweise, eine *Aufzählung* von Irrationalzahlen, von Drei bis Siebzehn. Theaetet und sein Freund Sokrates wollen Irrationalzahlen auf andere Weise charakterisieren, nicht durch eine Aufzählung aufgrund von Schritt für Schritt durchgeführten Beweisen, sondern mithilfe von Begriffen, die eine Eigenschaft der Irrationalzahlen ein für allemal festlegen. Theaetet beschreibt das Verfahren wie folgt:

Die Gesamtheit der Zahlen teilten wir in zwei Gruppen; diejenigen, die als das Produkt gleicher Faktoren entstehen können stellten wir mit der Figur des Vierecks

dar und bezeichneten sie als quadratisch und gleichseitig.
SOKRATES: Gut so
THEAETET: Was nun zwischen diesen Zahlen liegt, wie zum Beispiel die Drei und die Fünf und jede Zahl, die nicht als Produkt gleicher Faktoren entstehen kann, sondern als Produkt einer größeren mit einer kleineren oder einer kleineren mit einer größeren entsteht und somit eine Figur darstellt, die immer eine größere und eine kleinere Seite umfaßt – diese stellten wir mit der Figur des Rechtecks dar und nannten sie eine „rechteckige" Zahl.
SOKRATES: Sehr schön – aber was nun?
THEAETET: Alle Linien nun, die ein Viereck bilden, das der gleichseitigen Zahl in der Fläche entspricht bezeichneten wir als Längen, diejenigen dagegen, die ein ungleichseitiges Viereck bilden, nannten wir „Wurzeln" da sie an ihrer Länge nicht mit jenen gemessen werden können, wohl aber mit ihren Flächen ... Und für Kubikzahlen gilt das Entsprechende.

Theaetet definiert also die Längen als die Seiten von Quadratzahlen und kann das *Theorem* aussprechen, daß nur Längen durch ganze Zahlen meßbar sind. Wurzeln, das heißt Zahlen, die ein ungleichseitiges Viereck bilden sind nicht so meßbar. Anstelle einer Aufzählung von Irrationalzahlen tritt eine Definition, die eine Eigenschaft aller Irrationalzahlen anführt und die Ableitung von Theoremen über *alle* Irrationalzahlen gestattet.

Das ist so gut wie nur Menschenmöglich – sagt SOKRATES – ihr jungen Leute. Mir scheint demnach, Theodoros werden vom Vorwurf des falschen Zeugnisses nicht betroffen.
Und doch, Sokrates, wendet THEAETET ein, könnte ich deine Frage nach dem Wissen nicht auf dieselbe Weise beantworten, wie die nach den Längen und den Quadratzahlen

denn Wissen, so scheint Theaetet sagen zu wollen, ist nicht nur komplizierter, sondern von ganz anderer Natur, als ein mathematischer Begriff.

Die Diskussion mit Menon hat ähnliche Züge. Zunächst erwähnt Sokrates einige Fälle, in denen es eine über die Einheit des Worts hinausgehende Einheit wirklich zu geben scheint: Bienen, zum Beispiel haben gemeinsame Eigenschaften, und der Biologe kann sie feststellen. Auch wird Menon schnell überzeugt, daß Gesundheit und Krankheit bei Mann und Frau dasselbe sind (das stimmt natürlich nicht, denn wenn ein Mann monatlich zu bluten beginnt, dann ist er krank, nicht aber eine Frau). Aber bei der Tugend zögert Menon wieder:

Ich habe irgendwie den Eindruck, daß das nicht das-

selbe ist, wie jene anderen Fälle.

Mit feinem Spürsinn beschreibt Platon also ein Hindernis gerade an jenen Stellen und bei jenen Begriffen, die das Epos und der Mythos (und Legenden, Romane, Theaterstücke in späteren Zeiten) durch Erzählungen und Beispiele, nicht durch Definitionen erläutern. Und der Widerstand ist verständlich. Zahlen, und vielleicht auch Bienen sind einfache Dinge. Sie sind dieselben für Griechen und Barbaren, für Athener und Spartaner und es ist daher möglich, sie mit Hilfe allgemeiner Definitionen zu kennzeichnen. Sitten, Tugenden, Erkenntnisse wechseln aber von einer Nation zur anderen und sie sind auch unter Griechen anders in der Stadt und auf dem Land, zur Zeit Homers und zur Zeit der Athenischen Demokratie, in Athen und in Sparta. Eine gemeinsame Kennzeichnung scheint hier nicht möglich – aber Sokrates strebt sie dennoch an. Wir werden vermuten, daß die Begriffe, die die Kennzeichnung ausführen, falls überhaupt vorhanden, nur sehr wenig und sehr Nichtssagendes über das werden sagen können, das allen diesen sehr verschiedenen Situationen gemeinsam ist: das Sokratische Fragen, so wie es uns in den Platonischen Dialogen vorgestellt wird, ist ein Fragen nach relativ leeren Begriffen und „der alte Streit zwischen Philosophie und Dichtung" von dem Platon spricht (*Staat* 607b6) ist ein Streit zwischen Darstellungsweisen, die reich sind an Detail und anderen Darstellungsweisen, denen Details fehlen, und die sich mit groben Schematisierungen begnügen. Es ist interessant zu sehen, daß die neuen Intellektuellen, zu denen auch Platon gehört, den Erzählungen des Epos, der Tragödie, des Mythos den Wirklichkeitsbezug absprechen, für ihre neuen kärglichen Schematismen aber Wirklichkeitsbezug fordern. Der Gott des Xenophanes ist das erste und sehr extreme Beispiel dieser Tendenz.

(Den Konflikt zwischen komplexen Darstellungsweisen und einfachen Schematisierungen gibt es auch in der Kunst. Die Perspektive ist zumindest zum Teil von dem Versuch inspiriert, die Raumdarstellung auf Prinzipien zu gründen, welche unter allen Umständen in Geltung bleiben. Und vergleicht man Fassbinders *Lili Marleen* mit der Biografie der Heldin, oder mit dem autobiografischen Roman, den sie selbst geschrieben hat, oder Ken Russells *Devils* mit Aldous Huxleys *Devils of Loudun*, dann wird es sehr klar, daß es auch Künstler im Umherschieben leerer Symbole zu einer gewissen Meisterschaft gebracht haben. Man kann sogar noch einen Schritt weitergehen: auch diese Künstler behaupten durch das Geflecht zufälliger Umstände hindurch zur „Wirklichkeit" vorzustoßen; auch sie sind der Ansicht, daß die Wirklichkeit leer, öde und arm an Details ist.)

Nun erhebt sich die Frage: worin lag der Vorteil der Schematisierungen und Begriffsentleerungen, auf die das Sokratische Fragen zustrebt und wie kommt es, daß diese Prozedur das abendländische Denken in so großem Maße beherrscht? Wie kam es zu diesem Grundzug des abendländischen Rationalismus, der auch heute noch überall dort die Alleinherrschaft anstrebt, wo sich noch mehr realistische Mittel der Darstellung und Naturbehandlung erhalten haben?

Die Frage hat keine einfache Antwort – aber die folgenden Umstände sind bemerkenswert.

Erstens gab es schon im Epos eine Bewegung auf mehr abstrakte und schematische Begriffe hin. Ein Beispiel ist der Begriff der Ehre. Der Begriff der Ehre, der der *Ilias* zugrundeliegt ist ein Relationsbegriff: Ehre hat, wer auf ehrenspendende Weise behandelt wird, beim Mahle, nach dem Sieg in der Schlacht, beim Opfer. Der Begriff umfaßt die ehrenspendenden Handlungen und die Umstände, unter denen sie eintreten müssen, hat also einen reichen Gehalt. Im neunten Gesang zählt Odysseus die ehrenspendenden Gaben auf, die dem Achilles angeboten werden, doch dieser bezweifelt, daß sie wirklich Ehre bringen. Die „wirkliche" Ehre, auf die er sich dabei beruft, wird nirgends erklärt, sie macht sich bemerkbar nur dadurch, daß sie die üblichen Handlungen ihres Wertes beraubt und der Begriff der ihr entspricht ist kaum bekannt. Eines aber weiß man, reich an Details ist er sicher nicht, denn er ist ja getrennt von den Ereignissen dieser Welt. In seiner *Theogonie* ordnet Hesiod die Geschichte der Götter und Menschen nach einem genealogischen Schema. Die ersten Glieder des Schemas sind: Entstehung des Chaos, der Erde, des Eros. Chaos gebiert Erebus und die Nacht, diese im Verein mit Erebus den hellen Himmel (Äther) und den Tag. Die Erde bringt hervor den gestirnten Himmel, Gebirge, Wiesen, Felder, sowie das Innenmeer, die letzten aber ohne Mitwirkung der Liebe. Erebus und die Nacht, die aus dem Chaos hervorgehen sind ihm ähnlich, denn auch sie sind dunkel. Himmel, Gebirge, das Innenmeer sind ähnlich der Erde. Man könnte also Erebus und die Nacht „als eigentlich zum ,Begriff' (des Chaos) gehörend" bezeichnen (Schwabl) denn sie teilen mit dem Chaos gewisse sehr allgemeine und auch sehr unbestimmte Eigenschaften.

Ein starkes Motiv zur Verselbständigung dieser neuen, detailarmen Eigenschaften war nun meiner Meinung nach die Entdeckung, daß man mit ihrer Hilfe neue Arten von Geschichten erzählen konnte, neue Arten von Mythen, sozusagen, mit überraschenden Zügen. Der Ablauf dieser neuen Mythen unterlag nicht mehr dem äußeren Zwang einer Tradition, sondern er wurde von innen her geregelt, er „folgte" aus der Natur der Dinge. Setzt man etwa anstelle des traditionellen Gottesbegriffs, der durch zahlreiche Episoden erläutert wird einen Begriff, in dem nur mehr von der *Macht*, oder vom *Sein* die Rede ist, dann kann man die folgende, zwar nicht sehr interessante, auch nicht durch die Tradition beglaubigte, aber doch sehr zwingende Story erzählen:

Gott ist entweder einer, oder er ist viele. Ist er viele, dann sind diese entweder gleich, oder sie sind ungleich. Sind sie ungleich, dann sind sie wie die Bürger einer Stadt – also nicht Götter. Sind sie ungleich, dann sind einige unterlegen, also wiederum nicht Götter (denn die Macht eines Gottes, die sein einziges Merkmal ist, hat keine Grenzen). Also ist Gott nur einer.

Stories dieser Art – später nannte man sie Beweise – legten eine neue Einstellung nahe zur *Tatsache der großen Vielfalt von Traditionen.*

Für sich allein betrachtet bereitet diese Tatsache noch kein Problem. Ganz im Gegenteil – sie macht neugierig: man untersucht die unbekannten Dinge, man übernimmt fremde Errungenschaften, es kommt zu einem regen kulturellen Austausch, der selbst durch kriegerische Auseinandersetzungen nicht unterbrochen wird. Ein ausgezeichnetes Beispiel einer solchen Wechselwirkung von Traditionen ist die Situation in Kleinasien, Mesopotamien, Ägypten in der späten Bronzezeit (ungefähr 1600–1200), einer Periode, die der Ägyptologe J. H. Breasted den „ersten Internationalismus" genannt hat. Die Stämme, Königreiche, Völker, die den Raum besiedeln, liegen sich fortwährend in den Haaren – aber das hindert sie nicht, voneinander zu lernen und grundlegende Ideen, Institutionen, Verhaltensweisen voneinander zu übernehmen.

Dieser fruchtbare und praktisch motivierte Austausch von geistigen und materiellen Gütern, für den man in der Geschichte noch viele andere Beispiele aus allen Kulturkreisen und Kulturperioden findet, wird oft durch Tendenzen ganz anderer Art behindert, oder völlig abgeschnitten. Solche Tendenzen enthalten gewöhnlich zwei Elemente – die übertriebene Einschätzung einer bestimmten Tradition sowie eine Darstellung der (wirklichen oder eingebildeten) Vorteile der Tradition, die Unterschiede des Grades in qualitative Unterschiede und qualitative Unterschiede in naive aber höchst wirkungsvolle Dichotomien verwandelt (gottergeben – gottlos; menschlich – unmenschlich; rational – irrational; oder, in unserer eigenen schon sehr provinziellen Zeit: wissenschaftlich – unwissenschaftlich). Die Trennung der ausgezeichneten Tradition von anderen Traditionen führt natürlich zu einem Problem: wie überzeugt man die Menschen, daß Einzigartigkeit

nicht nur behauptet wird, sondern der Natur der Dinge entspricht? Wie bringt man die unfreiwilligen Opfer der neuen Manie dazu, daß sie ihr nicht nur folgen, weil sie eben keine andere Möglichkeit haben, sondern daß sie sich aus freien Stücken einschränken?

Ein Mittel, dessen sich das ältere Judentum mit teilweisem Erfolg bediente, ist die Indoktrination: man schneidet die junge Generation vom Verkehr mit anderen Traditionen ab, man gibt ihr eine verzerrte Darstellung der Eigentümlichkeiten dieser Traditionen und man trägt Sorge, daß ihr diese Verzerrungen in Fleisch und Blut übergehen.

Die Entdeckung von Stories, die ganz von selbst einem bestimmten Ende zustreben, gab nun den Verteidigern provinzieller Beschränkung ein viel besseres Mittel in die Hand: den Beweis (oder das Argument). Was bewiesen ist, wird dem Schüler nicht von außen her aufgezwungen, es folgt aus der Natur der Sache selbst. Nicht die Erziehungsmethoden einer Tradition, die ja immer historisch zufällig sind, sondern die Dinge weisen den Weg und zwar „objektiv", unabhängig von zufällig vorhandenen Absichten. Für die Intellektuellen des alten Griechenland ergab sich so scheinbar eine neue und höchst ergiebige Möglichkeit, im Streit der Traditionen eine und nur eine „Wahrheit" zu finden.

Natürlich war das ein Irrtum. Der Umstand, daß sich Begriffe sozusagen von selbst zu Geschichten zusammenfügen zeichnet sie nur dann aus, wenn wir an dieser „inneren Notwendigkeit" Gefallen finden, wenn wir sie anderen Überlegungen, also etwa Plausibilitätsüberlegungen vorziehen. Dazu werden wir nicht gezwungen, ganz im Gegenteil, Menschen denen es auf den direkten Kontakt mit der Wirklichkeit ankommt, werden die Leere der verwendeten Begriffe für einen großen Nachteil halten. Man kann natürlich eine Auffassung der „Wirklichkeit" oder der „Wahrheit" einführen, die das erwähnte Zusammenpassen leerer Begriffe voraussetzt, aber beachten wir, daß es sich hier eben um eine neue Auffassung handelt, die zu bereits bestehenden Auffassungen *hinzutritt*. Und außerdem ist diese Auffassung, wie bereits erwähnt, eine sehr merkwürdige Auffassung, denn sie spricht von „Wirklichkeit" wo doch der Kontakt mit dem Alltag und den bereits vorhandenen Fachkenntnissen nur mehr sehr gering ist. Wie dem auch sei: die Rieglsche Idee, nach der es verschiedene Kunstformen und verschiedene Erkenntnisformen gibt, ist keinesfalls überwunden. Auch der Gott des Xenophanes, der ein Teilergebnis ist der Bewegung auf begriffliche Leere hin, ist nur ein Gott unter vielen.

Damit sind wir wieder bei unserer Frage angelangt: wie konnte es geschehen, daß das abstrakte Vorgehen der Intellektuellen, daß der leere „Rationalismus", der ihre Erfindung ist im abendländischen Denken eine so große Rolle spielte und wie kommt es, daß uns diese Tradition trotz zahlreicher Fehlschläge und trotz langdauernder Leerläufe doch die eine oder andere kleine Entdeckung beschert hat? Wie kommt es, daß man die Nutzlosigkeit des Verfahrens nicht sogleich entdeckte und das Verfahren selbst nicht sogleich zurückwies? Die Antworten auf diese Frage geben uns einen interessanten Einblick in die Mechanismen, die eine Tradition am Leben erhalten.

Erstens wurde die Nutzlosigkeit der neuen Denkweise sehr bald entdeckt und kritisiert. Nehmen wir zum Beispiel die Medizin. Anläßlich seiner Diskussion der Medizin im Dialog *Phaedrus* verweist Platon darauf, daß es nicht genüge, den Leib und die Seele „nur durch Routine und Erfahrung" zu heilen; es sei notwendig „mit bewußter Kunst durch Vermittlung von Arzneien und Speisen Gesundheit und Kraft zu verschaffen". Bewußte Kunst, das heißt, man will die Natur der Dinge klarstellen, vor allem die Natur des Menschen, des Leibes, der Seele *(Phaedrus 270bff.)* und das wiederum heißt, man muß allgemeine Begriffe über diese einführen und durch Definitionen (das heißt durch einfache Theorien) festlegen. Ein solches Vorgehen ersetzt die vielfach in der Praxis verankerten Begriffe der traditionellen Medizin, deren Inhalt zu reich ist, um durch eine Definition geklärt zu werden, durch einfache, aber viel ärmere Ideen. Hier war Empedokles dem Platon bereits vorausgegangen. Bei ihm bestand der menschliche Körper aus vier Elementen und Krankheit war einfach das mangelnde Gleichgewicht dieser Elemente. Die Ärzte der koischen Schule kritisierten die Definition auf die folgende Weise:

Ich kann einfach nicht verstehen, wie jene, die eine andere Auffassung vertreten und die alte Methode (der praktischen Medizin) aufgeben, um die ärztliche Kunst auf ein Postulat zu gründen, ihre Patienten im Sinne dieses Postulats behandeln können. Denn sie haben, wie mir scheint, kein absolut Warmes oder Kaltes, Trockenes oder Feuchtes entdeckt, das an keiner anderen Form teilhat. Ich glaube aber, daß sie die gleichen Speisen und Getränke haben, wie wir alle, und dem einen legen sie noch die Eigenschaft der Wärme bei, dem anderen der Kälte, wieder anderem Trockenheit, noch anderem Feuchtigkeit, denn es hätte ja keinen Sinn, einem Patienten etwas Warmes zu verschreiben, weil er sofort fragen würde: welches warme Ding? Entweder müssen sie also Unsinn reden, oder sie müssen sich auf eine der bekannten Substanzen stützen.

Die neuen Begriffe, sagt die Kritik, sind zwar einfach, aber ohne Inhalt. Inhalt bekommen sie erst durch eine Verbindung mit genau jener Praxis, die sie ersetzen sollen. Oder, wie es an einer späteren Stelle desselben Textes heißt:

Gewisse Ärzte und Philosophen behaupten, niemand könne etwas von Medizin verstehen, der nicht weiß, was der Mensch ist; wer Patienten recht behandeln will, sagen sie, der muß das lernen. Doch die Frage gehört in die Philosophie (in das abstrakte Denken also, nicht in die Heilpraxis); sie ist die Domäne derer, die, wie Empedokles, über Naturwissenschaft geschrieben haben und darüber, was der Mensch von Anbeginn ist, wie er überhaupt entstand, und aus welchen Elementen. Ich aber meine, daß alles, was Philosophen und Ärzte über die Naturwissenschaft gesagt oder geschrieben haben, mit der Medizin nicht mehr zu tun hat, als mit der Malerei.

Diese alten Mediziner sehen also sehr klar, daß zwar eine neue Disziplin entstanden ist, mit neuen Begriffen, neuen Methoden, einem neuen Bild von der Wirklichkeit – eben die Philosophie – daß diese Disziplin aber mit der Heilpraxis höchstens ein paar Worte gemeinsam hat und daß sie sie sicher nicht fördern kann. An Klarsichtigkeit läßt die Kritik nichts zu wünschen übrig. Ähnliches gilt von der Kritik der Sophisten, vor allem des Gorgias und des Protagoras.

Zweitens darf man die Beharrungskraft von Traditionen keinesfalls unterschätzen. Die organisierte Medizin hat in ihrer Geschichte grobe Dummheiten begangen und hat unter den Menschen gewütet, wie eine Seuche – aber da sie nun einmal da war, so hielt man sie, wie Regen, Wind und Feuersbrünste für ein Naturereignis, mit dem man sich abzufinden hatte. Die moderne Medizin betreibt einen großen Aufwand, um den Krebs zu heilen, Erfolge hat sie seit zwanzig Jahren kaum zu verzeichnen, aber alternative Heilverfahren werden nach wie vor *und ohne jede Prüfung* als „unwissenschaftlich" abgelehnt. Ungeprüfte, aber autoritative Gerüchte unterstützen den Prozeß, klar demonstrierte Schwierigkeiten werden entweder unterdrückt oder wieder, ohne jede Prüfung, mit autoritativer Geste beiseitegeschoben. Viele Ansichten, Praktiken, Institutionen verdanken ihre Überlegenheit und ihr Überleben nicht ihrer „Wahrheit", oder ihrem Erfolg, sondern der Vertrauensseligkeit oder der Unachtsamkeit der Menschen.

Diese Beharrungsmittel etablierter Traditionen standen dem aufsteigenden Rationalismus nicht zur Verfügung. Woher bekam *er* seine Stoßkraft?

Er bekam sie von den zwei bereits erwähnten Phänomenen, nämlich einer allgemeinen Entwicklung auf größere Abstraktheit hin, die vielleicht durch religiöse Tendenzen außerhalb des homerischen Bereichs unterstützt wurde, sowie der eben beschriebenen Entdeckung von „Beweisen".

Diese „Beweise" – und damit komme ich zu einem weiteren Beitrag zur Stoßkraft des frühen Rationalismus – führten zu einer Anhäufung von „Ergebnissen" (wie dem Theorem des Parmenides, daß sich nichts bewegt, und daß es keine getrennt existierenden Dinge gibt, oder den entsprechenden Theoremen des Zeno), damit von Problemen, damit von Untersuchungen – das neue Feld der Philosophie begann bald fröhlich zu wuchern. Wucherung macht bekannt und berühmt, auch wenn sie eine Wucherung von Unsinn ist und gar nichts zu bereits bestehenden Problemen in bereits bestehenden Fächern beiträgt (man vergleiche die sehr ähnliche Situation der vom Wiener Kreis ausgehenden Entwicklungen in der Wissenschaftstheorie). Man darf auch nicht übersehen, daß philosophische Debatten in Athen auf dem Marktplatz stattfanden und das Interesse des Publikums erregten (man vergleiche hier die späteren Debatten der Vertreter verschiedener religiöser Richtungen auf den Marktplätzen mittelalterlicher Dörfer). Schulen wurden gebildet. Sokrates verdarb die Jugend durch sein abstraktes Fragen, aber noch nicht auf systematische Weise. Platon organisiert, wählt aus, sammelt, sorgt durch psychologische Tricks, daß die Schüler bei der Stange bleiben. Auch das hat mit „Wahrheit" oder „Wirklichkeit" zu tun – Stoßtrupps entschlossener Schüler haben sich ja um die verrücktesten Ideen versammelt. Der Vorteil des Rationalismus ist, daß er scheinbar Probleme lösen kann, die außerhalb der Schulen und unabhängig von ihnen entstanden waren – so etwa in der Astronomie. Und vergessen wir nicht, daß es *Aristoteles,* der hier eine ganz entscheidende Rolle gespielt hat, gelang, den Anschluß an den Commonsense und an die existierenden Fächer wenigstens zum Teil wiederherzustellen. Er bediente sich dabei u. a. einer Methode, die den Rationalismus bis heute am Leben erhalten hat, nämlich der *Methode der rückläufigen Bewegungen:* die abstrakten Begriffe, dieser Stolz der Rationalisten, werden aus dem abstrakten Zusammenhang gelöst, mit der Praxis verbunden, sie geben ihr einen neuen Anstoß und neue Entdeckungen finden statt. Erfolge treten ein, nicht weil man sich an die Vernunft gehalten hat, wie sie in den bereits errungenen Abstraktionen vorlag, *sondern weil man vernünftig genug war, unvernünftig vorzugehen.*

Für dieses unvernünftig-vernünftige Vorgehen, für diese den Rationalismus immer wieder rettende Irrationalität gibt es in der Geschichte der Wissenschaften zahlreiche Beispiele.

So zum Beispiel haben die Alexandrinischen Ärzte durchaus keine Abneigung gegen die Begriffe der Na-

turphilosophen; sie verwenden diese Begriffe aber nicht nach den von den Philosophen vorgeschriebenen Regeln, sondern aufgrund einer intuitiv hergestellten und kaum beschreibbaren Kombination dieser Regeln der ärztlichen Praxis. In den *Principia* baut Newton scheinbar eine strenge Wissenschaft auf mit genau erklärten Begriffen, aber in der Diskussion des Dreikörperproblems verwendet er nicht diese Begriffe, sondern geht wieder intuitiv vor. Zur Zeit Einsteins waren Disziplinen, wie die Mechanik, die Elektrodynamik, die Thermodynamik formal sehr gut entwickelt (man denke etwa an die Hamiltonsche Theorie). In seinem ersten Aufsatz über das Strahlungsproblem (1905) bedient sich Einstein nicht der so geklärten Begriffe. Er spricht ganz allgemein von „theoretischen Bildern" womit er allgemeine und von der mathematischen Formulierung unabhängige Charakteristika der ihm vorliegenden Theorien meint. Diese Bilder, nicht die Theorien selbst, hat er untersucht. Dabei stützte er sich nicht auf die empirisch am besten bestätigten Gesetze seiner Zeit, sondern er verwendete Approximationen und er fragte, welches der Bilder von der gewählten Approximation unterstützt wird. Er nahm an, daß dieses Bild auch dem korrekten Fall zugrunde lag, nur eben durch andere Prozesse überlagert.

Das Argumentieren aufgrund von Approximationen wurde dann *die* Methode der älteren Quantentheorie. Bohr hat selbst erfolgreiche Anwendungen der präzisen Methoden der Mechanik auf die Atomtheorie auf diese informelle Weise kritisiert (Kritik des Vorgehens von Schwarzschild, Epstein und Sommerfeld). Seine Kritik und seine gleichfalls informellen Argumente brachten zahlreiche Ergebnisse und diese führten schließlich zu einer neuen, präzisen Theorie. In der reinen Mathematik hat Imre Lakatos analoge Prozesse ganz ausgezeichnet beschrieben.

(Auch in der Kunst gibt es rückläufige Bewegungen. So verwendet etwa Masaccio die Perspektive, aber nicht allein zur Darstellung der materiellen Wirklichkeit, sondern auch der Hierarchie geistiger Prinzipien: Gottvater, der sonst physisch größer gezeichnet wird, erhält jetzt Größe durch seine Plazierung ganz hinten in einer extremen Bogenkonstruktion. Und die Manieristen verwenden die Perspektive, aber lokal, zur Erzeugung besonderer Effekte.)

Ich fasse zusammen: die erste Bedingung, die wissenschaftlich orientierte Denker einer sachhaltigen Darstellung auferlegen wollen, ist, daß sie sich abstrakter Begriffe bedienen und Beweise (Argumente) aufgrund der für diese Begriffe geltenden Gesetze führen muß. Die Bedingung führt nicht „die" Wirklichkeit ein, auch nicht „die" Wahrheit, höchstens eine neue Wirklichkeitsauffassung, also einen neuen Stil, und sie wird außerdem in den von denselben Denkern gepriesenen Fächern nur selten erfüllt. Der Ausbreitung des Rieglschen Standpunktes auf die Wissenschaften und einer damit verbundenen Vereinigung von Wissenschaften und Künsten steht also nur mehr die zweite Bedingung entgegen, also

Die Bedingung der Prüfbarkeit

Man beseitigt das Hindernis durch den Hinweis, daß verschiedenen Denkstilen (Kunstformen, Wirklichkeitsformen) auch verschiedene Prüfungsstile entsprechen und daß die Abfolge von Denkstilen selbst in den Wissenschaften nicht immer einer methodischen Kontrolle unterliegt. Es gibt Übergänge, die sowohl Stilformen als auch Methoden verändern und daher reine Stilübergänge sind, genau im Sinn von Riegl, verursacht durch ein allgemeines neues Stilwollen.

Nehmen wir als Beispiel den Übergang vom Aristotelischen Weltbild zum Weltbild des Mechanizismus.

Die *Aristotelische Physik* ist eine allgemeine *Bewegungslehre*. Sie erklärt die Natur der Bewegung, die Umstände, unter denen Bewegung stattfindet sowie die Verteilung von Bewegung im Universum. Unter Bewegung wird dabei jede Art von Veränderung verstanden: Ortsbewegung, qualitative Veränderung, wie die Erwärmung eines Gegenstandes, Entstehen und Vergehen, Zunahme und Abnahme. Es wird auch erklärt, wie diese Bewegungen sich zueinander verhalten, welche grundlegend sind, welche mehr peripher. Zum erstenmal in der Geschichte des Denkens formuliert Aristoteles so etwas wie ein Trägheitsgesetz: Gegenstände bedürfen durchaus nicht immer eines Antriebs, wie etwa eine Seele, und wenn sie von einer Seele, oder einem materiellen Medium, wie etwa einem Wirbel bewegt werden, dann erhebt sich die Frage, wie sie sich wohl ohne den Wirbel, oder ohne die Seele, also natürlicherweise bewegen würden – und Aristoteles gibt an, was die möglichen natürlichen Bewegungen sind. Die Physik wird aufgebaut auf und geprüft an „Phänomenen". Diese sind teils einfache Beobachtungen, wie die Beobachtung, daß das Anheben der Bewegung immer eine gewisse Minimalkraft erfordert; teils Feststellung, wie „Ort und Körper sind verschieden, denn ein Körper kann von seinem Ort entfernt werden" die ganz selbstverständlich zu sein scheinen, obwohl man nicht genau angeben kann, worauf denn diese Selbstverständlichkeit beruht; teils handelt es sich auch um frühere Versuche, aus Bekanntem und Erdachtem zu einer umfassenden Theorie zu kommen. Aristoteles nimmt an, daß

Mensch und Welt sich unter normalen Umständen in Harmonie befinden. Was die Menschen sich über die Welt denken, wie sie die Welt sehen, das enthält also einen wahren Kern, der erst von Störungen befreit werden muß. Aristoteles überprüft die Annahme, indem er die auf sie gegründete Bewegungslehre auf die Wechselwirkung zwischen den Gegenständen und den Sinnesorganen des Menschen anwendet und zeigt, daß und wie sich genau jene Eindrücke ergeben, von denen er von Anfang an ausgegangen ist. Da Beobachtungen Qualitäten feststellen, ist die Aristotelische Physik eine qualitative Theorie. Sie enthält zahlreiche Behauptungen, die wir heute für sehr trivial halten, sie enthält aber auch Theoreme, wie etwa die folgende: vor jeder Bewegung gibt es eine weitere Bewegung, und die hat konstante Geschwindigkeit; die Länge eines bewegten Gegenstandes in Richtung der Bewegung hat keinen wohlbestimmten Wert. Das letzte Theorem ist weder auf Beobachtungen gegründet, noch läßt es sich durch Beobachtungen überprüfen. Es ist eine Folge der Anwendung der Aristotelischen Kontinuitätstheorie auf die Bewegung. *Voraussagen* spielen in der Physik eine geringe Rolle – sie sind Aufgabe anderer Wissenschaften, wie etwa der Astronomie. Die Astronomie kümmert sich nicht sehr um die Natur der von ihr vorausgesagten Gegenstände – diese Aufgabe wird von der Physik erledigt, sie begnügt sich mit praktischen Identifikationen.

Die Physik, die man gewöhnlich die *Galileische Physik* nennt, legt großen Wert auf quantitative Formulierungen und ist, zumindest der Idee nach, zur Gänze von Voraussagen kontrolliert. Man sagt, daß sie aufgrund ihres *Erfolges* über die Aristotelische Physik triumphierte.

Erfolg: das kann entweder heißen, daß ein neues Stilwollen neue Forderungen an das Denken stellt und daß die Galileische Physik diese Forderungen erfüllt – das wäre die Rieglsche Auffassung des Vorganges – oder es kann heißen, daß der Aristotelismus aufgrund von Maßstäben, *die auch er akzeptierte,* als unzureichend befunden wurde. Im letzten Fall spricht man gewöhnlich von einer „objektiven" Kritik, aber ich sehe nicht ein, warum eine Kritik, die sich mehr populärer Maßstäbe bedient „objektiver" sein sollte, als eine Kritik, die auf wenig verbreiteten Maßstäben beruht. Man findet einfach, daß das Material, in dem man einen gewissen Denkstil verwirklichen will dazu nicht taugt und steht nun vor der Alternative: neuer Denkstil, oder neues Material. In einer solchen Lage gehen nun die Wissenschaftler durchaus nicht immer den ersten Weg – man sehe nur, mit welcher Entschiedenheit die Galileischen Denkformen und die Denkformen des ihr folgenden

Mechanizismus auf das Leben und selbst auf seelische Vorgänge übertragen werden: ist das Kunstwollen, das hinter einer bestimmten Denkform steckt sehr stark ausgeprägt, dann läßt man sich von den Eigentümlichkeiten des Materials gar nicht so leicht zu einer Änderung des Denkstils zwingen.

Aber der zweite Fall, der sich, wie eben gezeigt, dem Rieglschen Schema sehr gut einfügt, liegt ja bei der „Kopernikanischen Revolution" gar nicht vor. Man führt ja gar nicht neue Ideen aufgrund alter Kriterien ein, sondern man verändert sowohl Ideen als auch Kriterien. Zum Beispiel, man schränkt sich von allem Anfang an auf die Ortsbewegung ein. Die Bewegungslehre des Aristoteles befaßt sich sowohl mit der Ortsbewegung, als auch mit dem Hervorgehen einer Pflanze aus ihrem Samen als auch mit den Veränderungen, die eintreten, wenn ein kluger Lehrer einen widerstrebenden Schüler unterrichtet. Die Galileische Bewegungslehre befaßt sich nur mit der Ortsbewegung und selbst hier unter Verwendung sehr einfacher Denkmittel. Für Aristoteles war die Ortsbewegung ein kontinuierlicher Vorgang in einem kontinuierlichen Medium, in einem einfachen Fall also auf einer geraden Linie. Kontinuität der Linie bedeutet, daß ihre Elemente miteinander zusammenhängen. Da Punkte unteilbar sind, können sie nicht zusammenhängen und daher auch nicht Elemente der Linie sein. Sie sind aber potentiell in ihr enthalten: man kann die Linie schneiden, einen bestimmten Punkt aktualisieren und so die Kontinuität der Linie unterbrechen. Galilei lehnt diese Auffassung kurzweg ab:

Genau, wie eine Linie von zehn Faden (canne) zehn Linien von einem Faden Länge enthält und vierzig Linien von einer Armlänge (bracchia) und achtzig Linien von einer halben Armlänge etc., so enthält sie auch eine unendliche Anzahl von Punkten - nenne sie aktual oder potenziell, wie es dir gefällt, mein lieber Simplicio, denn was dieses Detail betrifft, so beuge ich mich deiner Meinung und deinem Urteil.

Nun ist es natürlich wahr, daß sich an der Länge einer Linie nichts ändert, wenn man sie als aus wirklichen Punkten bestehend auffaßt - aber ihre *Struktur* verändert sich auf wesentliche Weise. Für Galilei ist diese Struktur nicht mehr interessant.

Was nun aber die Voraussagen betrifft, die angeblich den Erfolg der Galileischen Lehre bestätigen, so ist die Lage die folgende. Bei Aristoteles war der Akt der Wahrnehmung denselben Gesetzen unterworfen, wie jede andere Wechselwirkung auch. Und da Wechselwirkungen auch zu einem Austausch von Qualitäten führen konnten, paßte die Beschreibung von Wahrnehmungen in den Zusammenhang, den sie darstellen

sollte: es gab kein Leibseeleproblem. In der Galileischen Kosmologie sind Wahrnehmungen und objektive Sachverhalte von wesentlich verschiedener Art: es gibt ein Leibseeleproblem. Das Problem ist nicht peripher, denn man nimmt bei jeder Beobachtung an, daß es gelöst ist. Das Problem ist nicht gelöst. Die Beobachtungen und damit die grundlegenden Prüfungsverfahren der neuen Denkform hängen in der Luft. Stützt man sich weiterhin auf sie, dann involviert das eine Art Glaubensakt. Der Glaubensakt wird nicht bemerkt, denn man hat nun dem Prüfungsverfahren gegenüber eine genauso naive Einstellung, wie gegenüber der Frage der Kontinuität: die aufgrund des Glaubensaktes produzierten Meßergebnisse stimmen (mehr oder weniger) miteinander überein, das genügt. Diese praktische Einstellung unterscheidet sich wesentlich von der Einstellung des Aristoteles, dem es nicht nur auf gute Vorhersagen ankam, sondern auch auf die Erkenntnis der Natur der vorhergesagten Dinge. Das heißt aber, daß wir einen neuen Denkstil vor uns haben, mit neuen Kriterien und einer neuen Struktur des von ihm aufgebauten Wissens.

Zusammenfassung

Wir können nun die folgenden Thesen über die Natur der Künste und der Wissenschaften und das Verhältnis der beiden formulieren.
1. Riegl hat Recht, wenn er sagt, daß die Künste eine Fülle von Stilformen entwickelt haben und daß diese Formen gleichberechtigt nebeneinanderstehen, außer man beurteilt sie von dem willkürlich gewählten Standpunkt einer gewissen Stilform aus. Selbst wenn man einen solchen Standpunkt mit Gründen wählt, gibt es doch zu jeder Gruppe von Gründen andere Gruppen, das heißt, man kommt bei der Begründung entweder auf eine Wahl, oder auf Intuitionen, d.h. auf automatisches Handeln; und damit wieder auf eine, diesmal allerdings unbedachte Wahl.
2. Die Behauptung Riegls trifft auch auf die Wissenschaften zu. Auch sie haben eine Fülle von Stilen entwickelt, Prüfungsstile eingeschlossen und die Entwicklung von einem Stil zu einem anderen ist der Entwicklung, sagen wir, von der Antike zum gotischen Stil durchaus analog.
3. Sowohl Künstler als auch Wissenschaftler haben bei der Ausarbeitung eines Stils oft den Hintergedanken, es handle sich um die Darstellung der Wahrheit, oder „der" Wirklichkeit.
4. Dieser Hintergedanke führt nicht über die Auffassung Riegls hinaus, er ist ein Teil des von Riegl recht

unbestimmt gelassenen Kunstwollens und zeigt nur, daß künstlerische Stile mit Denkstilen eng verbunden sind: wir haben ein Gemälde, oder eine Statue, oder eine Tragödie eingebettet in ein (allerdings kaum sehr erregendes) Wortkunstwerk.

5. Das zeigt sich an der Vieldeutigkeit des Wortes „Wahrheit" oder „Wirklichkeit". Untersucht man nämlich, was ein bestimmter Denkstil unter diesen Dingen versteht, dann trifft man nicht auf etwas, was jenseits des Denkstils liegt, sondern auf seine eigenen grundlegenden Annahmen: Wahrheit ist, was der Denkstil sagt, daß Wahrheit sei. So war es einmal wahr, daß die griechischen Götter existierten, aber heute ist das für viele Menschen Unsinn.

6. Der *Erfolg* kann einen Denkstil nur dann auszeichnen, wenn man bereits Kriterien besitzt, die bestimmen, was Erfolg ist. Für den Gnostiker ist die materielle Welt Schein, die Seele wirklich und Erfolg also nur, was der letzten geschieht. Wieder steckt hinter dem Akzeptieren eines Stils nicht etwas „Objektives", sondern ein weiteres Stilelement.

7. Zum Beispiel halten sich viele Menschen heute an den Denkstil der Wissenschaften, weil sie das Interesse an übernatürlichen Dingen verloren haben, weil irdischer Ruhm viel wichtiger scheint als das Seelenheil, weil man sich andere Menschen vom Leibe halten will (das ist der objektive Grund des Wunsches nach Objektivität) und weil man glaubt, und zwar in den meisten Fällen aufgrund von Gerüchten und gar nicht aufgrund genauer Untersuchungen – daß die Wissenschaften die irdischen Güter vermehren und verbessern können.

8. Die Wahl eines Stils, einer Wirklichkeit, einer Wahrheitsform, Realitäts- und Rationalitätskriterien eingeschlossen, ist die Wahl von Menschenwerk. Sie ist ein *sozialer Akt,* sie hängt ab von der *historischen Situation,* sie ist gelegentlich ein relativ bewußter Vorgang – man überlegt sich verschiedene Möglichkeiten und entschließt sich dann für eine –, sie ist viel öfter direktes Handeln aufgrund starker Intuitionen. „Objektiv" ist sie nur in dem durch die historische Situation vorgegebenen Sinn: auch Objektivität ist ein Stilmerkmal (man vergleiche etwa den Pointillismus mit dem Realismus oder dem Naturalismus). Man entscheidet sich also für oder gegen die Wissenschaften genau so, wie man sich für oder gegen punk rock entscheidet mit dem Unterschied allerdings, daß die gegenwärtige soziale Einbettung der Wissenschaften die Entscheidung im ersten Fall mit viel mehr Gerede und auch sonst mit viel größerem Lärm umgibt.

9. Und da man bisher glaubte, daß sich nur die Künste in dieser Lage befinden, da man also die Situation bisher nur in den Künsten einigermaßen erkannt hat, so beschreibt man die analoge Situation in den Wissenschaften und die vielen Überschneidungen, die es da gibt, und von denen ich nur eine kleine Auswahl erwähnt habe am besten indem man sagt, daß die Wissenschaften Künste sind im Sinne dieses fortschrittlichen Kunstverständnisses.

(Würden wir in einer Zeit leben, in der man naiv an die heilende Macht und die „Objektivität" der Künste glaubt, Kunst und Staat nicht trennt, die Künste aus Steuermitteln reich beschenkt, in den Schulen als Pflichtfächer lehrt, während man die Wissenschaften für Sammlungen von Spielereien hält, aus denen sich die Spielenden bald das eine, bald das andere Spiel auswählen, dann wäre es natürlich ebenso angebracht, darauf zu verweisen, daß die Künste Wissenschaften sind. In einer solchen Zeit leben wir aber leider nicht.)

Die Analogie der Widersprüche

Fragmentarische Anmerkungen zum Gebäude des ehemaligen Kunstgewerbemuseums in Berlin

Vittorio Magnago Lampugnani

Il faut s'accoustumer aux analogies, scavoir deux ou plusieurs choses fortes differentes estant données, trouver leur ressemblances. Gottfried Wilhelm Leibniz, De la sagesse[1])

Die verdrängte Strenge und die importierte Sentimentalität: die Lage der architektonischen Kultur im Berlin der Gründerzeit.

Mit dem Ende des deutsch-französischen Kriegs und der Gründung des Deutschen Reichs begann 1871 eine Zeit des Friedens in Europa. Die dabei freiwerdenden Energien wurden allerdings nicht in die Lösung der strukturellen und sozialen Probleme investiert, welche die industrielle Revolution bereits im 18. Jahrhundert aufgeworfen und im 19. verschärft hatte, sondern in eine ebenso stürmische wie widersprüchliche Entwicklung von Handel, Gewerbe und Industrie. Die allgemeine Wirtschaftsdepression von 1873 ließ das Kartenhaus der „Gründerjahre" mit ihren unzähligen Unternehmensgründungen und fieberhaften Spekulationen zusammenbrechen, bereitete jedoch einen neuen großen industriellen Vorstoß vor. In den neunziger Jahren wurde die Aufteilung des internationalen Markts unter den Industriestaaten weitgehend abgeschlossen; zusammen mit der kapitalistischen Weltwirtschaft bahnte sich das imperialistische Zeitalter an.

Berlin wurde durch diese Entwicklung stark berührt. Durch den ökonomischen Aufschwung gestärkt und zur Hauptstadt des Deutschen Reichs erhoben, versuchte es, auch in seiner Architektur mit den damals bedeutendsten europäischen Metropolen Schritt zu halten: Wien und Paris. Dort hatte allerdings bereits seit der Mitte des Jahrhunderts ein schwerer, monumentaler Historismus die klassizistische Tradition abgelöst und in den Bauten an der Ringstraße beziehungsweise in jenen an den Boulevards von Georges-Eugène Haussmann oder, gewaltiger noch, in der Opéra von Charles Garnier besonders emblematische Höhepunkte erreicht. Darauf schielte nun Berlin. Tatsächlich änderte es unter dem doppelten Druck der wirtschaftlichen Kraft und des – nicht zuletzt durch den neuen Wohlstand – erwachten Prestigebedürfnisses in wenigen Jahren sein Gesicht: während zahlreiche ältere Bauten abgerissen wurden, wurde ihr Platz durch neue Prachtpaläste im Stil der Neurenaissance und des Neubarock eingenommen[2]). Diese Entwicklung verlief durchaus nicht unwidersprochen. Schließlich hatte Berlin eine eigene Bautradition, die in erster Linie von Friedrich Gilly ausgegangen und von Karl Friedrich Schinkel entwickelt und etabliert worden war; diese Tradition lebte noch in der zweiten Hälfte des 19. Jahrhunderts im Werk zahlreicher Schinkel-Schüler fort. Sie orientierte sich vornehmlich an den strengen Kompositionsprinzipien des Klassizismus und der Neuromanik, vertrat die Maxime der klaren, möglichst unverstellten Konstruktion sowie der werkgerechten Materialehrlichkeit und hatte die (philosophische) Kategorie der Einfachheit zu ihrer Leitlinie erhoben. Ihre Vertreter wandten sich mit Entschiedenheit gegen die Effekthascherei, den hohlen Prunk und die Maßstabslosigkeit der neuen, dazu noch importierten Mode, die sie als zutiefst unangemessen, unmoralisch und frivol empfanden. Hinzu kam, daß sie um ihre Aufträge bangen mußten[3]). Doch die Entwicklung war historisch festgelegt. Die beiden Wettbewerbe für den Neubau des Reichstagsgebäudes, das wichtigste und aufsehenerregendste Projekt des jungen Reichs, spielten dabei eine zentrale Rolle: schon der erste preisgekrönte Entwurf von Ludwig Bohnstedt (1872) war eine Kristallisation des herrschenden Geschmacks, und das Projekt von Paul Wallot, das im zweiten Wettbewerb gekürt und anschließend gebaut wurde, bestätigte und krönte die Tendenz zur überschwenglichen, gigantischen Monumentalität. Die Schinkel-Schüler verloren an Boden; sie traten entweder in das andere Lager über oder wurden alsbald von der Tätigkeit als freie Architekten in die Entwurfsabteilung der Stadt und des preußischen Staats abgedrängt.

Mithin war es ein Akt der Opposition, als Entwurf und Ausführung des Neubaus des Kunstgewerbemuseums ohne Wettbewerb, als Direktvergabe, der Arbeitsgemeinschaft der Architekten Martin Gropius[4]) und Heino Schmieden übertragen wurden. Beide, vor allem Gropius als leitende Figur, waren für ihre Verpflichtungen gegenüber der Tradition der Schinkel-Schule bekannt: und zwar nicht als tumbe Epigonen, sondern als durchaus schöpferische und autonome Persönlichkeiten. Beim Wettbewerb für den Berliner Dom (1867) hatten sie sogar die unerhörte

Kühnheit besessen, unverputzte Backsteinfassaden für die wichtigste Kirche der Stadt vorzuschlagen, was einer schroffen Absage an Pomp und Maskerade und gleichzeitig einem leidenschaftlichen Bekenntnis zur rationalen, strengen und unsentimentalen Berliner Architekturhaltung gleichkam. Die Beauftragung von Gropius und Schmieden war somit nicht lediglich die Entscheidung für einen Bau, sondern auch und vor allem für eine kulturelle Orientierung.

Die kapitalistischen Ambitionen und der Flirt der Industrie mit der Kunst: das Kunstgewerbe im Preußen des späten 19. Jahrhunderts.

Diese Beauftragung vermochte in erster Linie aufgrund der Rolle zu erfolgen, die Martin Gropius schon seit geraumer Zeit im Berliner Kunstgewerbe spielte. Er entwarf nicht nur Bauten, sondern – wiederum in der „klassischen" Tradition von Schinkel – auch Einrichtungs- und Gebrauchsgegenstände; er unterrichtete Ornamentlehre an der Bauakademie und leitete seit 1869 die Berliner Kunstschule; außerdem unterhielt er eine Sammlung von Kunsthandwerksobjekten, vornehmlich von Stoffen aus der Seidenweberei seiner Familie. Mit alledem beabsichtigte er, das Kunstgewerbe zu fördern.

Das war auch nötig und, was entscheidender ist, entsprach den politischen und ökonomischen Interessen der Zeit. Die erste Londoner Weltausstellung von 1851 hatte bereits mit großer Deutlichkeit die enge Verknüpfung von Kunstgewerbe, Wirtschaft und Politik aufgezeigt: handwerkliche und gewerbliche Produktion war im Zeitalter der Industrialisierung und der Massenfertigung eine Voraussetzung für kapitalistische Expansion und ein Instrument wirtschaftlichen und kulturellen Imperialismus. Damals standen die Erzeugnisse Preußens immerhin noch weitgehend gleichrangig neben jenen Englands. Elf Jahre später sah dies bereits ganz anders aus: die Londoner Weltausstellung von 1862 hielt Preußen die Kümmerlichkeit der eigenen Produktion vor Augen. Die Reaktion kam, wenngleich verspätet: 1865 wurde H. Schwabe, Vorsteher des Städtischen Statistischen Bureaus, mit der Untersuchung der Möglichkeiten der Gründung einer Kunstindustrie-Schule in Berlin beauftragt. Er studierte die Situation des Vorbilds England, legte eine Denkschrift nieder und veröffentlichte 1866 ein Buch: „Die Förderung der Kunst-Industrie in England und der Stand dieser Frage in Deutschland". Über dreißig Jahre später sollte sich dies in analoger und weit folgenreicher Form wiederholen: 1896–1903 wurde der Architekt Hermann

Muthesius als Attaché der Deutschen Botschaft in London beigegeben, um den englischen Wohnungsbau des Domestic Revival und der Arts-and-Crafts-Bewegung zu untersuchen; 1904/05 publizierte er das Ergebnis seiner Beobachtungen im einflußreichen dreibändigen Werk „Das englische Haus"; 1907 wurde in München der Deutsche Werkbund gegründet, dessen erklärtes Ziel die „Veredelung der gewerblichen Arbeit im Zusammenwirken von Kunst, Industrie und Handwerk" war und der zu seinen Gründungsmitgliedern neben Muthesius auch Henry van de Velde und Peter Behrens zählte.

Schwabe war kein Muthesius, und die historischen Bedingungen waren 1865 anders als 1896. Immerhin wurde 1866 ein „Comité" gegründet, welches unter dem Namen „Deutsches Gewerbe-Museum zu Berlin" das Ziel hatte, „den Gewerbetreibenden die Hülfsmittel der Kunst und Wissenschaft zugänglich zu machen"[5]; wiederum ein Jahr später wurde mit dem Unterricht begonnen und anschließend die Ausstellung der Sammlung eröffnet – allerdings im äußerst bescheidenen Gropiusschen Diorama in der Stallstraße. Bereits 1872 erwiesen sich die Räume als unzureichend; während als Interimsunterbringung die Fabrikgeschoße der gerade verlegten „Königlichen Porzellan-Manufaktur" an der Leipziger Straße belegt wurden, wurde der Entschluß gefaßt, einen Neubau für das Museum zu errichten. Es lag mehr als nahe, Martin Gropius und seinen Partner Heino Schmieden mit dem Entwurf zu betrauen; schließlich hatte Gropius die Entwicklung des Museums selbst von Anfang an begleitet und in jeder Weise unterstützt. Den Auftrag für das Projekt erteilte das Handelsministerium; der vorgesehene Standort war die nördliche Ecke der Einmündung der (neuen) Zimmerstraße in die Königgrätzer Straße. Gropius und Schmieden erarbeiteten einen detaillierten Entwurf. Er war zur Vorlage im Preußischen Abgeordnetenhaus bestimmt, gelangte dort aber nicht zur Besprechung und galt schon Anfang 1873 als erledigt.

Schuld an dem raschen Tod des Vorschlags von Gropius und Schmieden war weder die Situation der architektonischen Kultur in der frischdeklarierten Hauptstadt des jungen Deutschen Reichs noch die institutionelle Entwicklung des „Deutschen Gewerbe-Museums"; und auch nicht der Entwurf selbst. Schuld war der gewählte Standort, der im Rahmen der Auseinandersetzungen um das zentrale Gebiet zwischen Leipziger Platz und Wilhelmstraße ziemlich plötzlich einer anderen Bestimmung zugeführt wurde. Diese Auseinandersetzungen weisen allerdings durchaus das auf, was Sherlock Holmes „einige interessante Züge" genannt hätte.

Über die Schwierigkeiten, eine Stadt zu planen: Die urbanistische Entwicklung der Umgebung des (zukünftigen) Kunstgewerbemuseums 1723–1881.

Der westliche Teil der ab 1723 von Philipp Gerlach geplanten und realisierten Südlichen Friedrichstadt, der schönsten und eigenwilligsten barocken Stadterweiterung Berlins, zeichnete sich bereits früh durch eine Sonderstellung im Stadtgefüge aus[6]. Friedrich Wilhelm I. hatte das Gebiet für die Residenzen adliger und begüterter Familien vorgesehen, hatte das Gelände selbst unterteilt und hatte dann kurzerhand Minister, Hofwürdenträger, Staatsdiener, Offiziere und sonstige reiche Stadtbürger zum Bauen gezwungen: So waren in rascher Folge die Palais an der nördlichen Wilhelmstraße entstanden. An der südlichen Wilhelmstraße hingegen gab es Stockungen, zumal die Gärten dort keine ausreichende Tiefe aufwiesen. Mithin wohnten zwischen Leipziger Straße und Rondell größtenteils arme Leute. Nur ein einziger Palast wurde in diesem Bereich gebaut: das Palais Vernezobre, dessen Garten das langgestreckte Straßendreieck zwischen Potsdamer Communication, Leipziger Straße und Wilhelmstraße quer durchschneidet. Dieser Garten blockte die einzige Ost-West-Verbindung zwischen Wilhelmstraße und Communication ab; er sollte die Entwicklung des Gebiets nachhaltig wie ambivalent beeinflussen.

Lange Zeit verlief der Ausbau der Südlichen Friedrichstadt schleppend; die künstliche Konjunktur begünstigte außerdem die Spekulation und das Überangebot an Wohnungen und Häusern führte zu einem allgemeinen Preisverfall, der auch vor dem alten Stadtgebiet nicht Halt machte. Immer wieder gab es jedoch architektonische Höhepunkte. In den zwanziger Jahren des 19. Jahrhunderts legten Karl Friedrich Schinkel und Peter Josef Lenné Pläne für die Ausgestaltung jenes Oktogons (oder Achtecks) vor, das Friedrich Gilly 1797 als Standort seines revolutionären Projekts eines Denkmals für Friedrich II. auserkoren hatte; der Platz, der seit den Napoleonischen Befreiungskriegen Leipziger Platz genannt wurde, wurde nach den Vorschlägen Lennés begrünt und ab 1826 wie ein englischer Square von den Anwohnern genutzt. 1830–33 baute Schinkel das ehemalige Palais Vernezobre zum Palais Prinz Albrecht um; im Park errichtete er einen zinnenbekrönten Marstall und eine neugotische Reithalle, beide aus Backstein sowie einige Gewächshäuser. 1845 erfolgte der Umbau des Happeschen Palais an der Leipziger Straße zum Preußischen Kriegsministerium durch August Stüler und Wilhelm Drewitz, zwei Schüler Schinkels. Unmittelbar vor der Revolution von 1848, die nicht zufällig im Kriegsministerium ihre Hauptschauplätze hatte, errichtete Drewitz das Landwehr-Zeughaus an der Potsdamer Communication. 1853 schuf Johann Heinrich Strack, ebenfalls ein Schinkel-Schüler, das Biersche Wohnhaus am Leipziger Platz im Stil einer eleganten „hellenischen" Neurenaissance, die er in hellem Sandstein materialisierte.

Inzwischen hatte sich das ganze Gebiet in seinem Charakter stark verändert. Mit der Realisierung der zwei bedeutendsten Bahnhöfe Berlins, dem Anhalter und dem Potsdamer Bahnhof, entwickelte es sich in den

Prinz-Albrecht-Palais, Gartenfront

Prinz-Albrecht-Palais, Treppenhaus

vierziger Jahren zu einem Verkehrsknotenpunkt. Im Zusammenhang mit dem Anhalter Bahnhof, dessen Gebäude 1841 von der Architektengemeinschaft Rosenbaum und Holtzmann realisiert wurde (1874–1880 sollte es durch den größeren Neubau von Franz Schwechten und Heinrich Seidel ersetzt werden), wurden der Askanische Platz sowie die Anhaltische Straße neu angelegt. Die vergleichsweise zentrale Lage, die noch vorhandenen freien Grundstücke und die guten Verkehrsverbindungen zogen staatliche und öffentliche Einrichtungen an, die nach und nach in das Gebiet eindrangen. Um 1850 erwarb der Preußische Staat das Haus der Familie Mendelssohn an der Leipziger Straße (wo Felix Mendelssohn-Bartholdy seine frühen Kompositionen schuf), um es als Herrenhaus des Preußischen Landtags zu nutzen. Am Leipziger Platz wurden seit Beginn der fünfziger Jahre die Häuser aus dem 18. Jahrhundert durch Neubauten ersetzt, die dem bislang idyllischen Platz eine großstädtische Note verliehen.

Bewegte sich die städtebauliche Entwicklung des Gebiets bis zum Ende der sechziger Jahre zwar nicht gerade auf geregelten, aber auf immerhin vergleichsweise konventionellen Bahnen, setzte das Jahr 1871 der Gemächlichkeit ein jähes Ende. Die hochfliegenden Ambitionen der neuen Hauptstadt des neuen Reichs trafen auf ein schier grenzenloses Kompetenzdurcheinander und schlossen mit ihm eine morganatische

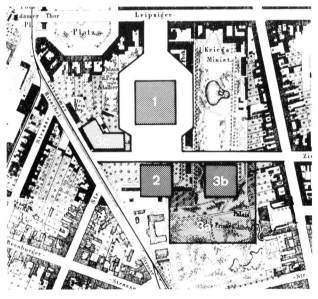

Situationsskizze zu den Planungen von 1872/73 eingezeichnet in den Liebenow-Plan von 1867
1) *Reichstag nach Lucae, 1873*
2) *Kunstgewerbeakademie nach Lucae, 1873*
3) *Kunstgewergemuseum*
a) *nach dem Schinkelwettbewerb 1872/73*
b) *nach Lucae, 1873*
c) *nach Gropius und Schmieden, 1872*

Ehe. Das Ergebnis war ein ebenso atemberaubendes wie kurzatmiges Planungskarussell, bei welchem der Großteil der Projekte auf dem Papier blieb und in Beamtenschubladen verschwand, um dort langsam einzustauben. Die Verbindung der süddeutschen Länder mit dem Norddeutschen Bund und die Gründung des Deutschen Reichs machten als allererstes den Neubau eines Parlamentsgebäudes notwendig; sowohl aus symbolischen als auch aus funktionalen Gründen. Zunächst behalf man sich mit einem Provisorium, welches die größer gewordene Anzahl von Abgeordneten fassen mußte: Unter der Oberleitung von Friedrich Hitzig arbeiteten auch Martin Gropius und Heino Schmieden am Umbau des Verwaltungsgebäudes eben jener gerade nach Charlottenburg verlegten „Königlichen Porzellan-Manufaktur", in deren Fabrikationsräume ein Jahr später das „Deutsche Gewerbe-Museum" – ebenfalls provisorisch – einziehen sollte. In knappen viereinhalb Monaten wurde der Sitzungssaal errichtet und mit einem großen Glasdach gedeckt.

Ein Jahr später wurde der erste Wettbewerb für das Reichstagsgebäude ausgelobt; der vorgesehene Standort war bereits der (ein viertel Jahrhundert später) tatsächlich gewählte, nämlich am Königsplatz. Es wurde keine Entscheidung gefällt, dafür aber eine Kommission eingesetzt; als Sachverständige waren ihr Friedrich Hitzig und Richard Lucae beigeordnet. Auch die Kommission zeitigte keinerlei Klärung der Problematik; immerhin beauftragte sie Lucae, der Direktor der Bauakademie und Mitglied der Bau-Deputation war, mit der Entwicklung des städtebaulichen Projekts. Inzwischen waren jedoch sowohl der Neubau des Kunstgewerbemuseums als auch jener der Gewerbeakademie beschlossen worden; für den ersten gab es sogar einen fertigen Entwurf von Gropius und Schmieden. Lucae berücksichtigte zumindest die Entscheidungen und setzte die drei Bauten miteinander in Beziehung. Für das Reichstagsgebäude griff er auf das Gelände der Porzellan-Manufaktur zurück, wo er einen neuen Platz um das projektierte Gebäude vorschlug; die Gewerbeakademie ordnete er auf der gegenüberliegenden Seite der (geplanten) durchgeführten Zimmerstraße an; daneben sah er das Kunstgewerbemuseum vor. Damit ignorierte er einerseits den Entwurf von Gropius und Schmieden, zumal er wußte, daß das von ihnen ins Auge gefaßte Terrain dem Kriegsministerium gehörte, daß darauf noch das Landwehr-Zeughaus stand und daß es demnach nicht verfügbar war, und berücksichtigte andererseits das Ergebnis eines Schinkel-Wettbewerbs, der von dem Berliner Architekten- und Ingenieurverein just mit dem Thema Kunstgewerbe-

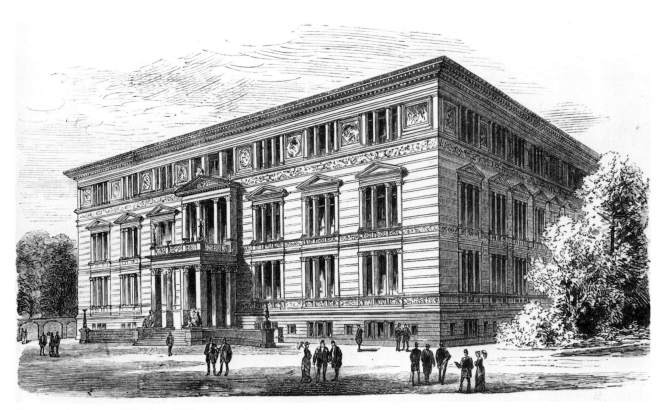

Kunstgewerbemuseum, Holzschnitt 1878

museum 1872/73 veranstaltet worden war. Dies war jedoch kaum realistischer; denn auch dieses Gelände gehörte dem Kriegsministerium und stand schon seit geraumer Zeit nicht mehr zur Disposition. Nach etlichem Hin und Her wurde auch der von Lucae für das Reichstagsgebäude vorgeschlagene Standort endgültig verworfen. Blieb also nur die Gewerbeakademie, für welche Lucae 1875 einen detaillierten Entwurf vorlegte. Aber auch sie blieb nicht lange wo sie vorgesehen worden war: denn im selben Jahr wurde ihr Bauplatz definitiv festgelegt, und sie mußte nach Westen auf die Seite rücken. Immer noch arbeiteten 1875 Gropius und Schmieden einen völlig neuen Entwurf aus: jener, der dann später auch nahezu unverändert gebaut wurde. 1876 erstellte Lucae einen ebenfalls ganz neuen Entwurf für die Gewerbeakademie, aber auch damit sollte er kein Glück haben: wenige Monate später wurde die Zusammenlegung der Gewerbeakademie mit der Bauakademie zu einem Polytechnikum (der späteren technischen Hochschule) beschlossen, welches zunächst noch südlich der Zimmerstraße, dann aber endgültig in Charlottenburg entstehen sollte, und somit war der Neubau in toto hinfällig geworden. Immerhin wurde nach all diesen Peripetien 1877 der Grundstein des Gebäudes des Kunstgewerbemuseums gelegt; es wurde 1881 eröffnet, zwei Jahre nach der offiziellen Umbenennung in „Kunst-Gewerbe-Mu-

seum zu Berlin" und ein Jahr nach Martin Gropius' Tod.

Zurück, Kameraden, wir müssen vorwärts: die Architektur des Kunstgewerbemuseums zwischen Historismus und Moderne.

Diese kuriose Planungskomödie mit ihren eilig aufeinanderfolgenden, sich überlagernden und einander kreuzenden Ereignissen zeitigte nicht minder kuriose gegenseitige Beeinflussungen. Der erste Entwurf für das Kunstgewerbemuseums von Gropius und Schmieden war für ein schiefwinkliges Eckgrundstück bestimmt: dieser Situation trugen zwei jeweils an den beiden Straßenfluchten gelegene Flügelbauten Rechnung, welche durch einen Mittelbau mit Lichthof und Haupterschließung gelenkartig miteinander verbunden waren. Dieses typologische Grundmuster wurde nicht zufällig von Lucae bei seinem 1876 erarbeiteten Vorschlag für die Gewerbeakademie übernommen; der Standort war zwar auf der gegenüberliegenden Seite der (geplanten) verlängerten Zimmerstraße vorgesehen und der Winkel des Grundstücks spitz und nicht stumpf, aber das Organisationsprinzip blieb gültig. Ein Jahrzehnt später sollte es dann tatsächlich verwirklicht werden: Hermann Ende und Wilhelm Böckmann bau-

53

Kunstgewerbemuseum

ten 1880–86 das Völkerkundemuseum auf dem von Lucae für die Gewerbeakademie vorgesehenen Terrain und übernahmen den ursprünglichen Typus, allerdings in eine prunkvolle, schwere Neorenaissance-Fassade gekleidet, welche die aggressive Kolonialpolitik des Deutschen Reichs ästhetisch feierte.

Die kulturelle und historische Realität des (auch nicht ausgeführten) Entwurfs offenbart sich gleichermaßen bei Lucaes ursprünglichem Vorschlag für die Gewerbeakademie von 1875. Seine Konzeption eines freistehenden Quaders auf nahezu quadratischem Grundriß wurde von Gropius und Schmieden im endgültigen Projekt des Kunstgewerbemuseums übernommen; auch hier spielte die Deckungsgleichheit des Standorts eine ausschlaggebende Rolle.

Freilich ging die typologische Grundform des Kunstgewerbemuseums über Lucae hinaus auf ganz andere Vorbilder zurück. Sie bezog sich ziemlich direkt auf die Allgemeine Bauschule, die Karl Friedrich Schinkel 1832–36 am Werderschen Markt erbaut hatte; und diese ließ sich ihrerseits auf die nahezu archetypische Palazzo-Typologie zurückführen, die in der italienischen (und vor allem: Florentiner) Renaissance ihre erlesensten Höhepunkte verzeichnet hatte. Innerhalb dieser starken typologischen Bindung entwickelte sich das Bauwerk jedoch als eigenständige Schöpfung: die Zugehörigkeit zu einer Gattung hinderte es nicht daran, ein Individuum zu werden[7]).

Von außen stellte es sich als blockhaftes, ruhiges Prisma dar. Auf einem kräftig rustizierten Sandsteinsockel mit einer Plinthe aus belgischem Granit erhoben sich Wände aus sichtbar belassenem Ziegelmauerwerk, so daß der Kubus aus dem „armen" Backstein bezeichnenderweise auf einem Postament aus edlem Baumaterial stand. Dies kam einem Manifest für die Ziegelbauweise gleich, aber auch einem revolutionären Akt. Die Fassaden selbst waren horizontal hauptsächlich durch breite Figurenfriese aus Terrakotta gegliedert, die der Geschoßaufteilung entsprachen, und vertikal durch die breit gelagerten, aufstrebend unterteilten Fenster, deren Laibungen und Pilaster aus Sandstein waren. Die Südfassade besaß einen Mittelrisalit, in welchem sich die Haupttreppe befand. Rankenstreifen aus gebranntem Ton überzogen in gleichmäßigem Schichtenabstand die glatten Wandflächen. Nach oben hin wurde der Abschluß durch einen aufgesetzten Halbstock gebildet, der wie ein breites Gesims wirkte; die Fenster waren dabei nicht länger diskrete Elemente, sondern bildeten zusammen mit zwischen ihnen angeordneten Terrakottaplatten eine Art kontinuierliches Metopenband. Über allem lag ein weit ausladendes Kranzgesims, ebenfalls aus Terrakotta. Die gesamte Fassade, deren Aufbau und Proportionen aus jenen der griechischen Tempel abgeleitet waren, stellte ein Hohelied des gebrannten Tons dar, durch die eleganten dekorativen Einlagen veredelt und durch die klassische Komposition in die Sphäre des Zeitlosen gehoben.

Innen bot sich, der Klarheit und Übersichtlichkeit der prinzipiellen Grundrißdisposition zum Trotz, eine bemerkenswert vielfältige Raumfolge. Den Auftakt bildete der Portikus, der auch als Unterfahrt für Kutschen diente. Von einem Vestibül gelangte man über eine rampenartige Treppe und einen quergelagerten Gang in eine mit Glas überkuppelte Halle, die einen ersten räumlichen Höhepunkt bildete. Von ihr aus führte eine Treppe in das Obergeschoß; gleichzeitig schloß die Kuppelhalle an den großen rechteckigen Innenhof an, den zweiten und – in jeder Beziehung – zentralen Höhepunkt des Raumsystems. Er war ebenfalls durch ein Glasdach gedeckt, über dessen Mittelfeld ein leichtes Segel als Sonnenschutz gespannt werden konnte. An allen vier Seiten liefen zweigeschossige Arkadengänge mit schlanken Pfeilern und flach gespannten Bögen. Der Fußboden des Hofs war um einige Stufen versenkt; vier Treppenläufe, die den Hauptachsen des Gebäudes folgten, führten auf das tiefere Niveau hinab und zeigten damit auf den ideellen Mittelpunkt des Bauwerks. Von den Galerien aus, die den Innenhof umsäumten, wurden mehr oder weniger direkt sämtliche Räume des Museums erschlossen. Eine zweite große Treppe, die gegenüber dem Kuppelsaal auf der anderen Seite des Hofs angeordnet war, bildete das horizontale Haupterschließungselement. Im Erdgeschoß befanden sich Ausstellungsräume sowie, nach Norden hin, die Verwaltung und die Bibliothek; im ersten Geschoß ausschließlich Ausstellungsräume; im zweiten Geschoß war der Großteil der Schule untergebracht; im Keller gab es noch etliche Klassenzimmer und Ateliers, Werkstätten, Magazine, Betriebsräume, außerdem noch ein Restaurationslokal und vier Beamtenwohnungen.

Insgesamt entstand unter der Leitung von Gropius und Schmieden eine großartige Gemeinschaftsarbeit, denn für die Dekoration zogen die Architekten einige unter den namhaftesten Malern und Bildhauern ihrer Zeit heran. Den plastischen Schmuck der Fassaden übernahmen Otto Lessing, Rudolph Siemering, Ludwig Brunow und Louis Sussmann-Hellborn. Für das Vestibül schuf Gustav Eberlein einen Fries. Das Schmuckband im großen Innenhof gestalteten Otto Geyer und Emil Hundrieser, die farbenfrohen Glasmosaiktafeln an den vier Ecken des Gebäudes wurden von Friedrich Geselschap und Ernst Ewald entworfen. Darüber hinaus waren berühmte Handwerksbetriebe beteiligt: die Tonwarenfabrik Ernst March, Villeroy & Boch, Salviati & Co, die Compagnia Venezia-Murano.

Das Ergebnis dieser gemeinsamen Bemühung, dieses emsigen Zusammentragens aus allen möglichen Kunst- und Gewerbegattungen hätte den Museumsneubau leicht zu einer überfrachteten Karikatur dessen ausarten lassen können, was zu pflegen und zu fördern es bestimmt war: das Kunstgewerbe der Zeit des Historismus. Nicht umsonst hatte William Morris, zwanzig Jahre bevor das Museum seine Tore öffnete, unter dem Einfluß von John Ruskin und zusammen mit einigen Freunden in London die Firma Morris, Marshall und Faulkner als Protest und Reaktion zur Verlogenheit und Geschmacklosigkeit der zeitgenössischen industriellen und handwerklichen Produktion gegründet. Das 19. Jahrhundert, an der Wasserscheide zwischen der verlorenen „heilen Welt" der Klassik und der gleichzeitig lockenden und drohenden, ungewiß im Schatten verborgenen Moderne, ließ aus lauter Verlegenheit erst einmal die gesamte Vergangenheit Revue passieren und eignete sich jeweils das aus ihr an, was ihm hic et nunc notwendig und richtig erschien. Das hatte, wie immer, wenn man in der Geschichte wühlt, sowohl regressive als auch progressive Implikationen.

Das Gebäude für das Berliner Kunstgewerbemuseum geriet zu einem Emblem dieser Janusköpfigkeit.

Auf der einen Seite war es noch ganz der von Schinkel geprägten preußischen Spielart des Historismus verschrieben, auf die es inmitten der neumodischen neubarocken Wallungen sehnsüchtig zurückblickte. Es steckte voller wörtlicher Zitate aus allen möglichen Stilen der Vergangenheit. Es erging sich in klassischen Ambitionen, trug sie aber ausnahmslos eine Nummer zu klein. Es strotzte im Innenraum von einer überreichen Fülle an Ornamenten und schrak nicht einmal vor einfältigen Symbolismen und kindlichen Allegorien zurück (zum Beispiel die auf Glas gemalten Porträts von Albrecht Dürer, Luca della Robbia und Benvenuto Cellini). Auf der anderen Seite jedoch entfesselte das Meisterwerk von Gropius und Schmieden eine gewaltige modernistische Irruenz. Das Gebäude war zwar keineswegs richtungslos, aber alle Fassaden waren gleichwertig behandelt und es gab keine privilegierte „Hauptfront", eine Forderung, die in den zwanziger Jahren des 20. Jahrhunderts das gesamte „neue bauen" stellen sollte. Das Gebäude stand unter jenem Diktat der Materialgerechtigkeit, das zu einem der Hauptdogmen der Moderne werden und zu ihrem moralischen Rückgrat beitragen sollte – wenngleich von Ruskin und Morris bereits vorformuliert und, früher noch, von Schinkel weitgehend praktiziert. Das Gebäude feierte, vornehmlich in der Außenansicht, die glatte, kaum gebrochene oder unterbrochene Wand, wie sie etwas später Hendrik Petrus Berlage noch radikaler in der Amsterdamer Börse (1889–1903) zur Schau stellen wird; die hier vorweggenommene Poesie der ebenen Fläche wird im Rationalismus des 20. Jahrhunderts und vor allem in der Arbeit der Gruppe De Stijl eine zentrale Rolle spielen. Das Gebäude verwirklichte in sich einen starken Kontrast zwischen der ruhigen, zurückhaltenden, kargen Außenform und dem bewegten, aggressiven, üppig gestalteten Innenraum; wenn dies einerseits noch ein Zugeständnis an romantische Kompositionsprinzipien war, war es andererseits nicht weit von der künstlerischen Methode von Adolf Loos entfernt, der in Anlehnung an die dadaistische Maxime der nicht befriedeten Gegensätze in den asketisch-nackten Hüllen seiner Häuser erlebnisreich zusammengefügte und luxuriös ausgestattete Raumfolgen verbarg. Schließlich strebte das Gebäude eine Annäherung an die reine, unabhängige, in sich geschlossene geometrische Form an, ein Prisma auf einem (fast) quadratischen Grundriß; war auch hier der Blick zurück, nämlich auf die klassische Antike, auf die Renaissance und auf den Klassizismus maßgeblich, so war es jener nach vorne nicht weniger, und der Weg zum Purismus eines Mies van der Rohe, eines Le Corbusier oder eines Giuseppe Terragni war vorgezeichnet.

Zusammenfassend:
Die Dialektik von Vergangenheit und Zukunft, von Tradition und Modernität, von Bewahren und Erneuern ist, wie in jedem historisch relevanten architektonischen Werk, auch in diesem enthalten; und ihre Bilanz weist entscheidend stärker vorwärts als rückwärts. Es geht noch weiter: sie weist gerade deshalb mit soviel Energie in die Zukunft, weil sich das Bauwerk dermaßen intensiv (und autonom, und redlich) mit der Vergangenheit auseinandersetzt. Und auch das gilt, jenseits des nur oberflächlichen Paradoxons, für jede bedeutende Architektur.

Die Schwierigkeiten gehen gleich weiter: Die urbanistische Entwicklung der Umgebung des (ziemlich rasch ehemaligen) Kunstgewerbemuseums 1882–1945.

In den achtziger Jahren des 19. Jahrhunderts setzte sich die Planungs- und Bautätigkeit in der näheren Umgebung des Kunstgewerbemuseums fort. 1880–86 entstand unmittelbar zwischen ihm und der Königgrätzer Straße (wie inzwischen die Potsdamer Communication hieß) das Völkerkundemuseum von Hermann Ende und Wilhelm Böckmann. Beide Neubauten nebeneinander auf einer ideellen Flucht forderten geradezu die Verlängerung der Zimmerstraße heraus; hinzu kamen immer dringlichere Verkehrsprobleme. Das Kriegsministerium aber weigerte sich hartnäckig, den dafür notwendigen Teil seines Grundstücks herzugeben, und auch der Druck der Öffentlichkeit ließ es lange kalt. 1886 kam es sogar zu einem Kompromißvorschlag, den August Orth in einer detaillierten Dokumentation vorlegte: die Durchführung der Zimmerstraße durch den Garten des Kriegsministeriums ohne Randbebauung. Auf diese Weise wäre die Parkanlage so weit wie möglich geschont worden; außerdem verbanden eine Brücke und ein Tunnel die auseinandergeschnittenen Teile des Gartens. Der ebenso interessante wie aufwendige Plan blieb auf dem Papier: Kurz darauf gestand endlich der Militärfiskus den Durchbruch der verlängerten Zimmerstraße zu; und da 1872 Prinz Albrecht gestorben war, wurde das neue Straßenstück nach ihm benannt. Durch die Prinz-Albrecht-Straße erfuhr die bauliche Entwicklung des Gebiets einen zusätzlichen Anstoß. 1889 wurde die auf das Jahr 1870 zurückgehende Idee wieder aufgenommen, zwischen Leipziger Straße und Prinz-Albrecht-Straße, also auf den Grundstücken, auf welchen sich das alte Herrenhaus und der provisorische Reichstag befanden, den Preußischen Landtag unterzubringen. Nach den üblichen endlosen Verhandlungen und ergebnislosen Vor-

planungen wurde der Baubeamte Friedrich Schulze mit dem Entwurf beauftragt. Gegenüber dem Kunstgewerbemuseum entstand bis 1899 der neue Sitz des Preußischen Landtags als mächtiger Quader im Stil der römischen Hochrenaissance; auf der anderen Seite des Terrains, zur Leipziger Straße hin, simulierte der 1904 fertiggestellte Neubau des Herrenhauses eine spätbarocke Palastanlage mit zurückgesetztem Hauptgebäude, mit Flügelbauten und mit Ehrentor; die zwei Komplexe wurden durch einen schmalen Bautrakt miteinander verbunden.

Im Zusammenhang mit den langwierigen Überlegungen zur Etablierung des preußischen Regierungszentrums hatten sich bereits in den siebziger und achtziger Jahren mehrere Ministerien in der unmittelbaren Umgebung angesiedelt: neben dem Kriegsministerium, das seit langem dort ansässig war und sich unablässig ausdehnte, befanden sich ab 1876 das Ministerium für landwirtschaftliche Angelegenheiten (das nach und nach die gesamte Südseite des Leipziger Platzes ankaufte) und ab 1887 das Ministerium für Handel und Gewerbe (das zunächst in der Leipziger Straße residierte und zu Beginn des 20. Jahrhunderts auch das Biersche Wohnhaus an der Ecke Leipziger Platz/Leipziger Straße, welches seit 1889 Sitz des Staatsministeriums gewesen war, mit übernahm). Die Entwicklung zu einem der administrativen Herzstücke der Stadt schritt voran. Und auch zu einem der kulturellen Herzstücke. Bereits kurze Zeit nach der Eröffnung des Kunstgewerbemuseums war deutlich geworden, daß der dort verfügbare Raum auf Grund des unvorhergesehen starken Anwachsens der Sammlung nicht ausreichen würde. Man beschloß, die Schule und die Bibliothek auszulagern. 1901–05 wurde unmittelbar neben das Kunstgewerbemuseum nach den neubarock inspirierten Plänen des Ministeriums für öffentliche Arbeiten ein architektonisch keineswegs hervorragender, dafür aber großzügiger Neubau errichtet, in welchem die Kunstgewerbeschule und die Kunstbibliothek untergebracht wurden.

Ebenfalls im ersten Jahrzehnt des 20. Jahrhunderts wurde an der Ecke, die jener des Völkerkundemuseums gegenüberlag, ein Konzertsaal gebaut, städtebaulich völlig verquer und unangemessen, aber konstruktiv bemerkenswert: er war der erste Bau, der in Berlin ganz aus Stahlbeton realisiert wurde. An der Nordseite des Leipziger Platzes errichtete Alfred Messel das Kaufhaus Wertheim mit einer eleganten, kühn aufstrebenden Stein- und Glas-Fassade und schuf damit eines der Meisterwerke der frühen Moderne. An der Südseite realisierte die Architektengemeinschaft Bielenberg und Moser das kraftvoll gegliederte, turmgekrönte Hotel Fürstenhof, ein Bauwerk, das sich geschickt mit der Problematik der Überbauung einer Untergrundbahnstation auseinandersetzte.

1910 fand der Wettbewerb „Groß-Berlin" statt, der offiziellen Bezeichnung nach ein „öffentlicher Wettbewerb zur Erlangung eines Grundplanes für die Bebauung von Groß-Berlin". Es ging, immer noch offiziell, darum, „eine einheitliche großzügige Lösung zu finden sowohl für die Forderungen des Verkehrs, als für diejenigen der Schönheit, der Volksgesundheit und der Wirtschaftlichkeit." Konkret hieß das zweierlei. Erstens: die jahrzehntelang, planlose, zufällige und chaotische Entwicklung der Stadt sollte wenigstens in letzter Minute in geordnete Bahnen gebracht werden. Zweitens: Dabei sollte Berlin als verspätete Hauptstadt einer verspäteten Weltmacht den ihr zukommenden Rahmen erhalten. Der Flirt mit dem imperialen Paris von Georges-Eugène Haussmann war immer noch nicht aufgegeben worden. Auch für das Gebiet um das Kunstgewerbemuseum gab es bemerkenswerte Vorschläge. Die Arbeitsgruppe Havestadt & Contag, Bruno Schmitz und Otto Blum sah nichts geringeres vor als die Zusammenfassung des Anhalter und des Potsdamer Bahnhofs zu einem hinter den Landwehrkanal zurückgelegten Südbahnhof, die Anlage einer Prachtachse zwischen dem neuen Bahnhof und dem vereinigten Potsdamer und Leipziger Platz sowie die Neugestaltung des Askanischen Platzes mit einer Randbebauung des Prinz-Albrecht-Gartens. Joseph Brix, Felix Genzmer und die Hochbahngesellschaft schlugen, weitaus bescheidener, die Verbindung der beiden Kopfbahnhöfe durch eine lange Kolonnade auf der Westseite der Königgrätzer Straße vor. Rudolf Eberstadt, Bruno Möhring und Richard Petersen planten Geschäfts- und Ladenhäuser auf dem Gelände des Kriegsministeriums, das sie auszulagern und abzureißen gedachten, sowie ein monumentales Konzerthaus an der Prinz-Albrecht-Straße, neben dem Sitz des Preußischen Landtags. Damit aber hatte das Karussell der vergeblichen Planungen für Berlin eine ganze Umdrehung vollbracht: denn die städtebauliche Anlage war fast genau die gleiche, die Richard Lucae 1873, knapp vierzig Jahre vorher, in seinem Plan für das Reichstagsgebäude vorgeschlagen hatte – nur um eine Grundstücksbreite nach Westen versetzt.

Seiner unanzweifelbaren allgemeinhistorischen Bedeutung zum Trotz blieb der Wettbewerb „Groß-Berlin" für den konkreten Gegenstand seiner Aufgabenstellung praktisch ohne Folgen; auch die implizite Verpflichtung zu einem planvollen „Neuanfang" blieb hehre Absichtserklärung. Mithin mutet es wie Hohn an, daß 1913, drei Jahre nach dem Wettbewerb,

der Teilneubau des Landwirtschaftsministeriums an der Königgrätzer Straße nach einem kleinkarierten und kurzsichtigen Stadtentwicklungskonzept und gegen allenthalben laut werdende Entrüstung begonnen werden konnte. Nur der Erste Weltkrieg verhinderte, daß weitere punktuelle und unsinnige Maßnahmen (Weiterbau des Landwirtschaftsministeriums an der südlichen Achteckseite des Leipziger Platzes, Sitz des Finanzministeriums auf dem Eckterrain gegenüber dem Völkerkundemuseum) realisiert wurden.

Die tiefgreifenden politischen Veränderungen von 1918, die ein Jahr später in die Ausrufung der Weimarer Republik mündeten, zogen verständlicherweise auch Veränderungen in der Nutzung der Bauten zwischen Leipziger Platz und Wilhelmstraße nach sich. Der Preußische Landtag wurde nun nach demokratischen Gesetzen gewählt, und tagte weiterhin am alten Ort. In das Gebäude des aufgelösten Herrenhauses zogen der Preußische Staatsrat und das neugebildete Ministerium für Volkswohlfahrt ein. Auch das Kriegsministerium wurde aufgelöst; in dessen Räume zogen die Abteilungen verschiedener Ministerien sowie das Reichs-Ausgleichsamt. Das Haus der General-Militärkasse wurde vom Landesamt für Gewässerkunde belegt.

Gebaut wurde Anfang der zwanziger Jahre nichts; von heftigen inneren Unruhen politisch zerrüttet und durch unbegrenzte Reparationszahlungen sowie einer schier unaufhaltsamen Inflation ökonomisch erschlagen, hatte die junge Weimarer Republik zunächst ganz andere Sorgen. Es wurde aber weiterhin über Bauen nachgedacht. So schlug Bruno Möhring in einer Artikelfolge, die 1919/20 unter dem hoffnungsfrohen Titel „Das bessere Berlin" erschien, die Umgestaltung des Gebiets um den Askanischen Platz vor. Unmittelbar am Platz sah er ein Hotel vor, welches er im Geist der Zeit als expressives Hochhaus ausbildete und das den parallelen Konzeptionen von Ludwig Mies van der Rohe, Hugo Häring oder Hans Scharoun offensichtlich verwandt ist. Außerdem forderte Möhring die öffentliche Nutzung des Prinz-Albrecht-Gartens, skizzierte eine Erweiterung des Kunstgewerbemuseums und plädierte in diesem Zusammenhang dafür, den Schinkelschen Marstall als Werkstattkomplex und die Kapelle als Ausstellungsraum zu adaptieren.

Es kam ganz anders. Bereits Ende 1920 wurde die Sammlung des Kunstgewerbemuseums aus ihrem Haus ausgelagert und in das Berliner Stadtschloß übergeführt. Der Bau von Gropius und Schmieden wurde nutzungsmäßig dem Völkerkundemuseum angegliedert; nur der Lichthof war weiterhin für Kunstgewerbeausstellungen verfügbar. Vier Jahre später

Blick durch die Wilhelmstraße auf das Reichsluftfahrtministerium anläßlich einer Parade 1937

Potsdamer Platz, Blick in die Stresemannstraße und auf den Potsdamer Bahnhof, 1930

wurde auch die Kunstgewerbeschule verlagert, um mit der Hochschule für die Bildenden Künste zu den Vereinigten Staatsschulen für freie und angewandte Kunst zusammengelegt zu werden.

Vier Jahre später, das war 1924, das Jahr des ersten Aufatmens nach der furchtbaren Depression. Der Potsdamer Platz war mittlerweile einer der verkehrsreichsten Punkte der Welt; es war eine pragmatische Notwendigkeit und dennoch auch ein symbolischer Akt, daß an der gleichen Stelle, wo Schinkel um 1815 einen gewaltigen neugotischen Dom als Denkmal für die Befreiungskriege geplant hatte und wo 1878 zu den Einzugsfeierlichkeiten Kaiser Wilhelms I. ein – allerdings provisorischer – Obelisk nach der Konzeption von Adolf Heyden und Walther Kyllmann aufgestellt worden war, der erste, berühmt gewordene Verkehrsturm Europas installiert wurde.

Nicht minder emblematisch war allerdings das schamlose Spekulationsunternehmen, welches die Firma „Großbauten A.G." im gleichen Jahr veranstaltete. Sie lobte einen Ideenwettbewerb aus, um den zur Königgrätzer Straße hin orientierten Streifen des Prinz-Albrecht-Gartens zu bebauen; eine angeblich beabsichtigte „Verbesserung der städtebaulichen Situation" verschleierte notdürftig die rein ökonomische Zielsetzung. Obschon sich niemand dadurch täuschen lassen konnte, konnte offensichtlich auch niemand die Operation aufhalten: Unter der Bezeichnung „Europahaus" entstanden 1926/27 das mächtige Eckhaus von Richard Bielenberg und J. Moser, 1928–31 das Hoch-

haus von Otto Firle. Bis zum Völkerkundemuseum wurde der Rest des Gartens durch einen flachen, eingeschossigen Baukörper von der Straße abgetrennt; der Riegel wurde 1935 aufgestockt. Die Bauwerke, die Schinkel im Park errichtet hatte – Marstall, Reithalle und Gewächshäuser – wurden kurzerhand abgerissen. Der Öffentlichkeit gegenüber wurde die vage Absicht kundgetan, sie später an anderer Stelle wiederaufzubauen. Weder das Wann noch das Wo wurden dabei spezifiziert, und nicht von ungefähr: es geschah nichts, und die architektonischen Juwele waren für immer verloren. Die von Möhring angeregte Neugestaltung des Askanischen Platzes war somit durchgeführt – nur anders. Die „Machtergreifung" durch die Nationalsozialisten 1933 hatte entscheidende Folgen für das Gebiet um das ehemalige Kunstgewerbemuseum. Bereits im April des gleichen Jahrs belegte die Politische Polizei, später Geheime Staatspolizei, das Gebäude der ehemaligen Kunstgewerbeschule; die Kunstbibliothek, die sich noch dort befand, wurde geschlossen und erst ein Jahr später im Nachbarhaus von Gropius und Schmieden wiedereröffnet; die Keller wurden zu Folterkammern umgebaut. Nach und nach kamen die Reichsführung der SS, die das Hotel Prinz Albrecht vereinnahmte, und jene der SD dazu. Das Palais Prinz Albrecht wurde zum SS-Dienstgebäude. Das Bauwerk des inzwischen aufgelösten Preußischen Landtags wurde zum Haus der Flieger, das ehemalige Herrenhaus wurde zum Preußenhaus. 1935/36 errichtete Ernst Sagebiel das riesenhafte, düstere Reichsluftfahrtministerium an der Wilhelmstraße, welches weitgehende Abrißarbeiten bedingte und dessen Seitenflügel in den bisher eifersüchtig gehüteten Park des einstigen Kriegsministeriums eindrangen. 1938/39 baute Albert Speer nördlich von der Leipziger Straße die Neue Reichskanzlei für Adolf Hitler.

Die Tatsache, daß die Nationalsozialisten das Gebiet

zu einem der Hauptzentren ihrer Machtmaschinerie auserkoren, hatte unter anderem zur Folge, daß es in der letzten Phase des Zweiten Weltkriegs von den Alliierten gründlich bombardiert und beschossen wurde. Die Dienstgebäude wurden bis kurz vor der Kapitulation von der SS verteidigt, was Gebäudekämpfe und zusätzliche Zerstörungen der Bausubstanz bedeutete. Ende 1945 lag das gesamte Areal als Trümmerfeld da.

Die Gespenster der Geschichte kommen nicht zur Ruhe: Die Zerstörung der Ruine des ehemaligen Kunstgewerbemuseums nach 1945.

Freilich heißt das noch lange nicht, alles sei „dem Erdboden gleichgemacht" gewesen; das wurde später besorgt. Zunächst stand noch die Ruine des Palais Prinz Albrecht, wenngleich stark lädiert; es stand die ehemalige Kunstgewerbeschule, ebenfalls in schlechtem Zustand; besser war es um das Völkerkundemuseum und das ehemalige Kunstgewerbemuseum bestellt, obschon an der Nordseite des letzteren eine Bombe einen Teil aus der Fassade herausgebrochen hatte und die Decken partiell durchgeschlagen waren. In den folgenden Jahren wurden das Palais Prinz Albrecht und die

Prinz-Albrecht-Palais, Ruine um 1946

ehemalige Kunstgewerbeschule gesprengt und völlig vernichtet; dafür wurde das Völkerkundemuseum notdürftig gesichert und als Museum für Vor- und Frühgeschichte benutzt. Das Gebäude des ehemaligen Kunstgewerbemuseums wurde gelassen, wie es war, die übriggebliebenen Bestände wurden im Knobelsdorff-Flügel des Charlottenburger Schlosses untergebracht.

1957, mitten im „Kalten Krieg", wurde in der geteilten Stadt der internationale Wettbewerb „Hauptstadt Berlin" veranstaltet. In den Entwurfsunterlagen wurden beide Museen als nicht erhaltenswert deklariert und gekennzeichnet. Im Rahmen des vorgesehenen, erschreckend rücksichtslosen Ausbaus Berlins zu einer „autogerechten Stadt" hätte die Kochstraße autobahnartig verbreitert und quer durch den Prinz-Albrecht-Garten geführt werden sollen.

Ebenfalls 1957 wurde die Stiftung Preußischer Kulturbesitz gegründet, um die vormals staatlich preußischen Kunst- und Kulturgüter zu verwalten. Sie nahm 1961 ihre Arbeit auf; im gleichen Jahr wurde das Völkerkundemuseum ohne Not zerstört. Gleichzeitig wurde die letzte Sprengung am Kopfbau des Anhalter Bahnhofs gezündet, von welchem dank einer seit 1959 währenden, ebenso sorgfältigen wie mutwilligen offiziellen Vernichtungsaktion nur die pathetisch-melancholische Fassadenruine stehenblieb. In der anderen Hälfte der Stadt fiel indessen, gleichermaßen grundlos, Schinkels Allgemeine Bauschule. Das ehemalige Kunstgewerbemuseum bröckelte unbeachtet vor sich hin, den Unbilden der Witterung preisgegeben, wurde von mehr oder weniger heimlichen Bewohnern und mehr oder weniger kunstverständigen Dieben geplündert und beschädigt, verfiel zunehmend. Währenddessen verfolgte die Stiftung ehrgeizige Neubaupläne einer zweiten, modernen, zentralistischen „Museumsinsel" im Kulturforum am Kemperplatz.

1966 wurde die Ruine des Meisterwerks von Gropius und Schmieden in das Verzeichnis der Denkmäler Berlins aufgenommen; daraufhin geschah wieder lange nichts. Erst fünf Jahre später wurde ein Notdach errichtet, um die Bausubstanz vor weiterem Verfall zu schützen. Der Lichthof wurde neu verglast.

1977–81 wurde das Bauwerk nach den Plänen von Winnetou Kampmann teilweise wiederhergestellt und nutzbar gemacht[8]). Eine vollständige Restaurierung ist längst nicht mehr möglich, dafür ist zu viel Bauschmuck durch die Nachlässigkeit in den fünfziger und sechziger Jahren unwiederbringlich verloren gegangen. Auch die visuelle Annäherung von außen und die Raumkomposition innen lassen sich sequenziell nicht wieder so erleben, wie sie ursprünglich geplant waren:

die Berliner Mauer verläuft so nahe am Haupteingang, daß dieser unbenutzbar ist. Das Haus wird von der Rückseite erschlossen.

Bereits 1981 fand im halbfertigen Erdgeschoß eine Ausstellung zu Ehren des zweihundertsten Geburtstags von Karl Friedrich Schinkel statt. Gegen Ende des Jahres wurde die große Schau „Preußen – Versuch einer Bilanz" im gesamten Gebäude vorgestellt, das vielleicht wichtigste Exponat war das Haus selbst, in welchem die Veranstaltung inszeniert wurde. Weitere Ausstellungen folgten, während das Bauwerk allmählich weiter restauriert wurde. Für den Herbst 1982 ist nun die Ausstellung „Zeitgeist" geplant, die sich mit zeitgenössischer bildender Kunst und mit der Schöpfung von Gropius und Schmieden auseinanderzusetzen gedenkt: beides als Symptome eben eines (möglicherweise nicht allzu weit voneinander entfernten) „Zeitgeistes", den es zu spezifizieren, zu erkennen und nicht zuletzt zu kritisieren gilt.

Eine Metapher für alle Jahreszeiten: Das Gebäude des ehemaligen Kunstgewerbemuseums als Emblem der Krisen der Kultur.

Schullehrer, die ihre Zöglinge über Vergangenes zum Nachdenken bringen wollen, dabei aber das Heute nicht hintan gestellt wissen möchten, formulieren seit jeher das legendäre Aufsatzthema: „Und was hat uns dies heute noch zu sagen?" Legenden sind oftmals ein wenig vulgär, aber so gut wie nie gegenstandslos: so auch die Frage, die sich auf das Gebäude des ehemaligen Kunstgewerbemuseums durchaus übertragen läßt.

Zunächst: das Gebäude des ehemaligen Kunstgewerbemuseums sagt uns, was es ist. Wie jedes künstlerische Werk ist es autoreflexiv, erzählt von der eigenen Beschaffenheit, stellt sich selbst dar. Das ist übrigens jenseits jeglicher weiterführenden Signifikanz nach wie vor seine wichtigste Funktion und vordringlichste Legitimation; es präsentiert sich in seiner materiellen Beschaffenheit, in seinem konstruktiven Gefüge, in seiner formalen Ausgestaltung.

Weiterhin ist das Meisterwerk von Gropius und Schmieden auch die Konkretisierung der eigenen Geschichte, der Ketten und Kombinationen von Ereignissen, die zu seiner Verwirklichung geführt haben. Diese sind nahezu wie Sedimente, wie geologische Formationen an dem großen, scharf geschnittenen Quader ablesbar: an jedem Stein, jedem Ornament, jedem Ausstattungsgegenstand, jedem Bildwerk. Genauso, wie aus Tausenden und Abertausenden von Backsteinen, ist es auch aus Tausenden und Abertausenden von Gesten, Blicken, Handlungen zusammengefügt – und aus Träumen.

Und nicht nur aus jenen, die es unmittelbar betroffen haben. Neben der eigenen, individuellen Geschichte erzählt das Gebäude auch die allgemeine Geschichte der Stadt und der Welt, aus welchen es hervorgegangen ist, die Momente, die es gefördert, die es opponiert, auch jene, die es einfach nur berührt haben. Philosophische, ideologische, politische, soziale, ökonomische, technische sowie kulturelle Ereignisse und Ereignisreihen schimmern durch, werden anhand ihrer Spuren (oder ihrer Spurlosigkeit) angedeutet und aufgezeigt. Im spezifischen Gegenstand wird die generelle Evolution konkret sichtbar.

Es ist auf Grund dieser allegorischen Kraft, daß das Gebäude des ehemaligen Kunstgewerbemuseums zu einem Emblem der deutschen kulturellen Entwicklung des 19. und 20. Jahrhunderts zu werden vermag. An ihm lassen sich die Auseinandersetzungen zwischen Klassik und Romantik, zwischen Tradition und Innovation, zwischen Selbstverpflichtung zu Bescheidenheit und Zugeständnis an Repräsentationswillen nahezu paradigmatisch ablesen. Doch ablesen läßt sich noch mehr, und Aktuelleres: so etwa die tiefe Widersprüchlichkeit der verzweifelten Versuche, welche die deutsche Kultur zur Bewältigung ihrer eigenen Vergangenheit nach 1945 unternommen hat. Die unvorstellbare Wüstenei, die eben diese Kultur im Gebiet der Südlichen Friedrichstadt zu verantworten hat und mit deren schrittweiser Reparatur sich nunmehr eine Internationale Bauausstellung seit drei ereignisvollen Jahren beschäftigt, ist der Stadtöde gewordene Beweis für die Unkenntnis des Prinzips, daß man nur zerstört, was man anschließend ersetzt. Das wußte Claude Henri de Saint-Simon, das wußte Auguste Comte, das wußte Madame de Staël, die es in ihren „Considérations sur les principaux événements de la révolution française" anführt; die damals maßgeblichen Vertreter der Berliner Kultur wußten es offensichtlich nicht. Ebensowenig scheinen das aber die neuen Vertreter der neuen Berliner Kultur zu wissen, die am liebsten alles so lassen würden, wie es gerade ist, weil ja doch schon so viel verändert (zerstört) wurde. Nur: wenn man die dunklen Schatten der Vergangenheit von dannen beschwören will, ist es genausowenig damit getan, daß man ihre Hüllen ruinös läßt (und möglicherweise auch noch zu einer Unzahl penetranter Mahnmäler deklariert), als daß man sie kurzerhand zerstört. Man muß sie mit Behutsamkeit und Intelligenz verändern, verwandeln, ersetzen. Über diese und ähnliche Dilemmas erhebt sich still das Meisterwerk von Gropius und

Schmieden. Und auch über andere, weitgreifendere. Tatsächlich läßt es sich nicht nur als Emblem *deutscher* Kultur, sondern als Emblem von Kultur ganz allgemein lesen. Teilweise, weil sich in den Erschütterungen der deutschen jene der internationalen Kultur wiederfinden lassen, nur dramatischer zum Paroxysmus eskaliert. Teilweise aber auch, weil die Problematik, aus welcher heraus das Bauwerk geboren wurde und mit welcher es heute noch konfrontiert, nicht viel anders ist als jene, die gegenwärtige Kunst und gegenwärtige Kultur zu bewältigen haben. Es ist die Problematik des déjà dit, des Umgangs mit Versatzstücken aus Vergangenem oder Bestehendem, des Wiederholens, des Variierens, des Wiederverwendens, des Collagierens, des Verfremdens. Und des Erfindens. Und der Suche nach einer eigenen, (vielleicht) neuen Identität zwischen Akademismus und Avantgarde, zwischen Nostalgie und Fortschrittsgläubigkeit, zwischen Manierismus und Klassik und Moderne. Der Suche nach einem Zeitgeist.

Auf den Spuren der Fragen, der Widersprüche, der Zweifel und der vorsichtig tastenden, versuchsweisen Antworten gelangt man unschwer, früher oder später, zum Gebäude des ehemaligen Kunstgewerbemuseums zu Berlin, das, fremd und immer noch unfertig, ein schier unabsehbares work in progress, mit der Front zur „falschen" Seite orientiert in einem vormaligen Stadtzentrum sich erhebt, das heute wie düsterste Peripherie erscheint, in einer einst blühenden Stadt, die durch eine Mauer in zwei Hälften geteilt ist und ein hintergründiges Leben in Melancholie und Heiterkeit führt. Es kann auf dem Weg helfen, weitere Antworten und vor allem weitere Zweifel, Widersprüche und Fragen zu finden. Das einzige, was verlangt wird: „Il faut s'accoustumer aux analogies, sçavoir deux ou plusieurs choses fortes différentes estant données, trouver leur ressemblances"[9].

1) Gottfried Wilhelm Leibniz, Philosophische Schriften, „De la sagesse", Gerhardt, Band VII, Seiten 82–85.

2) Ernst Heinrich, Die städtebauliche Entwicklung Berlins seit dem Ende des 18. Jahrhunderts, in: Berlin. Neun Kapitel seiner Geschichte, Berlin 1960; Mohamed Scharabi, Einfluß der Pariser École des Beaux-Arts auf die Berliner Architektur in der 2. Hälfte des 19. Jahrhunderts, TU-Diss., Berlin 1968.

3) Vergleiche: Zeitschrift für Bauwesen, Berlin 1851 ff; und: Deutsche Bauzeitung, Berlin 1867 ff; aufschlußreich sind auch die Festreden zum jährlichen Schinkelfest am 13. März, einige davon in: Schinkel zu Ehren. Fünfundzwanzig Festreden. Ausgewählt und eingeleitet von Julius Posener, Berlin 1981. Ein umfassender Überblick über die Architektur dieser Zeit findet sich in: Eva Börsch-Supan, Berliner Baukunst nach Schinkel 1840–1870, Prestel, München 1977.

4) Vergleiche: Hans Schliepmann, Martin Gropius in seiner Bedeutung für die Entwicklung von Architektur und Kunstgewerbe, Berlin 1892. Und: Manfred Klinkott, Martin Gropius und die Berliner Schule, TU-Diss., Berlin 1971.

5) Das Kunstgewerbe-Museum zu Berlin. Festschrift zur Eröffnung des Museumsgebäudes. Berlin 1881. Seite 4.

6) Vergleiche: Andreas Bekiers, Karl-Robert Schütze. Zwischen Leipziger Platz und Wilhelmstraße. Das ehemalige Kunstgewerbemuseum zu Berlin und die bauliche Entwicklung seiner Umgebung von den Anfängen bis heute. Frölich & Kaufmann, Berlin 1981.

7) Die folgende Baubeschreibung ist fragmentarisch. Ausführliche Beschreibungen finden sich in: Das Kunstgewerbemuseum in Berlin, in: Zentralblatt der Bauverwaltung, 2 (1882), Seiten 363 ff; darauf stützt sich die Baubeschreibung in: Manfred Klinkott, Das Kunstgewerbemuseum als Dokument preußischer Bautradition im kaiserzeitlichen Berlin, Nachwort zum Reprint der Festschrift (vergleiche Anmerkung 5), Frölich & Kaufmann, Berlin 1981. Vergleiche auch, in der genannten Festschrift, das Kapitel „Das neue Museums-Gebäude", Seiten 59–68.

8) Anna-Elisabeth Jacob, Zur Baugeschichte und Rekonstruktion des ehemaligen Berliner Kunstgewerbemuseums, in: Jahrbuch Preußischer Kulturbesitz, 15 (1980), Seiten 315–341.

9) Vergleiche Anmerkung 1.

Wiedersehen

Thomas Bernhard

Während ich selbst immer zu *laut* und vor allem das Wort *Mühsal* immer viel zu laut ausgesprochen habe, sagte ich, sei es für ihn immer charakteristisch gewesen, alles immer zu *leise* auszusprechen, wodurch wir es uns die ganze Zeit schwer gemacht hatten in unserem Zusammensein, vor allem, wenn wir, wie das sehr oft gegen das Winterende unsere Gewohnheit gewesen war, in den Wald gegangen sind, tagtäglich, wie ich ausdrücklich sagte, ohne Umschweife, völlig wortlos in selbstverständlichem Einverständnis; wir hatten uns einen Rhythmus des Gehens angewöhnt, sagte ich, der dem Rhythmus unseres Fühlens und Denkens, aber mehr doch *meines* Fühlens und Denkens entsprochen habe, als dem seinigen und aus diesem Gehrhythmus einen diesem vollkommen entsprechenden Rederhythmus entwickelt, vor allem im Hochgebirge, wo wir so oft mit unseren Eltern gewesen waren, die jährlich zweimal in die Berge gegangen sind und uns immer gezwungen haben, mit ihnen in die Berge zu gehen, obwohl wir die Berge gehaßt haben. Er habe die Berge immer genauso gehaßt wie ich und am Anfang unserer Beziehung sei dieser unser Haß gegen die Berge genau jenes Mittel gewesen, das uns zuerst angenähert und schließlich für Jahre und Jahrzehnte miteinander verbunden habe. Schon die Vorbereitungen unserer Eltern auf die Berge hatten uns gegen sie und dadurch gegen die Berge aufgebracht, gegen die frische Luft und gegen die von unseren Eltern ununterbrochen herbeigesehnte *Ruhe,* die sie in den Bergen und nur in den Bergen zu finden glaubten, aber doch nie *als in ihnen,* wie wir wissen, gefunden haben; schon wie sie von dem neuerlichen bevorstehenden Hochgebirgsaufenthalt gesprochen haben, wie sie ihre Hochgebirgshabseligkeiten eingepackt und uns mit diesem Einpacken ihrer Hochgebirgshabseligkeiten konfrontiert haben, hatte uns gegen ihre Hochgebirgsabsicht und gegen ihre Hochgebirgsleidenschaft und schließlich gegen ihren Hochgebirgswahnsinn aufgebracht und wir waren von dieser ihrer Hochgebirgsabsicht- und Leidenschaft, wie von ihrem Hochgebirgswahnsinn abgestoßen gewesen. Deine Eltern hatten eine viel größere Hochgebirgsleidenschaft als die meinigen, sagte ich und ich sagte es wieder zu laut für ihn, so daß ich möglicherweise aus diesem Grund von ihm keine Antwort bekommen habe, so daß ich darauf sagte, seine Eltern hätten immer grellgrüne Strümpfe aus Schafwolle angehabt, nicht wie die meinigen, solche aus grellroter, die seinigen hätten

diese grellgrünen Wollstrümpfe angezogen, damit sie in der von ihnen aufgesuchten Natur überhaupt nicht auffallen, während die meinigen ihre grellroten angezogen haben, damit sie in der Natur auffallen, seine Eltern hätten immer alles darangesetzt, zu behaupten, daß es ihre Absicht sei, in der Natur nicht aufzufallen, während meine Eltern immer alles darangesetzt hätten, in dieser Natur aufzufallen, seine Eltern hätten immer wieder gesagt, sie trügen grelle grüne Strümpfe, um in der Natur nicht aufzufallen, meine Eltern hätten immer gesagt, sie trügen die grellroten, um in der Natur aufzufallen und seine Eltern begründeten ihre grellgrünen Strümpfe mit derselben Hartnäckigkeit, wie die meinigen ihre grellroten. Und sie hatten alle Augenblicke darauf hingewiesen, daß sie diese grellgrünen und grellroten Strümpfe selbst gestrickt haben, deine Mutter habe ich immer diese grellgrünen Strümpfe stricken gesehen, sagte ich, die meinige die grellroten, als ob sie nichts anderes im Kopf gehabt hätte meine Mutter, sagte ich, wenn es dämmerte, als diese zu strickenden grellroten Strümpfe und die deinige diese grellgrünen. Und zu den grellgrünen Strümpfen hatten deine Eltern immer grellgrüne Mützen aufgehabt, sagte ich, die meinigen grellrote. Tatsächlich heißt es, daß im Hochgebirge Verunglückte mit grellroten Strümpfen und mit grellroten Mützen leichter gefunden werden, als andere, sagte ich zu ihm, aber er antwortete mir nicht. Seine Eltern hätten mich immer mit Mißtrauen betrachtet, sagte ich, mich immer nur mit Mißtrauen in ihr Haus hineingelassen und es sei mir aus diesem ihrem Mißtrauen immer unheimlich gewesen, sein Elternhaus aufzusuchen, genauso mißtrauisch seien aber auch meine Eltern ihm gegenüber gewesen und so hätten seine Eltern es sehr oft verhindert, daß ich ihn aufgesucht habe, umgekehrt die meinigen, daß er mich aufsuchte, während ich doch nichts inniger gewünscht hatte, als seinen Besuch, denn ich hätte ihn meine ganze Kindheit lang und weit darüber hinaus als meinen Erretter aus der elterlichen Kerkerhaft empfunden, die ich immer als eine tödliche empfunden habe. Ich wisse aber auch, daß es ihm unter seinen Eltern genauso ergangen, daß sein Elternhaus ein ebensolcher Kerker gewesen sei. Nicht umsonst hatten wir ja unsere Elternhäuser in gegenseitiger Übereinstimmung immer nur jeweils als *das graue Haus* bezeichnet. Solange wir in unseren Elternhäusern gewesen sind, waren wir in Wirklichkeit in zwei Kerkern eingesperrt und wenn der eine glaubte, in dem fürchterlichen Kerker eingesperrt zu sein, belehrte ihn bald der andere eines besseren, denn er berichtete von seinem Kerker als von dem noch fürchterlicheren. Die Elternhäuser sind immer Kerker und die wenigsten können ausbrechen, sagte ich zu ihm, die meisten und das heißt, so denke ich, an die achtundneunzig Prozent, bleiben lebenslänglich in diesem Kerker eingesperrt, werden in diesem Kerker niedergemacht und schließlich ruiniert und sterben in Wahrheit in diesem Kerker. Aber ich bin ausgebrochen, sagte ich zu ihm, ich bin mit sechzehn aus diesem Kerker ausgebrochen und seither flüchtig. Seine Eltern hätten mir immer vorgeführt, wie *grau*sam Eltern sein können, wie umgekehrt die meinigen ihm, wie entsetzlich Eltern sind. Wenn wir uns zwischen unseren Elternhäusern getroffen haben, auf der Bank unter der Eibe, sagte ich, erinnerst du dich, haben wir von unseren Elternkerkern gesprochen und daß es unmöglich ist, aus ihnen auszubrechen, haben Pläne entwickelt, aber gleich wieder wegen der absoluten Ausweglosigkeit verworfen, haben immer wieder die Verschärfung des Züchtigungsmechanismus der Eltern besprochen, gegen den es kein Mittel gegeben hat. Deine Eltern hatten mir immer zum Vorwurf gemacht, daß ich da sei, sagte ich zu ihm, wie dir die deinigen immer denselben Vorwurf gemacht haben, sie bestraften mich damit, daß sie mich fortwährend als *den* Eindringling bezeichneten, der ihre eheliche und also menschliche Entwicklung gehemmt und schließlich zerstört habe, wie die deinigen immer zu dir gesagt haben, daß du sie zerstört hast, sagte ich. Sie empfingen dich, wenn du nachhause gekommen bist, nur mit Drohungen, wie die meinigen mich, wenn ich nachhause gekommen bin, immer mit einer Drohung empfangen haben, vor allem mit jener tödlichen, daß ich ihr Tod sei. Wir konnten nicht wissen, daß sie uns aus freien Stücken gemacht haben, sagte ich, als ich das wußte, war es ja schon zu spät gewesen, um mich damit zur Wehr setzen zu können. Die Eltern versuchten, mich nach und nach in Einzelhaft zu nehmen, sagte ich, wie sie dich nach und nach in Einzelhaft genommen haben. Und die Luftlöcher, die wir gehabt haben, am Anfang, haben sie nach und nach zugemauert. Schließlich hatten wir keine Luft mehr bekommen, sagte ich. Die Mauern, die sie um uns aufgerichtet hatten, waren immer dicker geworden, bald hörten wir nichts mehr, weil nichts mehr durch diese dicken Mauern hereingedrungen ist zu uns aus der Außenwelt. Deine Mutter hatte ihr Haar immer ganz offen getragen, sagte ich, meine hatte es immer streng und glatt auf dem Kopf. Sie redete mit der Zeit immer Unverständlicheres auf mich ein, absolut Unverständliches, sagte ich zu ihm, aber

wenn ich sagte, ich verstünde sie nicht, bestrafte sie mich. Meine Beziehung zu ihr war nur eine solche des Bestrafungsmechanismus, so hatte ich mit der Zeit auch nurmehr noch eine geduckte Haltung ihr gegenüber. Wie du, sagte ich, der du ja auch deiner Mutter gegenüber immer nur geduckt aufgetreten bist, fortwährend in Angst, einen Schlag auf den Kopf zu bekommen oder ein Teufelswort. An den Sonntagen, von welchen immer gesprochen worden war, daß sie friedlich seien, hätten wir zuhause die Hölle gehabt, sagte ich. Schon das Aufwachen sei nichts anderes als ein Blick in die Hölle gewesen, sagte ich, wenn ich mich wusch, hatte ich Angst, daß ich es falsch mache, so entglitt mir oft die Seife, sagte ich und ich kroch auf dem Boden, um sie zu suchen, zitternd am ganzen Körper, weißt du. Ich konnte mich gar nicht kämmen, weil ich die Ruhe nicht hatte. Während des Anziehens hatte ich fortwährend Angst, die Mutter könne hereinkommen und mich ohrfeigen aus einem Grunde, der mir nicht bekannt war, weil ich den Riemen um den Bauch zu fest oder zu nachlässig zugezogen hatte oder wegen eines fehlenden Knopfes auf dem Hemd, wegen einer zerdrückten Falte in der Hose oder weil ich verweint war. Zum Frühstück bin ich schon immer als ein vollkommen lebensüberdrüssiger, ja schon beinahe ganz zerstörter Mensch erschienen, habe ich mich an den Tisch gesetzt als die Schande der Familie. Und sie haben mir auch gleich und in jedem Falle zu verstehen gegeben, daß ich die Schande der Familie gewesen bin, wozu haben sie mir einen Namen gegeben, dachte ich sehr oft, wenn sie mich doch gleich von allem Anfang an nur als die Schande der Familie hätten bezeichnen können, die ich ja immer gewesen und immer geblieben bin. Und wenn ich zurückdenke, sagte ich zu ihm, sehe ich, daß es dir auch nicht anders gegangen ist, vielleicht hast du weniger davon erzählt als ich, sagte ich, immer doch weniger als ich davon geredet, aber durchgemacht hast du doch das gleiche, sagte ich, es ist bei euch genauso gewesen, wie bei uns, was dich betrifft genauso, wie was mich betrifft. Die Wortlosigkeit, die von meiner Mutter immer mißbraucht worden ist, sagte ich und die meine Seele immer zutiefst verletzt hat. Die Wortlosigkeit war ein Mittel meiner Mutter, mich tödlich zu verletzen. Der Vater war immer der stillschweigende Dulder dieser Ungeheuerlichkeit gewesen, der Beobachter meiner Vernichtung durch meine Mutter. Und wenn ich zurückdenke, ist es mit deiner Mutter und mit deinem Vater genauso gewesen. Sie lebten gut, sagte ich, aber sie existierten nur, indem sie mich vernichteten. Und indem sie dich mit der Zeit vernichteten, deine Eltern, lebten sie recht gut in ihrem Haus, das für dich doch nur der Kerker gewesen ist, aus dem du lebenslänglich nicht mehr herausgekommen bist, denn zum Unterschied von mir, der ich ausgebrochen bin, bist du niemals ausgebrochen, weil du niemals die Kraft dazu gehabt hast. Dann füllten sie ihre Rucksäcke an, sagte ich und weideten sich dabei an der Verachtung, die ich ihnen bei dieser Gelegenheit entgegenbrachte. Ich haßte alles, das sie in diese Rucksäcke packten, die Reservestrümpfe, die Reservemützen, wie sie sagten, die Würste, das Brot, die Butter, den Käse, die Mullbinden etcetera. Mein Vater steckte am Ende immer auch noch die Bibel hinein, aus welcher er dann auf der Almhütte vorgelesen hat. Immer dieselben Abschnitte mit dem immergleichen Tonfall, erinnerst du dich. Und wir mußten zuhören und durften nichts sagen. Die ganze Zeit während unserer Hochgebirgsaufenthalte haben wir nichts sagen dürfen. Wenn wir etwas gesagt haben, wurde es als Unverschämtheit betrachtet und hat unweigerlich eine Bestrafung nach sich gezogen. Dann mußten wir jeweils schneller bergauf, rascher bergab, bekamen unter Umständen, weil unser Redevergehen oder gar -verbrechen so groß gewesen war, ein Widerspruch als Ungeheuerlichkeit, wenn wir Durst hatten, nichts zu trinken, wenn wir Hunger hatten, nichts zu essen. Die Härte meiner Mutter habe ich vor allem auf diesen Hochgebirgsausflügen zu spüren bekommen, ihre Unerbittlichkeit. Der Vater war immer nur der Beobachter ihrer Härte und dieser ihrer Unerbittlichkeit gewesen, nicht ein einziges Mal, erinnere ich mich, hat mein Vater diese seine Beobachtung durch einen Kommentar für oder gegen sie, geschweige denn mit einem Widerspruch, unterbrochen. Die Mutter war die Grausame, der Vater war der Beobachter dieser Grausamkeit, sagte ich und deine Eltern waren genauso. Auch dein Vater hat nichts gesagt wie dich deine Mutter mit Wörtern gequält und mit Stockschlägen beinahe umgebracht hat. Die Väter lassen die Mütter in ihrem Vernichtungswahn gewähren und rühren sich nicht. Wir sind in den Eltern umgekommen, sagte ich. Aber mit dir ist alles noch viel schlimmer gewesen, als mit mir, denn ich bin ja ausgebrochen, habe mich befreit, während du dich niemals befreit hast, du hast dich zwar getrennt von deinen Eltern, die deine Erzeuger und Werfer und Peiniger gewesen sind, aber befreit hast du dich nicht von ihnen. Mit sechzehn ist es aber auch schon fast zu spät, sagte ich, dann geht nurmehr noch ein zerstörter Mensch durch die Welt, die mit Fingern auf ihn zeigt, weil er von weitem schon nurmehr noch als zerstörter Mensch erkennbar ist. Die Welt ist rücksichtslos wenn sie eines solchen von seinen Eltern zerstörten Menschen ansichtig wird, sagte ich. Ich bin davongelaufen und wollte so weit als nur möglich weg, aber ich bin bald

zusammengebrochen, sagte ich. Beide hatten wir ausbrechen wollen, sagte ich, aber ich habe die Kraft gehabt, du nicht. Die Kerkerhaft der Eltern hatte sich für dich als lebenslängliche herausgestellt. Dann bist du apathisch in deinem Zimmer gesessen, sagte ich und hast die Gemälde angestarrt die sie dir ins Zimmer gehängt hatten, diese wertvollen, aber doch tödlichen Bilder. Du hast dich in diesem Zimmer einschließen lassen und bist dann nurmehr noch mit Ketten an den Füßen herumgelaufen, letztenendes nurmehr noch von einer Mahlzeit zur andern, das ist die Wahrheit. Jahrzehnte. Du hast dich mit deinen Wärtern arrangiert. Sie haben dir beigebracht, wie Bücher zu lesen sind und Bilder anzuschauen, wie Musik zu hören ist. Sie haben dir beigebracht, wie in den Wald hineinzurufen ist, damit das entsprechende Echo herauskommt und du hast dich nicht dagegen gewehrt. So starrst du jetzt schon Jahrzehnte Bilder so an, wie es dich deine Eltern gelehrt haben, mit diesem stumpfsinnigen Blick und liest Bücher mit derselben Stumpfsinnigkeit und hörst Musik auch nur so stumpfsinnig, wie es dir deine Eltern beigebracht haben. Du sagst über Goya das gleiche, das deine Eltern fortwährend über Goya gesagt haben, du liest Goethe genauso wie deine Eltern und du hörst den Mozart so wie sie, auf die gemeinste Weise. Ich aber habe mich selbständig gemacht, weil ich die Gelegenheit ergriffen habe im entscheidenden Moment, sagte ich und mich befreit habe und höre Mozart so, wie *ich* ihn höre, gegen meine Eltern, gegen meine Vernichter also, sehe Goya so, wie *ich* ihn sehe, gegen meine Vernichtereltern, lese, wenn ich ihn überhaupt lese, Goethe so, wie *ich* ihn lese. Dann haben sie zuletzt immer auch noch die Zither und die Trompete auf ihren Rucksäcken festgebunden, bevor sie aus dem Haus gegangen sind, wie es sich für musische Menschen gehört. Dieses *wie es sich für musische Menschen gehört*, hat meine Mutter immer gesagt, es verfolgte mich in meinem Bett die ganze Nacht und ich konnte es nicht abstellen. Sie spielte die Zither, weil ihre Mutter dieselbe Zither gespielt hat, der Vater blies die Trompete, weil sein Vater dieselbe Trompete geblasen hat. Und weil sein Vater, wenn er im Hochgebirge gewesen ist, gezeichnet hat, zeichnete auch mein Vater immer im Hochgebirge und er hatte in seinem Rucksack immer einen Zeichenblock. *Wie Segantini,* sagte er immer, *wie Hodler, wie Waldmüller.* Er suchte sich eine Felsspitze aus und setzte sich so darauf, daß er die Sonne im Rücken hatte und zeichnete. Schließlich hatten wir alle Zimmer in unserem Haus voll mit seinen Zeichnungen, nirgendwo war mehr ein leerer Fleck, Hunderte, wenn nicht Tausende von Hochgebirgslandschaften hatten wir im Haus, um sie nicht sehen zu müssen, mußte ich meinen Blick ununterbrochen auf den Boden richten, aber das hat mich mit der Zeit verrückt gemacht, sagte ich. Hundertemal hat er den Ortler gezeichnet oder aquarelliert, hunderte Male die Drei Zinnen und immer wieder den Montblanc und das Matterhorn. *Die großen Meister*, sagte er immer, *malen oder zeichnen immer das gleiche. Sie sind nur deshalb groß, weil sie immer das gleiche zeichnen und malen.* Aber das was mein Vater gemalt hat, war widerwärtig, sagte ich. Das Talent seines Vaters, meines Großvaters, war in ihm vollkommen verkümmert gewesen, aber das hinderte ihn nicht, in eine ungeheuerliche Produktion von Zeichnungen und Aquarellen auszuarten. Das Furchtbare war ja, sagte ich, daß viele Kulturvereinigungen Ausstellungen mit seinen Produkten veranstaltet hatten und daß die Zeitungen über seine Zeichnungen und Aquarelle nur Gutes schrieben und ihn dadurch noch zu größerer Produktion angestachelt haben. Und tatsächlich war ja seine Umwelt insgesamt immer der Meinung gewesen, er sei ein Künstler, viele hatten von ihm immer wieder gesagt, er sei ein großer Künstler, schließlich glaubte er diesen Unsinn und diese Gemeinheit und existierte in diesem verheerenden Wahn. Wenn zu beweisen ist, was Kitsch ist, sagte ich, sind nur ein paar dieser väterlichen Zeichnungen oder Aquarelle vorzulegen. *Mein Haus ist eine permanente Ausstellung meiner Kunst*, sagte der Vater und alle paar Wochen steckte oder klebte er andere Zeichnungen und Aquarelle an die Wände, im Keller hatte er ja schon Tausende angesammelt, sagte ich. *Ich bin der Hochgebirgsspezialist*, sagte er von sich, *ich bin weiter als Segantini, weiter als Hodler, deren Kunst ich längst hinter mich gelassen habe.* Selbst in der Küche hatte er soviel Zeichnungen aufgehängt, als es möglich gewesen war, in der Meinung, gerade der Küchendunst vervollkomme seine Werke. Wenn ich mehrere Wochen den Küchendunst auf meine Arbeiten einwirken lasse, sagte er, vor allem während der Wintermonate und vor allem über die Weihnachtszeit, gewinnen diese Blätter ungeheuerlich an Reiz. Dann sammelte er Steine, sagte ich, erinnerst du dich. Dagegen war nichts zu sagen, meinte ich, denn alle diese Steine waren eigenartig und er trug sie auch selbst nachhause. Dort liegen sie noch heute zu Tausenden herum. In so großer Menge sind sie aber, so eigenartig sie sind, nicht auszuhalten, sagte ich. Eine ganze Reihe von diesen Steinen hat die Form des menschlichen Körpers, sagte ich, des weiblichen vornehmlich und er hat sie vor allem in den schweizerischen Rinnsalen gefunden, im Engadin. Von einem ganz bestimmten dieser Steine sagte er immer, es sei nicht feststellbar, ob es sich tatsächlich nur um einen von den Jahrmillionen abgeschliffenen Stein oder um ein frühes Kunstwerk

handle, *die Natur ist nicht imstande, solche Brüste zu erzeugen,* sagte er immer wieder, den Stein gegen das Licht haltend, *einen solchen durchgeistigten Kopf.* Ich erinnere mich, sagte ich, daß mein Vater auch dir einmal diesen Stein gezeigt hat. *Das ist eine Plastik, hat er ausgerufen, Jahrtausendalt, kein Naturprodukt, ein Kunstwerk.* Sie sperrten immer alles ab, sagte ich, deine Eltern, wie die meinigen auch, während ich selbst immer alles offen lassen will, mir sind abgesperrte Türen verhaßt, bin ich gleich wo, ich lasse meine Tür immer unversperrt. Und sie räumten immer alles gleich auf, kaum hatte ich einen Gegenstand abgelegt, räumten sie ihn wieder weg, auf diese Weise verhinderten sie ganz und gar systematisch eine menschliche Entwicklung in unserem Hause, sagte ich, sie hatten immer Angst davor, unser Haus könnte durch mich und durch meine Schwester, auf einmal zu leben anfangen. Alles Persönliche schalteten sie wenn nicht von vornherein, so doch nach der kürzesten Zeit aus, so empfanden wir unser Elternhaus immer als ein totes. Das Wort *Disziplin*, das in unserem Haus am öftesten ausgesprochen worden ist, verhinderte jede Entfaltung. Wenn ich nachhause kam, war alles wieder so, wie es gewesen war, wie ich aufwachte, sagte ich zu ihm. Das Totenhaus, wie meine Schwester und ich unser Elternhaus immer bezeichnet hatten, war wiederhergestellt. *Hier soll keiner aufkommen,* hat meine Mutter öfters gesagt und Kleidungsstücke, die im Haus abgelegt waren, weggeräumt, Schuhe etcetera. Ich sagte: erinnerst du dich? Die schweren Schuhe, in die sie uns gesteckt haben. Die schweren Hüte, die sie uns aufgesetzt haben. Die schweren Wetterflecke, die sie uns umgehängt haben. An drei Seiten des Hauses waren die Jalousien das ganze Jahr geschlossen, sagte ich, nur dort, wo es für die Zeichnungen und Aquarelle meines Vaters wichtig gewesen war, waren sie offen. Und in deinem Elternhaus waren sie alle immer geschlossen, sagte ich, Sommer und Winter, wie gesagt worden ist, im Sommer wegen der Gelsen und Fliegen, im Winter wegen der Kälte und wegen der Nervenentzündung deiner Mutter, erinnerst du dich? So hattest du das ganze Jahr über das bleiche Gesicht, wie wenn du totkrank gewesen wärst, sagte ich. Nur wenn wir mit den Eltern ins Hochgebirge gingen, waren unsere Gesichter verfärbt, aber nicht braun, wie die Gesichter der Eltern, sondern rot. Wir bekamen, zum Unterschied von den Eltern keine braunen Gesichter, unsere Gesichter waren sofort rot und die Lippen aufgerissen und wochenlang konnten wir infolge des Sonnenbrandes nicht schlafen. Deshalb waren wir auch von unseren Eltern gehaßt, weil wir nicht so wie sie gleichmäßig braune Gesichter bekommen haben im Hochgebirge, sondern aufgequollene rote. Und unsere Augen haben immer monatelang unter dieser entsetzlichen Hochgebirgssonneneinstrahlung gelitten, so daß wir lange Zeit nichts mehr lesen konnten, erinnerst du dich? Die Augen schmerzten und in der Schule fielen wir wegen dieser schmerzenden Augen weit zurück, insoferne und nicht nur in diesem einen Punkte, hatten sich diese Hochgebirgsausflüge mit unseren Eltern immer verheerend auf uns ausgewirkt. Im Grunde war an unseren Eltern immer alles derb gewesen, derb und rücksichtslos waren sie uns lebenslänglich, sagte ich, wo sie doch uns gegenüber immer nur behutsam hätten sein sollen, fürsorglich. Die Mutter schlug alle Augenblicke hinter sich die Türen zu, der Vater trampelte in seinen alten Bergschuhen durch das Haus. Zweimal im Jahr gingen sie in die Berge, um Ruhe zu finden, aber sie brachten ja, wohin sie gingen, überall ihre Unruhe mit, tatsächlich waren ja die Täler, in welche sie gingen ruhig, aber immer nur solange sie sie nicht betreten hatten, die Wälder ruhig, so lange sie nicht in sie hineingingen, die Berggipfel nur solange sie nicht von ihnen bestiegen waren. Auch die Almhütten die sie aufsuchten, waren naturgemäß nur solange ruhig, solange sie nicht von meinen Eltern aufgesucht waren, sagte ich. Schließlich ist ja auch unser Elternhaus das ruhigste gewesen, wenn die Eltern weg waren, naturgemäß, sagte ich. Diese Menschen, wie unsere Eltern, finden niemals Ruhe, sagte ich, weil sie selbst die Unruhe *sind* und diese Unruhe überall dort ist, wo sie sind und überall dort kommt, wo sie kommen. Sie suchen die Ruhe, aber sie finden sie naturgemäß nicht, weil sie die Unruhe sind, sie brechen auf, einen ruhigen Platz aufzusuchen und machen durch ihr Erscheinen diesen ruhigen Platz zu einem unruhigen, den ruhigsten zum unruhigsten. Hier ist es aber ruhig, sagen sie, und schauen sich um, und es ist in Wahrheit ein unruhiger Platz, weil sie ihn betreten haben. Wenn der Vater sagte, ich will meine Ruhe haben, so war das absurd. Wie wenn das die Mutter sagte. Schließlich, wie wenn ich es gesagt habe, denn alle drei waren wie die Unruhe selbst, die Eltern, soweit ich zurückdenken kann, ich durch die Eltern. Die Eltern haben mich unruhig gemacht und ich werde keine Ruhe mehr finden, sagte ich, wie du auch keine Ruhe mehr findest, weil dich deine Eltern unruhig gemacht haben. Denn der ursprüngliche Mensch ist die Ruhe, sagte ich, er wird nur von den Eltern zu einem unruhigen gemacht, durch das Elternsystem, das schließlich das Weltsystem wird, jedes einzelnen. Also gibt es naturgemäß keinen ruhigen Menschen, sagte ich, alle sind unruhig und wenn sie die Ruhe suchen, ist es eine Verrücktheit. Dieser Verrücktheit verfallen sie alle von Zeit zu Zeit, die Ruhe zu suchen, während

es doch die Ruhe nicht gibt, denn der Mensch ist die Unruhe, und wo er hinkommt, ist die Unruhe und wo er nicht ist, kann er sie nicht finden. Wenn wir die Ruhe suchen, ist es die größte Verrücktheit, sagte ich. Andauernd suchen wir Ruhe und finden sie selbstverständlich nicht, weil wir die Unruhe selbst sind. Diese Hochgebirgsausflüge waren der zweimal jährlich unternommene Irrtum der Eltern, sie könnten im Hochgebirge Ruhe finden. Auf der Almhütte. Auf dem Gipfel. Im Gegenteil, diese Hochgebirgsausflüge verstärkten die Unruhe in uns allen. Wenn wir glaubten, wir kommen in die Ruhe hinein, sind wir am unruhigsten, sagte ich, verstehst du. Die Eltern begriffen das natürlich nicht, denn sie hüteten sich zeitlebens vor dem Denken. Sie verübelten, aber sie dachten nicht, *Verübeln* verwechselten sie fortwährend mit *Denken* und es gibt zwar fast so viele Verübler auf der Welt, wie Menschen, aber kaum Denkende. Der Irrtum, daß Ruhe zu finden sei, war ja nur einer von vielen, die meine Eltern gehabt und kultiviert haben, sagte ich. Sie zogen sich die grellroten Strümpfe an und setzten sich die grellroten Mützen auf und gingen auf die Suche nach der Ruhe. Die Ruhe vermuteten sie immer im Hochgebirge, in der Schweiz oder in Südtirol, bei Meran, in der Nähe der Seiseralm, am Ortler, am Montblanc, in der Nähe des Matterhorns oder im Toten Gebirge. Sie zogen sich die grellroten Strümpfe an und setzten sich die grellroten Mützen auf und banden sich Zither und Trompete an ihre Rucksäcke und gingen in die Ruhe. Aber sie fanden sie nicht. Und am Ende, sagte ich, gaben sie *mir* die Schuld, daß sie sie nicht gefunden haben. *Ich* sei das Hindernis gewesen, die *Ur*schuld an allem. Ich und meine Schwester, die ihre Pläne zunichte machten. Wenn sie sich gegenseitig monatelang den Satz *ich will meine Ruhe haben* an ihre Köpfe geworfen hatten, packten sie ihre Rucksäcke und gingen auf die Ruhesuche. Sie kauften sich die notwendigen Eisenbahnfahrkarten und fuhren in die Richtung der Ruhe. Sie waren sich jedesmal sicher, daß sie die Ruhe in einem Tal in der Schweiz oder auf einem Bergrücken oder auf einem Gipfel in Südtirol finden werden. Immer schneller gehend, immer höher steigend. Schließlich Pickel und Seil heranziehend, Zither und Trompete. Aber sie fanden die Ruhe nicht. Zuerst glaubten sie immer, es sei ein Leichtes, Ruhe zu finden, aber dann sahen sie ein, daß es das Schwerste ist. In ihrem Scheitern, Ruhe zu finden, fingen sie an, mich zu beschuldigen. Zuerst nur zaghaft, Skrupel plagten sie in der Gaststube, an der Baumgrenze, plötzlich, am Rande der Erschöpfung und in Anbetracht der totalen Enttäuschung, überfielen sie mich, die Urschande, das Urunglück, das ihnen *nicht einmal in den Bergen* Ruhe lasse. Und deine Eltern, sagte ich, praktizierten an dir dieselbe Vorgangsweise. Meine Eltern hatten mich ja immer nur aus dem einzigen Grunde der Verantwortlichmachung für ihr Scheitern in der Suche nach Ruhe ins Hochgebirge mitgenommen, wie sie mich immer nur als Verantwortlichen für alles Mühevolle und Entsetzliche betrachtet haben. Sie wandten sich mir immer nur dann zu, wenn sie ihren Haß gegen alles auf mich abladen mußten, dann war ich da, stand ich ihnen zur Verfügung. So mußte ich mit ihnen sogar auf die höchsten Berggipfel, sagte ich, um ihnen für ihre tödlichen Zwecke zur Verfügung zu stehen, sie schreckten nicht davor zurück, mich auf den Ortler hinaufzutreiben und zu -treten, um mich auf dem Gipfel beschuldigen zu können für ihr Unglück. Und deine Eltern haben mit dir das gleiche gemacht, sagte ich. Dein Vater ließ seinen Zorn an dir aus, gerade als wir knapp unterhalb des Glocknergletschers angelangt waren, fertig, sagte ich, am Ende. Erinnerst du dich? Das Unwetter kam und ich war schuld, die Lawine ging ab und *ich* hatte sie, wie gesagt wird, losgetreten. Auf dem Berggipfel war es ja auch der Gipfel des Hasses unserer Eltern gegen uns, sagte ich, gegen ihr mißlungenes Produkt, wie meine Mutter oft gesagt hat, gegen *Die Schande. Ich will meine Ruhe haben,* sagte mein Vater und packte die Bergschuhe ein und den Zeichenblock, und die Mutter packte ihren Rucksack und stimmte in der Küche, weil es ihr dort am günstigsten schien, die Zither, und mich beschimpften sie, weil ich so langsam meine Sachen einpackte und auch noch an ein widerwärtiges Buch, die Novalisgedichte, erinnere ich mich, und wir hetzten auf den Bahnhof und fuhren ab, in die Finsternis hinein, um gleich in der kommenden Dämmerung aufsteigen zu können. Bevor wir noch aufstiegen, war ich schon erschöpft gewesen, warst auch du schon erschöpft gewesen, sagte ich, ganz zu schweigen von meiner Schwester. Schweigend hatten wir zu gehen ohne Widerspruch. Bis der Vater sich von der Gruppe löste, weil er der Kräftigste gewesen war, immer weiter vorausgegangen war, schließlich auch als erster aufstieg. Meine Mutter war nurmehr noch Bitternis. Meine Schwester heulte, nichts half. Der Vater bestimmte die Route. Die Mutter folgte ihm wortlos, ich erinnere mich noch genau an das Geräusch der Saiten der Zither, die an ihrem Rucksack hing. *Ich will meine Ruhe haben,* dieser Satz wurde, obwohl ihn keiner gesprochen hat, fortwährend ausgesprochen, dieser Satz war aus meinem Kopf nicht herauszubringen, immer wieder hörte ich das väterliche *Ich will meine Ruhe haben.* Der Vater war uns vorausgeeilt, mit seinen Riesenschritten, um diesem seinem Satz *Ich will meine Ruhe haben,* zu entsprechen, aber dem Satz konnte nicht entsprochen werden, er setzte sich immer wieder durch. Er war auch da, als wir schon nahe dem Gipfel waren, und er war immer noch da, wie wir schon auf dem Gipfel waren und erschöpft in die Landschaft unter uns schauten. Nie habe ich die Welt bedrohlicher und verletzender gesehen, als auf einem Berggipfel. Während mein Vater ein paarmal sagte, *was für eine Ruhe hier auf dem Gipfel* herrsche, *eine majestätische Ruhe,* sagte er, hielt er es im Grunde vor lauter Unruhe nicht mehr aus, denn die Unruhe ist dort, wo man die Ruhe am größten und am absoluten erwartet, am allergrößten und am absolutesten, und er peinigte sich mehrere Male mit der Äußerung, daß er jetzt in der größten Ruhe sei, wir alle seien auf einmal in der größten Ruhe, sagte er, und er sagte zu uns, ob wir nicht hörten, daß wir in der größten und ja tatsächlich absoluten Ruhe seien, sagte ich; er forderte meine Mutter fortwährend auf, zu sagen und zuzugeben, daß wir jetzt in der größten und absoluten Ruhe seien und die Mutter sagte auch ein paarmal, daß wir in der größten und absoluten Ruhe seien, *wie still, wie ruhig es hier ist, alles ist ruhig,* sagte sie, *die allergrößte Ruhe ist hier.* Und weil ich nicht gleich derselben Meinung gewesen bin wie die Eltern, sagte ich, forderten sie mich auf, zu sagen, daß hier heroben auf dem Gipfel die absolute Ruhe herrsche und so hatte ich, um ihren Drohungen ein Ende zu machen, auch gesagt, hier heroben auf dem Gipfel herrsche die größte Ruhe, die absolute Ruhe. Wenn ich es nicht gesagt hätte, wenn ich die Wahrheit gesagt hätte, daß nämlich die größte Unruhe, die absolute Unruhe auf dem Berggipfel sei, hätten sie mich zutiefst verletzt, sagte ich. So begnügten sie sich damit, daß ich mehrere Male die Wörter *größte und absolute Ruhe* sagte. Da wir in einem windgeschützten Winkel hockten, war es meiner Mutter möglich, die Zither vom Rucksack zu lösen und zu spielen. Sie hatte immer schlecht Zither gespielt, zum Unterschied von meiner Großmutter, die die Zither so gut wie niemand sonst spielen hatte können und auf dem Gipfel damals war ihr Spiel eine Katastrophe gewesen, sagte ich. Der Vater herrschte sie an, sie solle mit dem Zitherspielen aufhören, sagte ich, worauf er seine Trompete vom Rucksack löste und in sie hineinblies. Der Wind hatte aber seine Tompetentöne wild durcheinander geschlagen und ihm bald sein Blasen verleidet. Er steckte die Trompete zwischen zwei Felsplatten und ließ sich von der Mutter zwei große Brotstücke abschneiden, auf die er selbst sich mehrere Schinkenblätter legte. Auch mir gaben sie zu essen, aber ich brachte nicht einen Bissen hinunter, wie gesagt wird. *Eine solche Ruhe,* sagte mein Vater mehrere Male. Der Wind war bald ein Sturm, sagte ich, und wir glaubten, auf der Stelle erfrieren zu müssen. So drückten wir uns in den Felswinkel hinein und starrten hinaus. Der Sturm sei ein gutes Zeichen, sagte mein Vater. Ja, sagte meine Mutter, sagte ich. Der Aufstieg hatte acht Stunden gedauert. Die Eltern hatten sich in dem Felswinkel aneinander gedrückt und am ganzen Leib gezittert. Der Sturm war so laut, daß ich es kaum verstand, wie der Vater sagte: *was für eine Ruhe hier herrscht.* Auch er war völlig erschöpft gewesen, wie die Mutter. Von mir weiß ich nur, daß ich nicht wußte, wie ich überhaupt hatte den Eltern folgen können. Sie zogen sich die Bergschuhe aus und streckten Beine und Füße und rieben sich gegenseitig die Zehen ab. Mir war, als träumte ich, sagte ich. Seither ist mir der Ortler so verhaßt, sagte ich. Alle paar Jahre aber mußte es der Ortler sein, sagte ich, ich weiß nicht, warum. Und deine Eltern sind auch alle zwei Jahre mindestens auf den Ortler gegangen mit dir. Und dann bist du monatelang erschöpft gewesen und warst zurückgeworfen, erinnerst du dich? sagte ich. Die Eltern hatten sich ja niemals mit einem Buch zurückgezogen, um es zu lesen, wie sie immer behaupteten. sagte ich, es ist immer nur ein Vorwand gewesen, sich uns zu entziehen. Wie deine Eltern es mit dir gemacht haben. *Laßt uns in Ruhe!* hat ja immer nur den einen einzigen Zweck gehabt, sich zeugenlos streiten zu können, aufzureiben, wie meine Mutter das sehr oft treffend charakterisiert hat. Der Vater suchte in seinem Zimmer Ruhe, um dann in seinem Zimmer in noch größerer Unruhe zu sein, wie die Mutter in dem ihrigen. Wenn der Vater in den Garten ging, um Ruhe zu haben, arbeitete er sich grabend und erdestechend und baumschneidend immer noch tiefer in seine Unruhe hinein, wenn er in die Stadt ging, gleich wohin er ging, sagte ich. Und genauso die Mutter, die fortwährend Ruhe haben wollte und in eine immer tiefere Unruhe hineingekommen ist, bis sie anfing, ihren Rucksack zu packen, weil sie gesehen hat, daß der Vater den seinigen schon gepackt hatte. Es war dann nurmehr noch die Frage, in die Schweiz oder nach Südtirol. In die Schweiz fuhren sie auftrumpfend, nach Südtirol aus Verlogenheit, niederträchtiger Sentimentalität. Deine Eltern sind ja immer mit meinen Eltern gefahren und auf die Berge gestiegen, sagte ich, deine immer mit den meinigen, nie umgekehrt, und wir hatten mitzufahren und mitzusteigen. Und anstatt erholt, sind unsere Eltern immer total erschöpft von den schweizerischen oder südtirolischen Bergen zurückgekommen, wir selbst auf Monate mehr oder weniger unzurechnungsfähig, sagte ich, totkrank. Am meisten war meine Schwester davon betroffen, sagte ich, denn sie war immer die schutzloseste von uns allen gewesen, die sich niemals auch nur im geringsten hatte wehren können. Es war ganz und gar

konsequent, daß sie mit einundzwanzig gestorben ist, sagte ich, die Eltern haben sie umgebracht, sie hat sich nicht, wie ich, ihren mörderischen Absichten entziehen können. Die Eltern machen Kinder und setzen alles daran, sie zu vernichten, sagte ich, meine Eltern genauso wie deine und alle Eltern insgesamt und überall. Die Eltern leisten sich den Luxus der Kinder und bringen sie um. Und alle haben sie ihre verschiedensten, ihnen entsprechenden Methoden. Unsere Eltern haben uns vernichtet, indem sie uns andauernd vorgehalten haben, daß wir an ihrer Unruhe und letztendes an allem sie betreffenden Schuld sind. Unsere Eltern haben uns *jede Schuld* in die Schuhe geschoben, das ist die Wahrheit. So ist der Verdacht nicht von der Hand zu weisen, sagte ich, ob unsere Eltern uns überhaupt nur aus dem einen einzigen Grund gemacht haben, ihre Schuld darzustellen, sagte ich, daß wir möglicherweise nichts anderes in unserem Leben gewesen sind und weiterhin sind, als die Darsteller ihrer Schuld, die für sie zur Verantwortung gezogen werden. Daß unsere Eltern uns nur zu dem alleinigen Zweck gemacht haben, damit sie ihre Schuld auf uns abladen und uns in die Schuhe schieben können, sagte ich. Wenn der Vater gereizt war, war ich die Ursache gewesen, wenn meine Mutter aufgeregt gewesen war, war ich es, das ihre Aufregung verursacht hatte. War schlechte Luft im Haus, war ich daran Schuld. Hatte einer die Haustür in der Nacht nicht abgesperrt, war ich es gewesen, obwohl ich genau wußte, daß ich es gar nicht gewesen sein konnte. *Von euch endlich Ruhe haben!* rief der Vater oft aus, mir und meiner Schwester gegenüber und dann nahmen sie uns mit in die Berge, anstatt allein zu gehen wahrscheinlich doch wieder nur aus dem einen und einzigen Grund, alle Schuld auf uns abladen zu können. Kamen wir zu spät ins Gasthaus oder auf der Almhütte an, waren wir Schuld, erinnerst du dich? sagte ich, war das Brot naß geworden im Rucksack, war ich Schuld. Und so Tausende von Beispielen für dieses Verhältnis, sagte ich, das doch ein fürchterliches zwischen mir und uns und also zwischen meiner Schwester und mir gegenüber meinen Eltern gewesen ist. Wurde mein Vater in der Nacht von den Gelsen geplagt, so beschuldigte er mich, daß ich in seinem Zimmer gewesen sei und Licht aufgedreht gehabt hätte bei offenen Fenstern, was natürlich nicht nur streng verboten, sondern eine Selbstverständlichkeit gewesen war. Und genauso wie dich die deinigen, haben die meinigen mich immer einen Hypochonder genannt, meine Krankheiten betreffend, einen Scharlatan, meine Leseübungen, gar mein späteres Schreiben betreffend, erinnerst du dich? sagte ich. Mir ist so vieles deutlich, sagte ich, das Jahrzehnte vollkommen aus meinem Gedächtnis gekommen war.

Gerade dieses Fürchterliche, dieses Schreckliche, sagte ich, das sich der Mensch nicht mehr zu sagen getraut, weil seine Verursacher längst tot sind. Aber auf einmal getraue ich mir alles dieses Fürchterliche und Entsetzliche zu sagen, sagte ich. Es fällt mir sogar leicht. Es kann gar nicht furchtbar und entsetzlich genug sein. Wenn wir vom Hochgebirge zurückgekommen waren, wurde ich erst richtig für mein *Verhalten im Hochgebirge* bestraft. Wie du auch, sagte ich. Ich erinnere mich genau. Dann hielten sie mir mein abstoßendes Verhalten in der Schweiz, im Engadin oder in Südtirol, am Ortler vor, rechneten mir alles vor und auf und erfanden einen perfiden Strafvollzug. Ich hätte nicht weit und nicht lange genug in die schöne Landschaft geblickt, hielten sie mir vor, hätte mich ihren Befehlen widersetzt, hätte bei Tag und nicht in der Nacht, wie es sich gehörte, wie mein Vater oft sagte, geschlafen. Ich hätte ein falsches Verhältnis zur Natur, kein Auge für die Großartigkeit der Schöpfung, kein Ohr für den Gesang der Vögel, für das Rauschen der Bäche, für das Sausen des Windes und für nichts das erschreckende Auge. Dann kürzten sie meine Mahlzeiten und setzten ganz bewußt meine Lieblingsspeisen vom Eßplan ab. Ich durfte nicht mehr ausgehen, wochenlang, und hatte genau die Kleider zu tragen, die mir verhaßt waren. Und dir ist es genauso ergangen, wenn deine Eltern vom Hochgebirge zurückgekommen sind, sagte ich. Der Vater breitete seine Zeichnungen und Aquarelle in seinem Zimmer aus und ich mußte zu allen diesen Zeichnungen und Aquarellen sagen, was sie darstellten und daß sie die besten seien. Irrte ich, beim besten Willen unfähig, mich an die sogenannte *Naturvorlage* zu erinnern, war er wütend. Dein Vater las dir die Gedichte vor, die er auf diesen Hochgebirgsausflügen gemacht hat, sagte ich und du hörtest nicht hin oder du hörtest hin, aber konntest zu diesen Gedichten nichts sagen, sagte ich, dafür wurdest du von deinem Vater bestraft. Dein Vater hat drei Gedichtbücher veröffentlicht, sagte ich, mein Vater so viele Ausstellungen seiner Zeichnungen und Aquarelle veranstaltet, die Väter glaubten, auf diese Weise zu entkommen, indem sie sich nur auf das Leichteste angestrengt haben, sozusagen auf dem Umweg über die *Spaziergeherkunst* hatten sie sich erretten wollen, was aber nicht aufgehen konnte. Sie hatten sich im Gegenteil mit diesen Zeichnungen und Aquarellen und mit diesen Gedichten, noch dazu veröffentlichten, gemein gemacht. Darauf pochten sie, auf ihre Gemeinheit, sagte ich und pochen, obwohl sie schon solange tot sind, noch heute darauf. Ist meinem Vater eine Zeichnung nicht gelungen, gab er mir die Schuld, ich sei ihm im Licht gestanden, sagte ich, ich hätte ihm durch ein zu ihm gesprochenes Wort seine

Intuition, wie er sich immer ausgedrückt hat, zerstört. Ich sei überhaupt immer nur der Zerstörer seines Künstlertums gewesen. Der Sohn ist auf der Welt nur als *der Zerstörer des Künstlers, der sein Vater ist*, hat mein Vater einmal gesagt, erinnerst du dich? sagte ich. Er malte schlechter, als er zeichnete, sagte ich, wie die Mutter Zither spielte, so malte und zeichnete er, nicht besser, im Gegenteil, aber er sprach doch andauernd von seinem Künstlertum, ja sogar ab und zu von einer Künstlerfamilie, und meinte die unsrige. Wie sich dein Vater einen Dichter nannte, sagte ich, obwohl seine Gedichte diese Bezeichnung gar nicht verdienten, denn es waren nur gereimte Schwachsinnigkeiten, wie du weißt. Gebunden und auf den Markt gebracht wirkten sie noch viel gemeiner, als bei ihm zuhause auf dem Schreibtisch, sagte ich. Und solange mein Vater lebte, habe ich auch keine Zeile geschrieben, sagte ich. Erst als er tot war, versuchte ich eine Skizze über sein totes Gesicht, sagte ich. Diese Skizze ist mir gelungen. Aber dann brachte ich jahrelang nichts mehr zustande. Alles Unsinn, gebrechlich, hinfällig, wertlos. Und erst als dein Vater tot war, bist du von zuhause weggegangen, sagte ich, hast deine Mutter vor den Kopf gestoßen, sozusagen als Lebenshöhepunkt. Du hast dich ihr entzogen, aber darunter leidest du noch immer. Ich habe nie darunter gelitten, die Eltern hinter mich zu lassen, sie hatten mich solange ich unter ihnen gewesen bin, tödlich beschädigt, sagte ich, ich hatte niemals die Veranlassung ihnen gegenüber ein schlechtes Gewissen zu haben, wie du es deinen Eltern gegenüber hast. Das ist der Unterschied, sagte ich. Weil ich ausgebrochen bin aus dem Kerker und du nicht. Weil ich sie schon mit sechzehn vor den Kopf gestoßen habe und du erst als alter Mann. Das ist die Wahrheit. Mit deinen fünfundzwanzig bist du doch nichts als ein alter Mann. Verbittert, sonst nichts. Die Welt hat dich liegengelassen, sagte ich, ist über dich weggegangen. Du bist unansehnlich, sagte ich. Noch immer hast du den Mantel deines Vaters an, wie ich sehe, und nicht nur den tatsächlichen, diesen abgeschabten schäbigen, vierzig Jahre alten, sondern auch den andern, den sogenannten väterlichen Geistesmantel. In diesem väterlichen Mantel bist du erstickt. Unter den Augen deiner Mutter, die dazu nichts zu sagen gehabt hat, sagte ich. Die immer nur zugeschaut hat, bis zu dem äußersten Grade ihrer Möglichkeiten zugeschaut hat, wie du in dem väterlichen Mantel verkommen bist. Denn daß du ein verkommener Mensch bist, darüber besteht kein Zweifel, sagte ich. Aber wahrscheinlich hast du, zum Unterschied von mir, niemals die Chance gehabt, auszubrechen, die Eltern vor den Kopf zu stoßen, du hast den Tod des Vaters abwarten müssen, damit dir die

Augen auch über die Mutter aufgegangen sind, daß sie nämlich ebenso wie dein Vater es gewesen ist, deine Zerstörerin ist. Was du mir erzählst von ihren Leiden, es stößt mich nur ab, sagte ich. Das Falschsentimentale stößt mich immer nur ab und du redest über sie immer nur Falschsentimentales, wie du immer nur Falschsentimentales geredet hast. Nie ausgebrochen bist du aus dem falschen und verlogenen Sentimentalitätskerker deines Elternhauses. Alles, was du sagst, ist falsch und verlogen, vor Falschheit und Verlogenheit hast du auch diese geduckte Haltung in deinem Vatermantel, sagte ich. Ich hätte nie ein Kleidungsstück meines Vaters angezogen, nie, du trägst noch mit zweiundfünfzig den schäbigen Mantel deines Vaters. Das hätte dir längst zu denken geben müssen, daß der Mensch niemals in die elterlichen Kleider schlüpfen darf. Aber du zogst dir einfach den Vatermantel über und ziehst dich in ihm zusammen. Dein Jammern ist abstoßend, sagte ich. Mich ekelt vor der Kindheit. Vor allem, das mit der Kindheit zusammenhängt und das immer wieder vorgebracht wird vor dem Lebensgericht. Das ist alles abstoßend, sagte ich. An diese Eltern zu denken, ist nichts als abstoßend. Diese Menschen haben ja überhaupt kein Recht, Ruhe zu finden, sagte ich. Und sie haben die Ruhe auch lebenslänglich nicht gefunden, sagte ich. *Ich will meine Ruhe haben,* von meinem Vater (wie auch von dem deinigen) ausgesprochen, war doch nichts anderes, als Perversität. Ich bin überzeugt, sagte ich, daß du, wenn du allein bist in deinem Haus, das noch immer dein Elternhaus ist, möglicherweise in der Dämmerstunde, die grellgrünen Strümpfe deines Vaters anziehst und dir auf deiner Bettkante sitzend einbildest, du steigst jetzt auf das Matterhorn. Und du hast auch die grellgrüne Mütze auf dem Kopf, die deine Mutter gestrickt hat, Dutzende solcher grellgrünen Mützen hat sie gestrickt, wie die meinige Dutzende grellrote. Die grellroten, weil sie gesehen werden im Unglücksfall, habe ich nicht recht, sagte ich, die grellgrünen, damit ihre Träger unauffällig bleiben. Was für eine Abgeschmacktheit, sagte ich, du sitzt an deinem Bettrand mit heraushängender Zunge, sagte ich und hast die grellgrünen Hochgebirgsstrümpfe an und die grellgrüne Hochgebirgsmütze auf und bildest dir ein, auf das Matterhorn zu steigen, noch delikater, sagte ich, auf den Ortler. Du spielst mit dem Matterhorn auf deine Weise, sagte ich, mit dem Ortler, und möglicherweise spielt deine Mutter mit. Ich kann mir vorstellen, daß deine Mutter dabei in Verzückung gerät. Und auf dem Gipfel schreit ihr euch nichts als Vorwürfe ins Gesicht. Du bist aus der Familie der grellgrünen Strümpfe und grellgrünen Mützen, sagte ich, ich bin aus der Familie der grellroten. Wie meine Eltern tot waren, habe ich in einem Kasten und in zwei Kommoden nichts als Hunderte von grellroten Hochgebirgsmützen gefunden, sagte ich, nichts als grellrote Hochgebirgsstrümpfe. Alles von meiner Mutter gestrickt. Die Eltern hätten Tausende Jahre ins Hochgebirge gehen können mit diesen grellroten Mützen und grellroten Strümpfen. Ich habe alle diese grellroten Mützen und grellroten Strümpfe verbrannt, sagte ich. Ich hatte eine dieser Hunderte von grellroten Hochgebirgsmützen meiner Mutter aufgesetzt und alle andern in dieser Aufmachung verbrannt, lachend, lachend, fortwährend lachend, sagte ich. Wahrscheinlich hat deine Mutter ebenso viele grellgrüne Mützen und grellgrüne Strümpfe gestrickt, wie die meinige, nur hast du noch nicht den Mut gehabt, sie zu suchen, aber du brauchst sicher nur eine oder die andere Schublade in eurem Haus aufmachen, dann quellen sie dir zu Hunderten entgegen, sagte ich. Jahrzehntelang haben unsere Mütter diese Mützen und Strümpfe gestrickt. Du erinnerst dich doch, daß sie immer an diesen Mützen und Strümpfen gestrickt haben, sagte ich, du erinnerst dich doch? Ich habe deine Mutter immer nur solche grellgrüne Strümpfe und grellgrüne Mützen stricken sehen, wenn ich in euerem Haus gewesen bin, sagte ich, irgendwo müssen diese Mützen und Strümpfe noch sein. Hunderte grellgrüne Mützen und grellgrüne Strümpfe, sagte ich, im Laufe des Lebens. Immer nur diese grellgrünen Mützen und grellgrünen Strümpfe strickend habe ich deine Mutter gesehen. Erinnerst du dich, fragte ich. Darauf sagte er, er erinnere sich nicht. Er sei mit dem Sechsuhrzug gefahren und habe hier, auf der Station Schwarzach–Sankt Veit, seinen Anschluß versäumt. Er sei ganz durchnäßt, sagte er und ich schaute ihn genau an und sah, daß er ganz durchnäßt war. Zwanzig Jahre haben wir uns nicht gesehen, sagte ich, wie du das Wort *Mühlsal* ausgesprochen hast, ist mir noch deutlich im Kopf, sagte ich. Und daß ich immer lauter gesprochen habe als du. Wir haben nicht viel gesprochen, aber ich habe immer lauter gesprochen als du, sagte ich. Ich sagte, er solle aufstehen und mit mir in die Restauration hineingehen, wo es sicher warm sei. Nein, sagte er, das wolle er nicht, er werde auf der Bank warten, bis sein Zug komme. Ich sagte, daß ich zuerst nur seinen Mantel erkannt hätte, den Mantel seines Vaters, der mir vertraut sei. Erinnerst du dich, wie wir in Flims übernachtet haben? fragte ich ihn. Er schüttelte den Kopf. Du erinnerst dich nicht? fragte ich. Nein, sagte er, und darauf mit ganz ruhiger und sehr schwacher Stimme: *ich erinnere mich an gar nichts.*

Geschrieben für die Zeitgeist-Ausstellung Berlin 1982

Die Künstler der Ausstellung

Siegfried Anzinger

Georg Baselitz

Joseph Beuys

Erwin Bohatsch

Jonathan Borofsky

Peter Bömmels

Werner Büttner

James Lee Byars

Pierpaolo Calzolari

Sandro Chia

Francesco Clemente

Enzo Cucchi

Walter Dahn

René Daniels

Jiři Georg Dokoupil

Rainer Fetting

Barry Flanagan

Gerard Garouste

Gilbert & George

Dieter Hacker

Antonius Höckelmann

K. H. Hödicke

Jörg Immendorff

Anselm Kiefer

Per Kirkeby

Bernd Koberling

Jannis Kounellis

Christopher LeBrun

Markus Lüpertz

Bruce McLean

Mario Merz

Helmut Middendorf

Malcolm Morley

Robert Morris

Mimmo Paladino

A. R. Penck

Sigmar Polke

Susan Rothenberg

David Salle

Salomé

Julian Schnabel

Frank Stella

Volker Tannert

Cy Twombly

Andy Warhol

Die kursiv gesetzten Bildunterschriften
bezeichnen Werke, die nicht
in der Ausstellung gezeigt werden.

Blauer Jäger 1982 Acryl auf Leinwand 220 x 160 cm

Todesengel/Roter Schädel 1982 Leimfarbe auf Nessel 150 x 205 cm

Knabe mit Falke 1982 Leimfarbe auf Nessel 110 x 110 cm

Kopfjäger 1982 Acryl auf Baumwolle 220 x 165 cm (zerstört)

GEORG BASELITZ

Ohne Titel 11. 9. 1982 250 x 200 cm

Mann auf rotem Kopfkissen 17. 8. 1982 250 x 250 cm

Nacht mit Hund 29. 8. 1982 250 x 250 cm

Adler im Bett 7. 9. 1982 250 x 250 cm

Adler im Fenster 26. 7. 1982 250 x 250 cm

Weg vom Fenster 17. 7. 1982 250 x 250 cm

Mann im Bett 13. 8. 1982 250 x 250 cm

Franz im Bett 1. 9. 1982 250 x 250 cm

JOSEPH BEUYS

+ − WURST
(jetzt geht es um die Wurst)
  ”   ”   ”   ” **DAS GANZE**

Ich würde nicht von mir behaupten, daß ich nicht dumm bin, „denn daß es um die radikale Um-**GESTALTUNG DES GANZEN** geht, das weiß im Grunde gerade der Dümmste. Er sagt sich im Stillen: die Intelligenz, die benötigt wird eine **BLUTWURST** zu machen – das kann ja nur die Intelligenz der Blutwurst selbst sein.“

LEHM
WERKSTATT

Die Hirschdenkmäler sind Akkumulationsmaschinen an denen Menschen und alle anderen Geister sich treffen, um gemeinsam zu arbeiten und dabei die entscheidenden Gesichtspunkte zu besprechen, die nötig sind den **KAPITALBEGRIFF** und damit die Weltlage in die richtige **FORM** zu bringen. Das kann man natürlich ohne Hirschdenkmäler nicht.
Lehm ist Stoff der Erde, Ton und Kiesel. Mit einem rechten Bestandteil von Kalk haben wir den Untergrund auf dem wir stehn und aus dem wir den Planeten nach den furchtbaren Vertotungen wieder zum Leben erwecken werden.
Ich behaupte, daß dieser Begriff **SOZIALE PLASTIK** eine völlig neue Kategorie der Kunst ist. Eine neue Muse tritt den alten Musen gegenüber auf! Diese Muse war vorher gar nicht bekannt, und weil sie nicht bekannt war, ist es zu den bekannten Denkirrtümern gekommen, d. h. jetzt ist die Lage so kritisch geworden, daß sich wirklich einige Geister auf den Weg gemacht haben diese Muse zu entdecken. Sie trägt den zukünftigen Begriff von Plastik der vor jedem anderen Begriff von Plastik Vorrang hat. Ich schreie sogar: es wird keine brauchbare Plastik mehr hienieden

geben, wenn dieser **SOZIALE ORGANISMUS ALS LEBEWESEN** nicht da ist. Das ist die Idee des Gesamtkunstwerkes in dem **JEDER MENSCH EIN KÜNSTLER** ist.
Die Hirschdenkmäler sind in sich ein Ding, vielleicht sogar ein sehr simples Ding. Aber sie sind doch auch ein Zeichen dafür, daß jetzt viel, viel mehr Akteure **BEI DIESER AUSEIN-ANDERSETZUNG** da sein werden. Da steht der Hirsch, und der Hirsch ist ja kein Mensch. Er ist für das gewöhnliche Bewußtsein ein Bestandteil der Natur. Aber wie regiert nun die Natur mit, wenn jede zukünftige Natur eine von Menschen gemachte Natur sein wird? Natur wird ... nicht Kultur! Dieses Wort können wir schon nicht mehr hören, nachdem es so zur Kulturschande gemacht worden ist in der Bundesrepublik Deutschland und auch anderswo. Nicht Kultur aber Wirtschaftsleben, das den erweiterten Kunstbegriff und damit das Freiheitswesen in sich aufgenommen hat. Kunst als Integral des Wirtschaftslebens. So sind wir denn zuhause.
Das Hirschdenkmal ist ein Zeichen für den vom Menschen geschaffenen Geist in der Natur, der Maschinen bewegt. (Beweis für die Realität der Idee und für die Falschheit der Entropielehre.) Vernichtete oder ausgestorbene Tiere und vernichtete oder ausgestorbene Menschen treffen sich an den Maschinen. Sie sind ja in der Wirklichkeit, auch wenn sie ausgestorben sind, denn sie treiben die Maschinen an, da an der Berliner Mauer.
Ja, nun kurz und gut, wenn man das in Worten ausdrücken könnte auf einfache Art, dann brauchte man die Blutwürste nicht zu machen.

Hirschdenkmäler

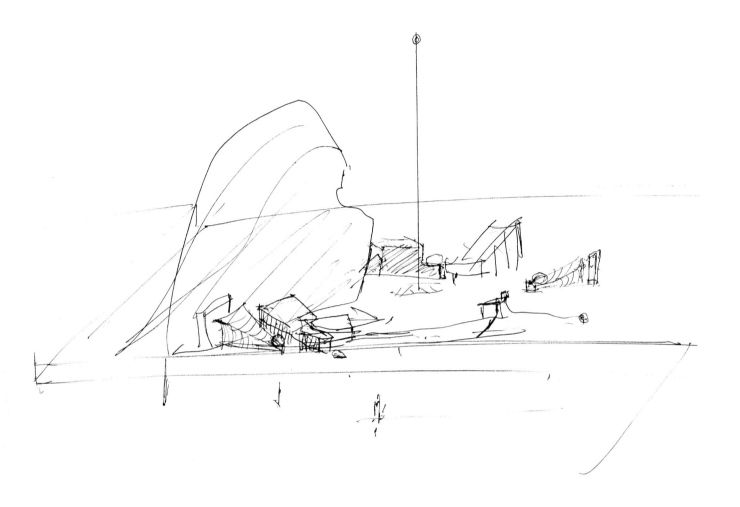

Hirschdenkmäler

Folgende Seiten
dernier espace avec introspecteur 1964–82
Installation

Zusammenkunft 1982 200 x 150 cm

Der Fluß 1982 185 x 400 cm

JONATHAN BOROFSKY

I Dreamed I Found a Red Ruby/Ich träumte,
ich fand einen roten Rubin
1977–82
Aquarell 29,5 x 21 cm

Man with Briefcase/Mann mit Aktenkoffer
1982
254 x 69 cm

Emailliefarbe in 90 Plexiglasteilen
montiert auf Oberlicht,
Museum Boymans van Beuningen,
Rotterdam

Shinto Priest on the Wall/Schintopriester auf
der Mauer
1976
Wandbild
Men's Shelter New York City

2485921

Bird at 2485921/Vogel in 2485921
1977
Zeichnung 29,5 x 21 cm

2 Chinese Women/2 chinesische Frauen
1976
Tinte auf Wand

Sprung aus der Geschichte 1982 (Zweiteilig) 220 x 320 cm

Gefährliche Nähen des Denkens 1982 (Dreiteilig) 220 x 600 cm

WERNER BÜTTNER

Den Lebenden im Dorf zur Mahnung 1982 150 x 150 cm

Badende Russen II 1982 150 x 190 cm

Kaspar Hauser – Enten folgen einer Attrappe 1981 120 x 150 cm

JAMES LEE BYARS

The word itself maybe a flaming word. Yeats

THE O

THE   ZE

B

JAMES   L

HOUSE
OF
ZEITGEIST
BY
THE BYARS

PIERPAOLO CALZOLARI

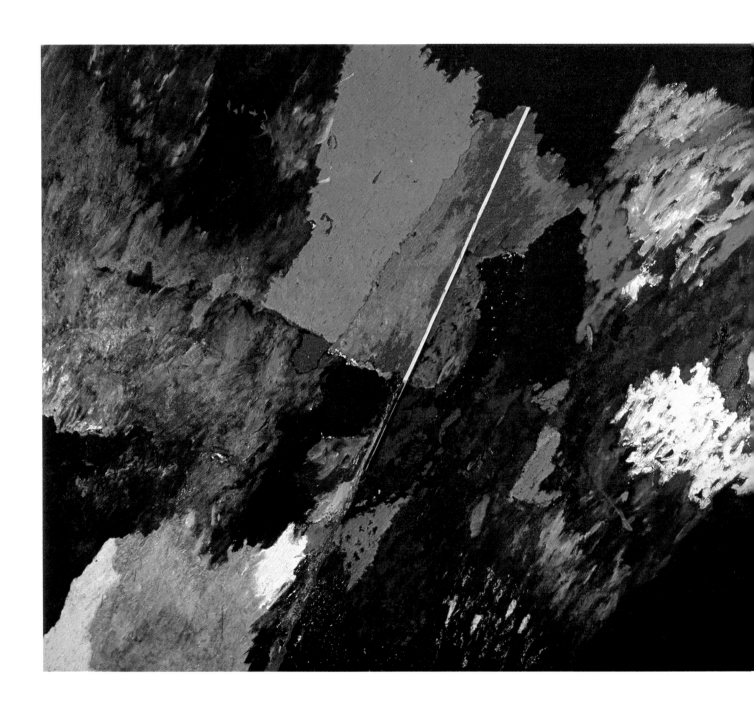

Chapeaux/Hüte 1981 300 x 700 cm

Stuka 1982 160 x 165 cm

Paysage naturel avec oiseau/Natürliche Landschaft mit Vogel 1981 260 x 630 cm

Wind 1982 160 x 165 cm

Two Painters at Work/Zwei Maler bei der Arbeit 1982 289 x 343 cm

Melancholic Camping/Melancholische Rast 1982 290 x 404 cm

Courageous Boy with Flag/Mutiger Junge mit Fahne 1982 234 x 198 cm

Zattera temeraria/Verwegenes Floß 1982 300 x 371 cm (vorläufiger Zustand)

Figura con freccia/Figur mit Pfeil 1982
125 x 180 x 80 cm

Figura con lacrima/Figur mit Träne 1982
170 x 68 x 68 cm

Pasto appassionato/Leidenschaftliche Mahlzeit 1982 254 x 330 cm (vorläufiger Zustand)

Art in Life – Crocodile Strategy/Kunst im Leben – Krokodilstrategie 1982 232 x 198 cm

My House/Mein Haus 1982 400 x 300 cm

My Parents/Meine Eltern 1982 400 x 300 cm

My Journey/Meine Reise 1982 400 x 300 cm

Two Lovers/Zwei Liebende 1982 400 x 300 cm

La casa dei barbari/Das Haus der Barbaren 1982 306 x 212 cm

Quadro sordo/Taubes Bild 1982 305 x 212 cm

Fontana ebbra/Trunkener Brunnen 1982 310 x 212 cm

Lo zingaro/Der Zigeuner 1982 297 x 212 cm

Selbst doppelt 1982 200 x 250 cm

Nach(t)krieg 1982 200 x 160 cm

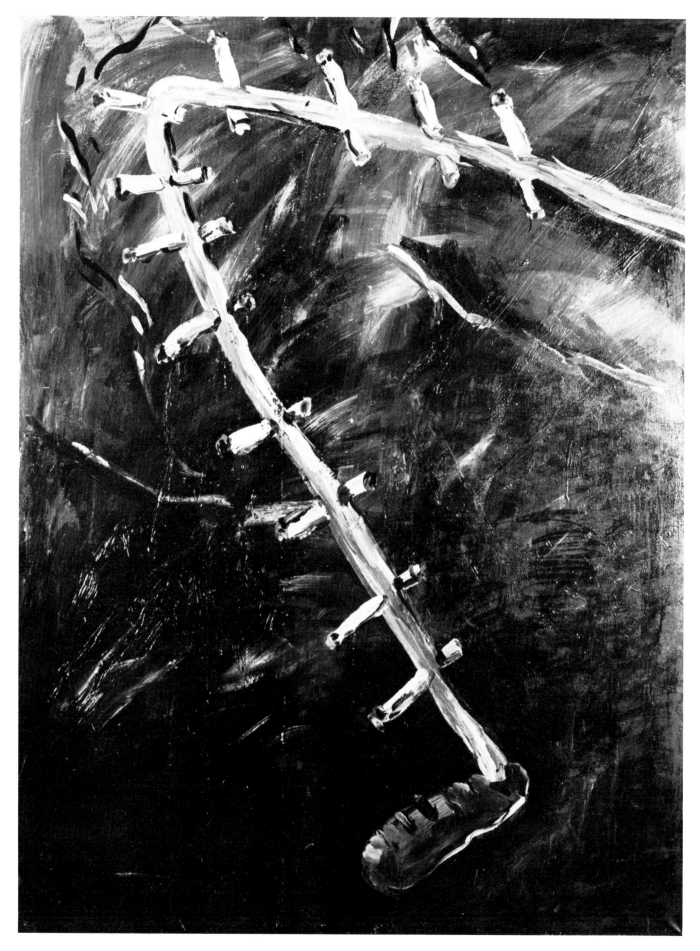

Der Kettenraucher 1982 200 x 150 cm

Trinker 1982 200 x 150 cm

RENÉ DANIELS

In de fles gedaan/In die Flasche getan 1982 120 x 150 cm

De revue passeren/Die Revue passieren 1982 130 x 190 cm

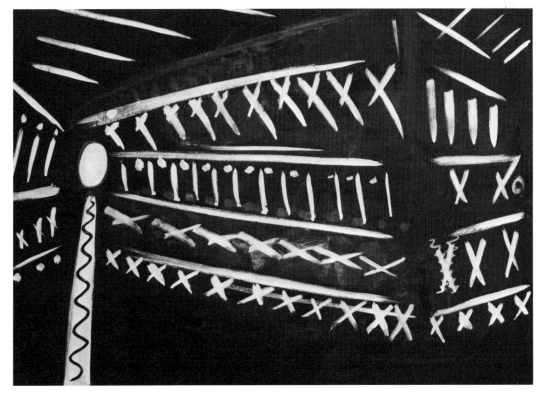

Historia Mysteria 1981 120 x 180 cm

Academie 1982 170 x 95 cm

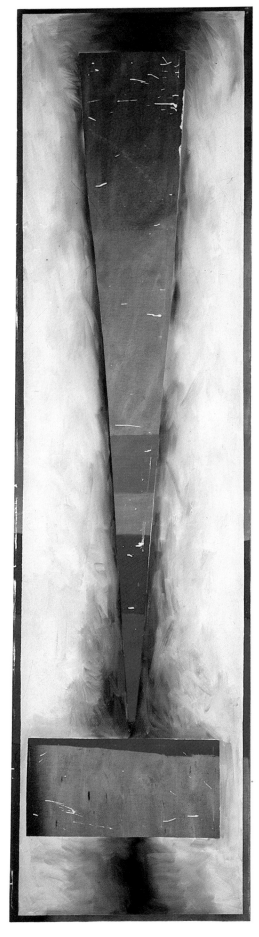 

Aus der Serie „Masken" 1982 IV + V 375 x 100 cm

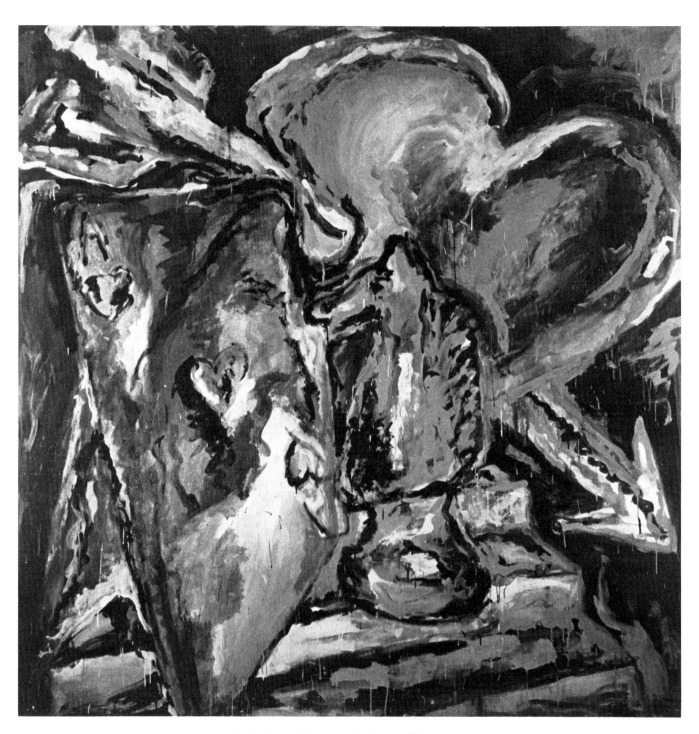

Aus der Serie „Blaue Bilder über die Liebe" 1982 III 230 x 230 cm

Aus der Serie „Blaue Bilder über die Liebe" 1982 V 220 x 160 cm

RAINER FETTING

Kreuzigung 1982 400 x 300 cm

Die Häscher 1982 400 x 300 cm

Die Bombe 1982 400 x 300 cm

2 Harrisburger 1982 400 x 300 cm

BARRY FLANAGAN

Frog Bites Hare/Frosch beißt Hasen 1982
43,8 x 17,7 x 12,7 cm

Soprano/Sopran 1981 37 x 48,2 x 71,7 cm

Hare and Helmet III/Hase und Helm III 1981
H: 116,8 cm

Ball and Claw/Ball und Klaue 1981
H: 109 cm

Hare on Anvil/Hase auf Amboß
1981 H: 101,9 cm

Elephant 1981 47 x 41,5 x 24 cm

Cricketer/Kricketspieler 1981 156,2 x 39,3 x 53,4 cm   Acrobats/Akrobaten 1981 153 x 42 x 45,7 cm

Studie über Orthros und Orion 1982 292 x 400 cm

La constellation du chien/Das Sternbild des Hundes Juli 1982 250 x 300 cm

Orthros und Orion Juni 1982 250 x 300 cm

GILBERT & GEORGE

Gern sind wir glücklich.
Gern sind wir voll.
Gern sind wir unglücklich.
Gern sind wir nüchtern.
Gern sind wir nicht glücklich
oder nicht voll oder unglücklich
oder nicht nüchtern.

We like very much to be happy.
We like very much to be drunk.
We like very much to be unhappy.
We like very much to be sober.
We don't very much like to be happy,
or not drunk or unhappy or not sober.

Sacht wachsen hier mit dem Unkraut, gegen das wir angingen, und mit dem Efeu,
den wir pflanzten, unsere verschiedenartigen Gedanken. Fein fädelt sich der Wider-
sinn des Pflanzenlebens durch unsern Intellekt. Grüne Freunde für uns zum
Spielen und Umsorgen. Feuchtes Schamhaarmoos und Drachensaudistel mit
Milchbittersaft verbinden sich, um mit uns unsere Gefühle auszudrücken. Purpurne
Chineseneleganz mit Vogelmiere geriefelter Natterwurz mischen die Töne und
Gedanken und Strukturen für unsere bösen Spiele mit den Leuten.

Here with struggled weeds and planted ivy our
various thoughts grow gently. Perversion of plant
life threads delicately our intellect. Green friends
for us to play with and care for. Moist pubic moss
and dragon sow-thistle with milk bitter juice com-
bine to express with us our feelings. Purple
Chinese elegance with chickweed fluted adder-
wort mix tones and thoughts and structures for
our bad games with people-study.

Eine Tunte kam unsere Straße lang,
Er guckte, wir guckten, er nickte
Seine Händen waren rot
Sein Gesicht war weiß
Er war die beste Tunte jener Nacht.

A tart was walking down our street,
He looked, we looked, he nodded
His hands were red
His face was white
He was the best tart of the night.

The World of Gilbert and George

Good Night/Gute Nacht 1982 420 x 400 cm

Deatho Knocko 1982 420 x 400 cm

Friendship/Freundschaft 1982 420 x 450 cm

Die Nacht 1981 200 x 200 cm

Die Flugbahn eines ausgespuckten Olivenkerns kreuzt die Flugbahn einer
schwarzen Hummel. Beinahe wären sie zusammengestoßen.

Du reißt das Tütchen auf und schüttest den Zucker auf die steif geschlagene Milch
des Capuccino. Der Zucker versinkt im Capuccino wie die Titanic im Eismeer.

Ein älteres Paar spaziert vorbei. Der Mann sagt zur Frau: „. . . auf der
Lützowbrücke, mitten auf der Fahrbahn, ein roter Schaftstiefel . . .".
Mehr war nicht zu verstehen.

Fliegen 1982 192 x 286 cm

Die Erwachsenen unterhalten sich über Kinder. Das Kind steht mit unbewegtem
Gesicht dabei und hört zu. Eines Tages wird es die Welt in Trümmer legen.

Die Toilette liegt im ersten Stock. Ich schließe die Tür auf und gehe die Treppe
hinunter. Ein älterer Mann kommt mir entgegen. Er hat eine Pfeife im Mund und
raucht. Ich gebe ihm einen Stoß, daß er die Treppe hinabstürzt.

Versuch, die Sonne in ihre Schranken zu weisen 1982 200 x 200 cm

Narziß 1982 Zeichnung

Am Strand 1982 192 x 286 cm

Ohne Titel 1982 Zeichnung

ANTONIUS HÖCKELMANN

Judith 1982 100 x 67 x 55 cm

Ohne Titel 1972 50 x 50 x 100 cm

Brückenplastik (weibliche Figur) 1970/71 100 x 50 x 50 cm

Weibliche Figur und pflanzliche Formen 1979 100 x 50 x 50 cm

K. H. HÖDICKE

„Ferne Küsten", oder: Über den Horizont   Sirene I 1981 230 x 170 cm

Argonauten 1981 (Zweiteilig) 190 x 155 cm 200 x 300 cm

Medea II 1982 (Zweiteilig) 190 x 150 cm 200 x 300 cm

Grotte 1982 170 x 230 cm

Nachtwache 1982 280 x 330 cm

A. O. Was willst du mehr 1982 250 x 310 cm

Fragen eines lesenden Arbeiters (Sechs Bilder nach einem Gedicht von Bertolt Brecht) 1976 110 x 90 cm

IN WELCHEN HÄUSERN DES GOLDSTRAHLENDEN LIMA WOHNTEN DIE BAULEUTE & WOHIN GINGEN AN DEM ABEND, WO DIE CHINESISCHE MAUER FERTIG WAR, DIE MAURER?

DAS GROSSE ROM IST VOLL VON TRIUMPHBOGEN. ÜBER WEN TRIUMPHIERTEN DIE CAESAREN & HATTE DAS VIELBESUNGENE BYZANS NUR PALÄSTE FÜR SEINE BEWOHNER & SELBST IN DEM SAGENHAFTEN ATLANTIS BRÜLLTEN DOCH IN DER NACHT, WO DAS MEER ES VERSCHLANG DIE ERSAUFENDEN NACH IHREN SKLAVEN.

DER JUNGE ALEXANDER EROBERTE INDIEN. ER ALLEIN & CÄSAR SCHLUG DIE GALLIER. HATTE ER NICHT WENIGSTENS EINEN KOCH BEI SICH? PHILLIP VON SPANIEN WEINTE, ALS SEINE FLOTTE UNTERGEGANGE WAR. WEINTE SONST NIEMAND? FRIEDRICH DER ZWEITE SIEGTE IM SIEBENJÄHRIGEN KRIEG. WER SIEGTE AUSSER IHM? JEDE SEITE EIN SIEG. WER KOCHTE DEN SIEGESSCHMAUS?

ALLE ZEHN JAHRE EIN GROSSER MANN. WER BEZAHLTE DIE SPESEN?

SO VIELE BERICHTE, SO VIELE FRAGEN. EINE ANTWORT

Ölige Freunde 1982 250 x 310 cm

Dem unbekannten Maler
1980
Aquarell
47 x 49,5 cm

Nürnberg 1981/82   290 x 390 cm

Meistersinger   1981/82   280 x 380 cm

The World Ash/Die Weltasche
1982
Öl auf Leinwand
280 x 380 cm

Gläser und Früchte 1982 200 x 130 cm

Silber 1982 130 x 200 cm

Requisiten I 1982 200 x 130 cm

Fram 1982 116 x 200 cm

Requisiten II 1982 200 x 130 cm

Der kleine Elephant schläft 1982 200 x 130 cm

Vulkanischer Raum III 1982 210 x 270 cm

Vulkanischer Raum I 1982 210 x 210 cm

Brüter 1982 190 x 245 cm

Spannweiten III 1982 220 x 180 cm

Frau im Stein II 1982 190 x 190 cm

Wale 1982 210 x 300 cm

Ich suchte gerade den Kopf von Sappho, der sich über dem Fensterrahmen befand; da entdeckte ich stattdessen unter dem entwurzelten Baum eine Hand, die noch die Haare der Victoria hielt, auf der Spitze des Daches. Aber mein Gott, der Fuß von Apoll, der auf dem Sockel vor dem Eingang stand, ist ruiniert.

Auf der Schreibmaschine noch die Schlachtbefehle, das Kinn und der goldene Mund von Daphne, welcher Wahnsinn, welche Unordnung, die verlassene Trommel auf dem Sessel, auf dem Bett die Uniform, das Licht noch an, in der Ecke der Kopf von Agamemnon, die Mauern halb zerstört, der verwundete Soldat schläft.

(Sich erinnern an das Bild, die Zeichnungen von Henri Moore 1940–41,
sich erinnern an die Radierungen von Piranesi,
sich erinnern an die kapriziösen Portraits von Arcimboldi,
sich erinnern an Delacroix.
Ich erinnere mich an die Harmonie der Kathedrale von Troyes,
ich erinnere mich an das Maß des Parthenon,
ich erinnere mich an die Erfindung der Perspektive durch Masaccio,
ich erinnere mich an David,
ich erinnere mich an Malewitsch.

Welche Unordnung, das Bruchstück von dem Auge der Statue Athenes, (auf der Treppe die zum Garten führt,) die Flagge, die Schlacht, das Gewehr, die Eisenbrücke, der Fluß, die Befehle, die Schüsse, der Schmerz, der Verlust, der Marsch, die Niederlage, der Reliefkopf über dem Fenster in der Nähe der Ecke, die Hand der bronzenen Reiterstatue im Eingang, die unleserlichen Zeichen einer Inschrift; Bügeleisen; Nähmaschine; Stock; Trompete; Regenschirm; Socken; bemalte Gläser; zerschlagenes Glas.
Der Kopf der Venus rechts; links, in einer Entfernung von mindestens anderthalb Metern das Bügeleisen; dabei rechts die Fahne; links der Stock; fünfzig Zentimeter noch weiter links die Socken mit den Schuhen; rechts vom Kopf des Apoll, in etwa dreißig Zentimeter Entfernung das Auge der Statue, die ich auf den Treppen zum Garten gefunden habe; die Nähmaschine, die Trompete und der Regenschirm rechts von den Schuhen und Socken; links vom Kopf des Apoll die Steine, Marmor, die Bretter, die zerbrochenen Gläser, Staub.

Ich erinnere mich an Schwitters
ich erinnere mich an Picasso
ich erinnere mich an Cézanne
ich erinnere mich an Pollock

Jannis Kounellis 1982

Zeichnungen zur ZEITGEIST Installation Martin-Gropius-Bau 1982

Ohne Titel 1982 Installation Staatliche Kunsthalle Baden-Baden

Mars in the Air/Mars in der Luft 19. 10. 1981 259 x 300 cm

Xanthus 26. 9. 81 213 x 305 cm

Hyperion 13. 1. 82 294 x 214 cm

Dream, Think, Speak/Traum, Denken, Sprechen 13. 1. 82 244 x 226 cm

MARKUS LÜPERTZ

Standbein-Spielbein Mitte 1982 380 x 140 cm   Standbein-Spielbein Links 1982 380 x 140 cm

Standbein-Spielbein mit Spielzeug 1982 200 x162 cm

Sechs Bilder über New York 1982 147 x 147 cm   I   Central Park

II   Lohengrin

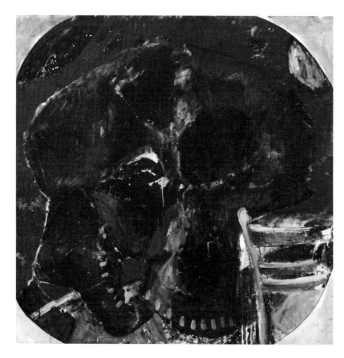

III   Interieur

IV   Club

V Broadway

VI Brooklyn

Standbein-Spielbein 1982 H: 320 cm 1:1 Gipsmodell

Blue Spew (Study for an Office Carpet)/Blaue Kotze (Studie für einen Büroteppich) 1982 400 x 300 cm

The General Manouver/Das große Manöver 1982 400 x 300 cm

Contained (Historically, Politically, Physically)/Enthalten (historisch, politisch, physisch) 1982 400 x 300 cm

Exit The Hat/Ausgang Der Hut 1982 400 x 300 cm

Ohne Titel 1982 Öl auf Papier 59 x 42 cm

Agli animali! (1
La lumaca nello scuro
del mondo continua la sua
casa rituale.
Gli animali sono qui
e l'odore terribile dei loro
corpi.
Il pelo non è rappresentabile.
come l'erba è pelosa.
così l'animale è peloso.
Solo l'oriente fugace e lontano
ha rappresentato pelo animale
e pelo vegetale con sufficiente
simpatia.

Poiché all'uomo occidentale (2
il pelo fa paura oggi.
Vedere quanto lontana è
l'astrazione del colore a
olio e del bronzo fuso
dalla oscura volontà di
esistere che fumiga dal
pelo del cavallo e dal lento
movimento dei soavi muscoli
del pescecane.
L'uomo occidentale ha
voluto eludere il problema
della coesistenza con i
propri animali creando

l'arte a simbolo (3
totemico della inimicizia
con essi.
Inutile ripetere questo totem
eterno. Con il colore a olio
e il bronzo fuso l'inimicizia
è arrivata alla perfetta
letizia della capacità
dell'uomo di creare forme
astratte imitando le
sagome senza pelo degli
animali.

Ma quanto pelo (4
ancora c'è negli
animali di Lascaux.
Solo Leonardo dopo maniacali colloqui e incubi
con la natura degli
animali, Leonardo fece
disegni da portare alla
luce degli animali.
Mario Merz
14 settembre 1982

An die Tiere

Im Dunkel der Nacht der Welt bewegt sich
die Schnecke in ihrem rituellen Haus – die
Tiere sind hier mit dem schrecklichen
Geruch ihrer Körper – die Behaarung ist
nicht darstellbar.

Wie das Gras haarig ist, so haben die Tiere
ein Fell, aber nur der weit entfernte Orient
konnte die vegetative wie die animalische
Behaarung mit genügender Zuneigung
darstellen.
Der westliche Mensch hat Angst vor
Behaarung. Wie weit ist die Abstraktion der
Ölfarbe und der gegossenen Bronze vom
dunklen Willen zu sein entfernt, der aus
dem Haar eines Pferdes dünstet oder sich in
dem weichen Muskel eines sich
bewegenden Haies manifestiert.

Der westliche Mensch wollte das Problem
der Koexistenz von Mensch und Tier lösen,
indem er die Kunst zum totemischen
Symbol der Feindschaft zu ihnen machte.
Unnötig, dieses ewige Totem zu
wiederholen. Mit der Ölfarbe und der
Bronzeplastik ist der Kampf so
fortgeschritten, daß die Feindschaft
verschwunden ist, zugunsten der
vollkommenen Freude über die Fähigkeit
des Menschen, abstrakte Formen zu
erschaffen, die nackte Haut der Tiere
imitierend. Doch wieviele „Haare" haben
noch die Tiere der Höhlen in Lascaux!

Nur Leonardo, nach den schrecklichen
Zwiegesprächen und Alpträumen mit der
Natur dieser Tiere, Leonardo machte
Zeichnungen, um sie ans Licht zu bringen.

Mario Merz
14. Sept. 1982

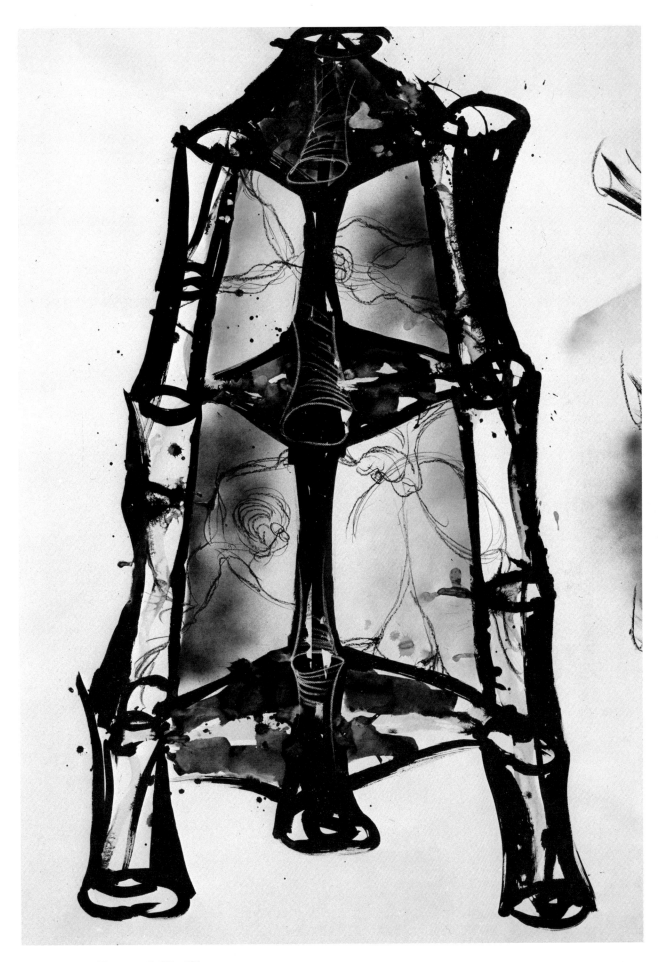

Bambusturm 1982 Aquarell 150 x 106 cm

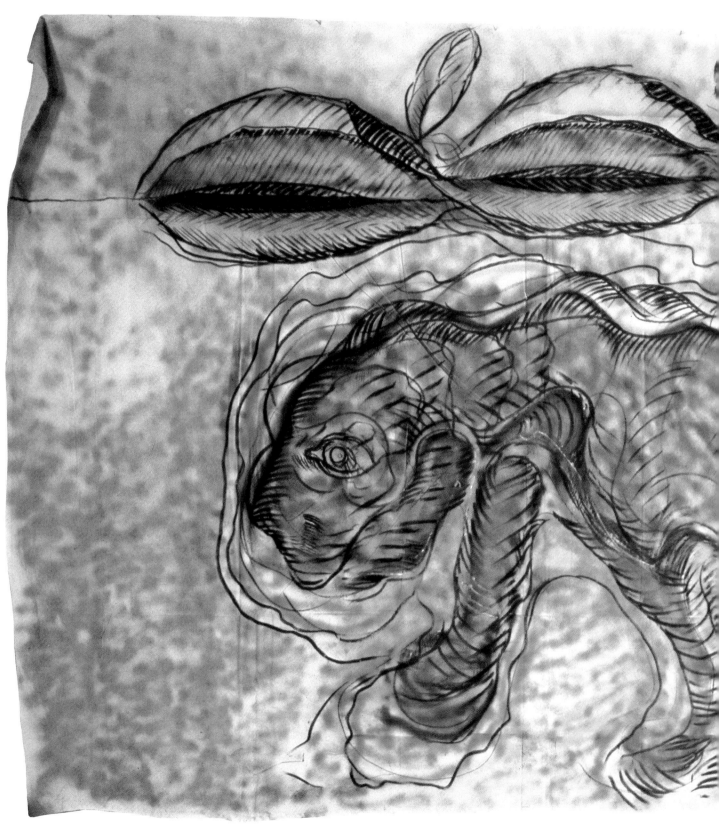

Tiger 1982
Öl auf Leinwand
280 x 500 cm

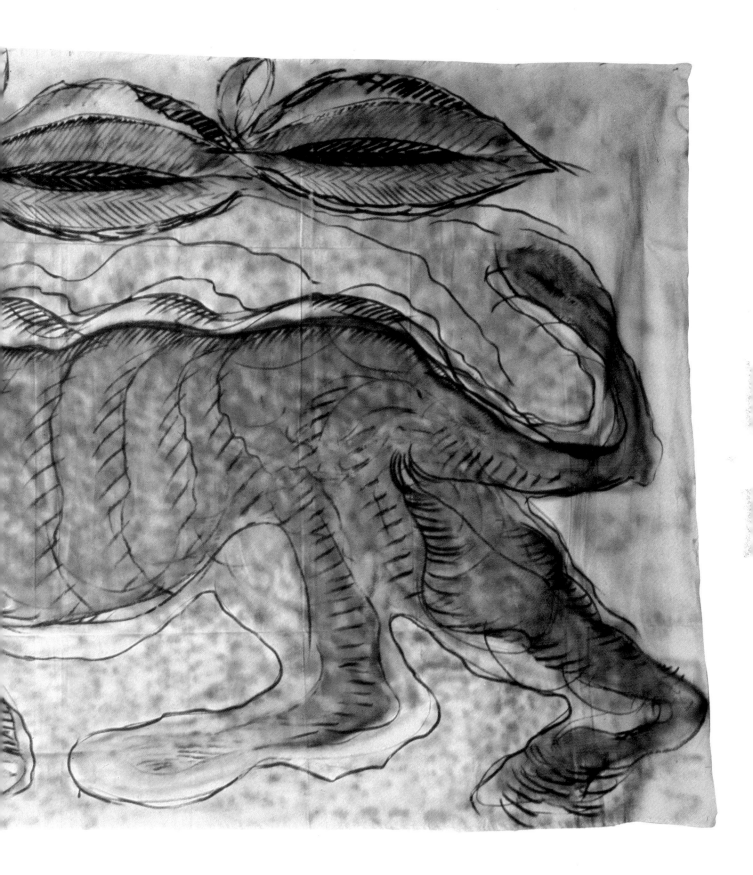

HELMUT MIDDENDORF

Flugzeugtraum 1982 400 x 300 cm

25–Einsamkeit der Köpfe 1982 400 x 300 cm

Hämmer 1982 400 x 300 cm

Im Malen 1982 400 x 300 cm

MALCOLM MORLEY

Landscape with Bullocks/Landschaft mit Ochsen 1981 270 x 180 cm

Indian Winter/Indischer Winter 1981 130 x 190 cm

Landscape with Horses/Landschaft mit Pferden 1980 270 x 180 cm

La plage/Der Strand 1980 181 x 246 cm

Camels and Goats/Kamele und Ziegen 1980 166 x 250 cm

Under the Lemontree/Unter dem Zitronenbaum 1981 143 x 188 cm

ROBERT MORRIS

Firestorm Series/Feuersturmserie 1982 100 x 114 cm

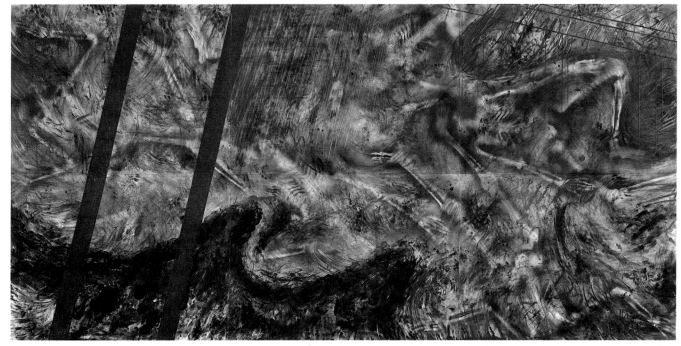

A
Da ist kein Bericht über die, die sofort zu Asche verbrannten oder unter den Trümmern begraben wurden oder in die Flüsse stürzten und weggetragen wurden oder von denen, die in das Inferno der Wirbelwinde des Feuersturms gerissen wurden. Noch ist da irgendein Bericht über die, die die Miyuki-Brücke überquerten an jenem Morgen, obgleich sich Kinzo Nishida an den Anblick eines nackten Mannes erinnerte, der am Fluß stand und seinen Augapfel in der Hand hielt.

B
Spätestens um 11 Uhr begann die Asche, die in hohe schwarze Wolken emporgewirbelt worden war, als ein klebriger schwarzer Regen niederzufallen. Die Wolken drifteten nach Nordwest und der Regen dauerte bis ungefähr 3 Uhr nachmittags. Die Flüsse waren schwarz wie chinesische Tinte. Alle Überlebenden jenes Tags zogen in Reihen über die Brücke stadtauswärts. Einige, zur Unkenntlichkeit verbrannt, saßen auf dem Pflaster und baten um Wasser. An den folgenden Tagen tauchten in den Trümmern kleine Papierschildchen auf. Jedes trug einen Namen und die Worte „Ich habe überlebt".

Firestorm Series/Feuersturmserie 1982 76 x 150 cm

A
Die an der Seite stehen, sollten halb im Schatten und halb im roten Licht stehen; und die jenseits der Flammenränder zu sehen sind, werden von rotem Licht beleuchtet werden gegen einen dunklen Hintergrund. Was ihre Handlungen betrifft, zeigen die, die nahe dabei stehen, wie sie mit ihren Händen und Mänteln einen Schirm bilden zum Schutz gegen die unerträgliche Hitze.
Leonardo

B
Der Feuersturm begann an jenem Morgen gegen 11 Uhr und dauerte bis 3 Uhr nachmittags, wobei er im Umkreis von 2 Kilometern um das Hypozentrum alles zu Asche verbrannte. Ein heftiger Wirbelwind machte den Himmel schwarz vor Asche. Viele, die an jenem Morgen zur Miyuki-Brücke gebracht wurden, starben an ihren Verbrennungen, bevor sie den Fluß überqueren konnten. Der Fluß war schwarz wie Tinte und alle Asche jenes Tages und ein klebriger schwarzer Regen fielen auf die Hinüberströmenden.

C
Autopsie von Fall 7: Oberkörper zeigt Merkmale thermischer Verbrennungen. Mehrfache Quetschungen im Gesicht, an rechter Schulter, linkem Unterarm und beiden Beinen. Quetschwunden am Kopf, blutende Verletzungen an der linken Schläfe. Rechte Pleurahöhle enthält eine Menge blutiger Flüssigkeit. Myokardiale Blutung. Leber und Nieren zeigen parenohymalen Verfall. Milz entleert von Lymphozyten. Lymphknoten zeigen deutliche Atrophie. Knochenmarkszerfall.

Firestorm Series/Feuersturmserie 1982 76 x 150 cm

Firestorm Series/Feuersturmserie 1982 76 x 150 cm

In einem Volumen nicht größer als zwei Handvoll dehnt sich ein Gas mit der
Dichte von Metall rascher aus als irgendein anderer bekannter Gegenstand im
Weltall. Gibt er die in ihm gebundene Energie auf, ordnet sich ein kleiner Klum-
pen schwerfälligen grauen Metalls von selbst in jedes nennbare Element
um. Zeit wird für einen Augenblick rückwärts in die Leere gezogen, während
Materie sich in Energie ausleert.

Draußen schmelzen Straßenbahnschienen und sieden Dachziegel, während die
tadt für einen Augenblick bebt, ehe die berstenden Druckwellen und nachfolgenden Feuerstürme eintreffen. Ein verbrannter und nackter Mann steht an
einer schwarzen Uferböschung und hält seinen Augapfel in der Hand unfähig
die Schönheit zu sehen, die der Umsturz des Universums für einige besaß.

Firestorm Series/Feuersturmserie 1982 76 x 200 cm

A
Gegen 11 Uhr vormittags verwandelte sich die hereinrauschende Luft in einen Wirbelwind und ein Feuersturm begann auf das Hypozentrum zu zu fegen und alles, was auf seinem Weg lag, zu Asche zu verbrennen. Der Himmmel wurde dunkel unter Wolken aus Asche, die später an jenem Tag als ein tödlicher schwarzer Regen niederfielen.

B
Da ist kein Bericht über die, die sich an jenem Morgen an der Miyuki-Brücke sammelten. Einige starben auf dem Pflaster an ihren Verbrennungen, bevor sie den Fluß überqueren konnten. Niemand hatte eine Ahnung, was geschehen war. Viele, denen es an jenem Tag gelang hinüberzukommen, wünschten sich später, sie hätten ihn nie überlebt.

C
Autopsie von Fall 11: Verbrennungen dritten Grades: Gesicht, linke Seite des Hinterkopf- und Schulterblattbereichs, rechte Gliedmaßen, rechte Brusthälfte. Quetschungen am Hinterkopf und am rechten Bein, Milzriß. Übelkeit, Durchfall, Fieber, Erbrechen, Erregungszustand vor Bewußtseinsverlust und Tod.

Firestorm Series/Feuersturmserie 1982 100 x 114 cm

MIMMO PALADINO

Presepe/Krippe 1982 300 x 300 cm

Anticamera/Vorzimmer 1982 300 x 300 cm

Poema alle porte di Belém/Gedicht auf die Tore von Bethlehem 1982 300 x 300 cm

Cometa delle Afriche/Komet Afrikas 1982 300 x 300 cm

Giardino chiuso/Hortus conclusus/Geschlossener Garten 1982 200 x 150 x 300 cm

DIS

Fast möchte ich schweigen, wenn ich an euch denke, aber dann erschrecke ich und danke: Ihr habt Sprache sinnlos gemacht.
Fast hättet ihr mich erstickt, erwürgt, versteinert.
Jetzt aus der Ferne und nachdem ich alle Schachpartien im Café verlor sehe ich deutlicher:
Was sind denn nun eure Kriterien?
Was denken eure Häuptlinge, die wie Minotaurus im Kern des Labyrinthes hocken.
Jetzt gibt es nur noch Bedingungen, Zwänge und Berücksichtigungen.
Was hast du nicht berücksichtigt?
Die Schizophrenie war schon sehr schlimm. Es verstarb die Ballettmaus im Katzenkostüm mit elektronischer Disziplin.
Worin seid ihr denn nun Vorbild?
Was ist euer Bild?
Dennoch, ich bin hier und eure Generäle träumen davon.
Es sind die schmerzlichen Erfahrungen plus formale Logik die mich immer noch zwingen an euch zu denken, mit euch zu sprechen.
Was ist Bild denn nun wirklich, was ist Realismus, was ist Dialektik?
Was denn nun?
Ich sehe, wie euer Fernsehturm über die Mauer strahlt
und ich weiß immer noch nicht, werden nun eure Spitzel bezahlt oder nicht
Hat eure Ideologie gesiegt?
Der Kurt den großen Orden kriegt.
Die Philosophie war aber mager.
Da steht er nun der alte Chef. Aber darüber kann ich lachen Willi. Wie du dich hier auf den Markt wirfst, schamlos und ohne Widerstand das scheint bei euch jetzt Sitte. Ja vorwärts!
Verkauft euch!
Ich weiß: Die große Hure öffnet die Schenkel und alles ist anders.
Wie tief werden sie noch herabsteigen müssen die Sieger der Geschichte.
. . . und stieg in sein eigenes Grab und auferstand und sagte: Es ist die selbe Milch mit der die große Wölfin Romulus und Remus säugte.
Vorsicht, der Druck in den Schichten nimmt zu.
Das Recht wird siegen und die Menschen werden zu Grunde gehen.
Das Alte ist stärker weil es alt ist.
Und das Neue?
Ja Günter, ich denke oft an das Gespräch, was wir beide an einem klaren Morgen im Espresso geführt haben.
Weshalb bist du weggelaufen? Wovor bist du weggelaufen?
Notwendige Fragen!
Jetzt, wo ich hier angelangt bin, sage ich dir du kannst nicht fliehen in den romantischen Traum von Macht.
Du kannst es ja versuchen die Macht zur Substanz zu machen.
Die Festigkeit wird mürbe und das Geordnete wird sich zerstreuen.
Ich habe verloren, weil ich keinen Weg mehr sah, denn ihr hattet alles um mich verstellt. Ja das war Macht! Aber du hast verloren, weil du weggelaufen bist. Ich habe wieder einen Weg gefunden und du hast auch noch ne Chance: Male deinen schwarzen Flügel rot an und ziehe daraus die Konsequenz!
Was ist denn nun das Neue?
DIS DIS E E DIS, meine moderne Melodie.
Darüber kannst du improvisieren mein Freund.
Darüber könnt ihr nachdenken.

CHI TONG

Bin ich hier um nett zu sein
mit den netten Leuten fein
mit den feinen Leuten nett
und der Bauch wird langsam fett
oder kann ich hier auch schrein
mit den Punkies und allein
ja was darf es denn noch sein
Bin ich schon so weit gelaufen
will ich mich auch gut verkaufen
mit dem Geld schaff ich mir an
eine Supergeisterbahn
ja ganz logisch ist das nicht
ich fahr schnell vorbei
bitte ein kleines Gedicht
Wup flop bap bim bim bam bum
ich bin so frei
wieder eine Runde um.
Herrlich ist die Geisterbahn
und es fängt von vorne an
Sador lacht
ich hab die Macht
ganze Welten zu vernichten
wenn die Zombies sich verdichten
Doch dann kommt Gelt
ich bin die Axt die dich Baum fällt
Wütend mit den Augen rollt
der gespenstisch bleiche Golt
Laß ihn mir
Das ist mein Bier
Mann bist Du sentimental
Wo ist Oehl
bei der femme fatal
ja ganz logisch ist das nicht
dieses Menschenfleischgericht
Immer rennt wer irgendwem
hinterher und außerdem
ist die Jagd ganz unbequem
Immer diese wundgerittne
Stelle in der Körpermitte
besser hat es Supermann
dieser elegante Flieger
stürzt in meiner Geisterbahn
in den Rachen von dem Tiger
während dieses Vieh
sich amüsiert mit blue Movie
Vampir schleicht sich da heran
will sie aussaugen, Mann
gerade
ist er vollgekleckst mit Marmelade
fährt hoch voll Wut
immer dieses verdorbene Blut
Das tut nicht gut
denn die Wirklichkeit ist nüchtern
und die Mädchen sind auch schüchtern
chi chi tong tong
is ohne belong
ganz am Ende sieh
das traurige Gesicht von Bruce Lee
Hinter ihm die Kämpferschar
übt und übt ganz sonderbar
diesen einen Todesschlag
das ist dann der letzte Tag
und die bösen werden Schutt
und die Guten gehn kaputt

Dis 1982 5 x 10 m

Chi Tong 1982 5 x 10 m

Der Geist von L.   1981   208 x 66 x 52 cm

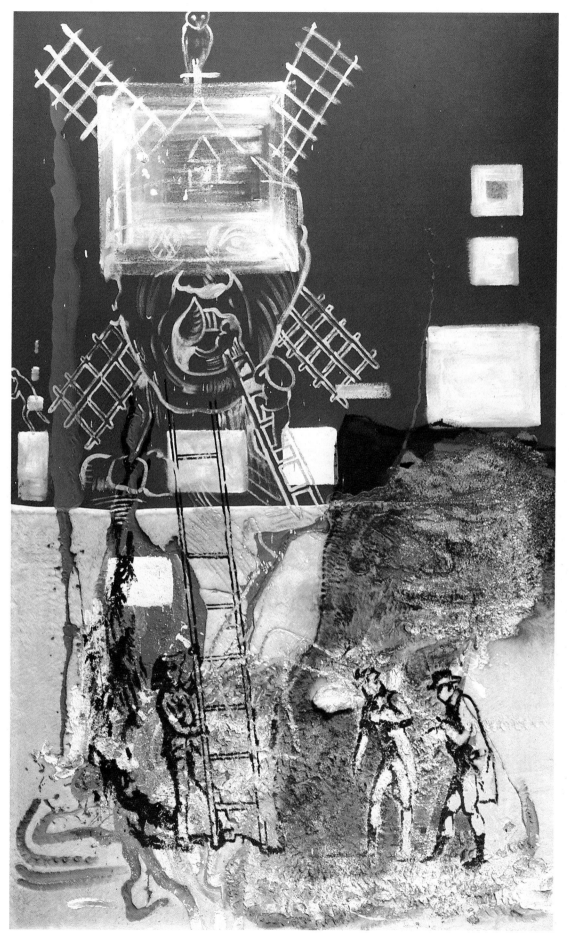

Tafel: Vermessung der Steine im Bauch des Wolfes und das anschließende Zermalen der Steine zu Kulturschutt 1980

Magnetische Malerei einer antimagnetischen Landschaft (magnetische Malerei I) 1981 290 x 290 cm

Medium (magnetische Malerei II) 1982 290 x 290 cm

a—d. Farbwechsel bei Plattfischen. a Junge Scholle (Pleuronectes) mit der gruppentypischen Verteilung von Farb-
zentren. b—d Das gleiche Individuum von Platophrys podas auf verschiedenem Untergrund, dessen Muster es sich nach
Möglichkeit anpaßt (Phot. Brit. Museum)

Farbwechsel bei Plattfischen 1981 28 x 21 cm

United States 1975 289,6 x 480,1 cm

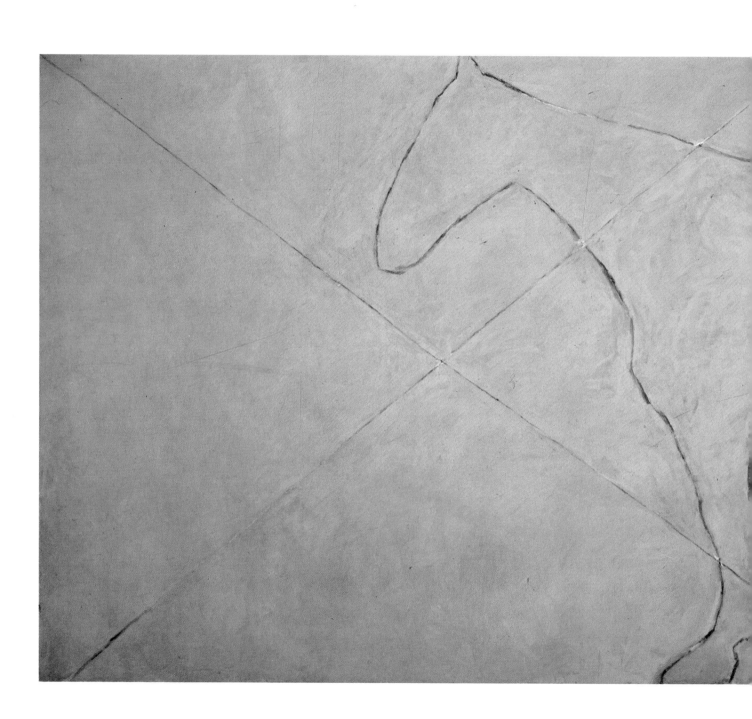

Siena dos Equis 1974 285 x 685 cm

DAVID SALLE

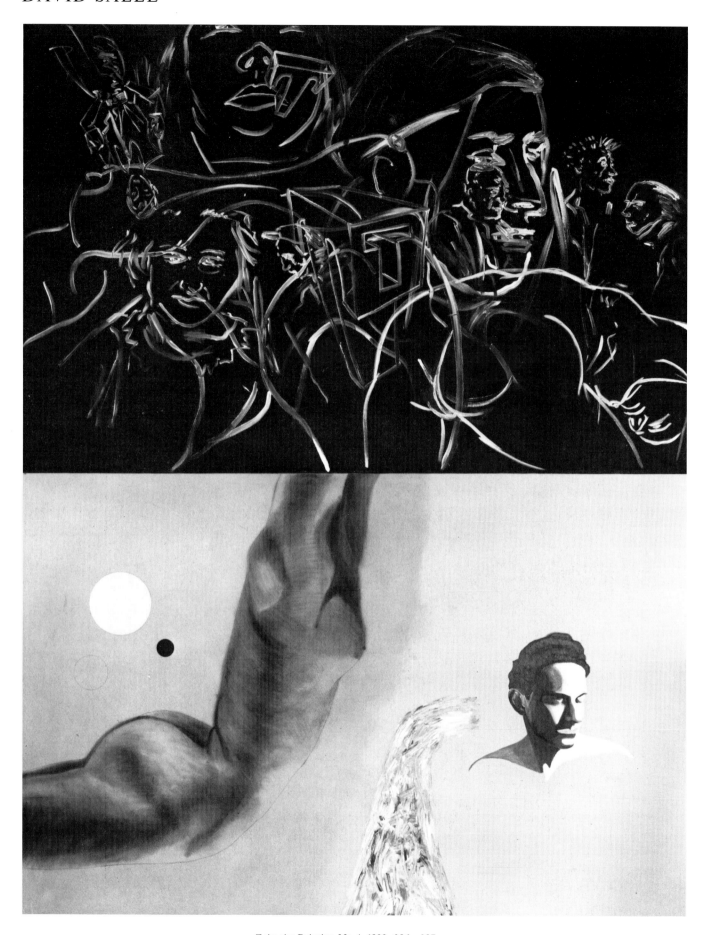

Zeitgeist Painting Nr. 4 1982 396 x 297 cm

Zeitgeist Painting Nr. 2 1982 (vorläufiger Zustand)   396 x 297 cm

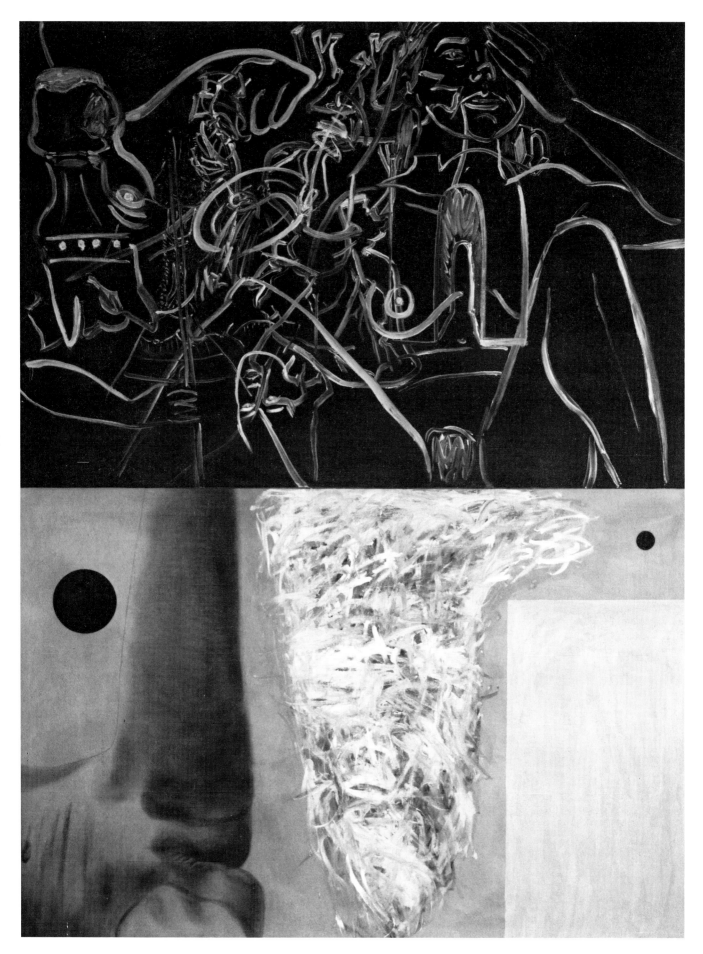

Zeitgeist Painting Nr. 3 1982 (vorläufiger Zustand) 396 x 297 cm

Was my Husband a Doctor or a Patient/War mein Mann Arzt oder Patient Zeitgeist Painting Nr. 1 1982 396 x 297 cm

SALOMÉ

Zeitgeist I 1982 400 x 300 cm

Zeitgeist II 1982 400 x 300 cm

Zeitgeist III 1982 400 x 300 cm

Zeitgeist IV 1982 400 x 300 cm

JULIAN SCHNABEL

Untitled for Alan Moss/Ohne Titel für Alan Moss 1981 270 x 300 cm

Aorta 1981 300 x 420 cm

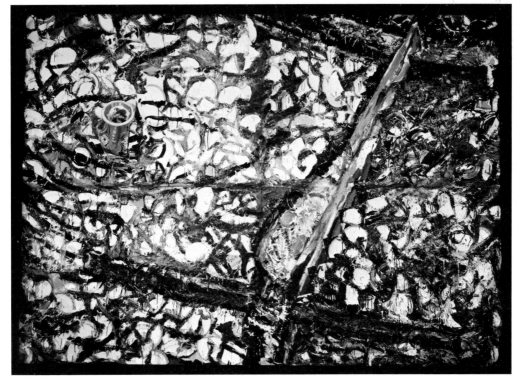

Oar: For the One who Comes Out to Know Fear/Ruder: Für einen der auszieht, das Fürchten zu lernen 1981 318 x 438 cm

Pre History: Glory, Honor, Privilege and Poverty/Frühgeschichte: Ruhm, Ehre, Privileg und Armut 1981 324 x 450 cm

The Sea/Das Meer 1981 300 x 390 cm

Portrait of my Daughter/Bildnis meiner Tochter 1982 270 x 210 cm

Shards II 1982 302,8 x 340,3 cm

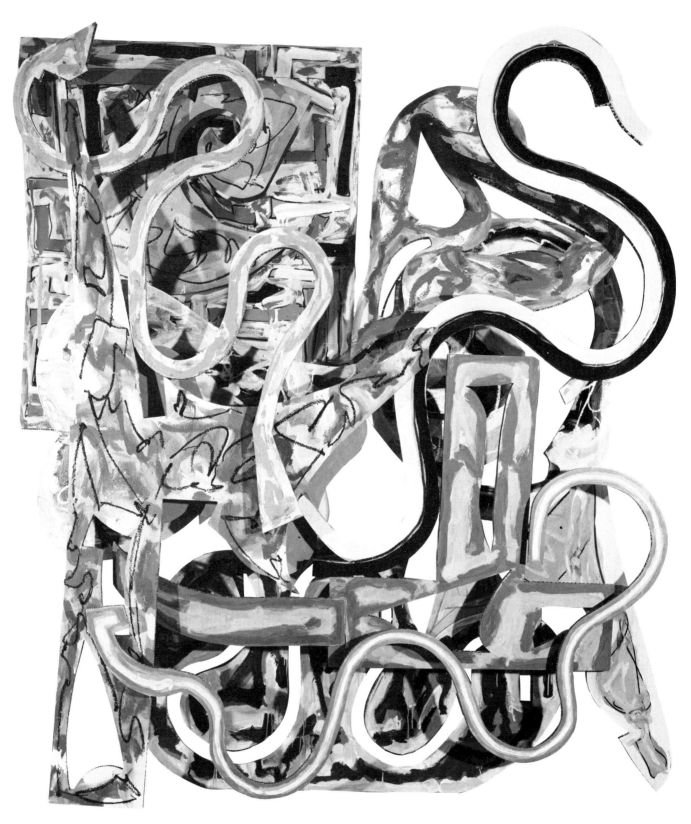

Pau 1981 325 x 290 cm

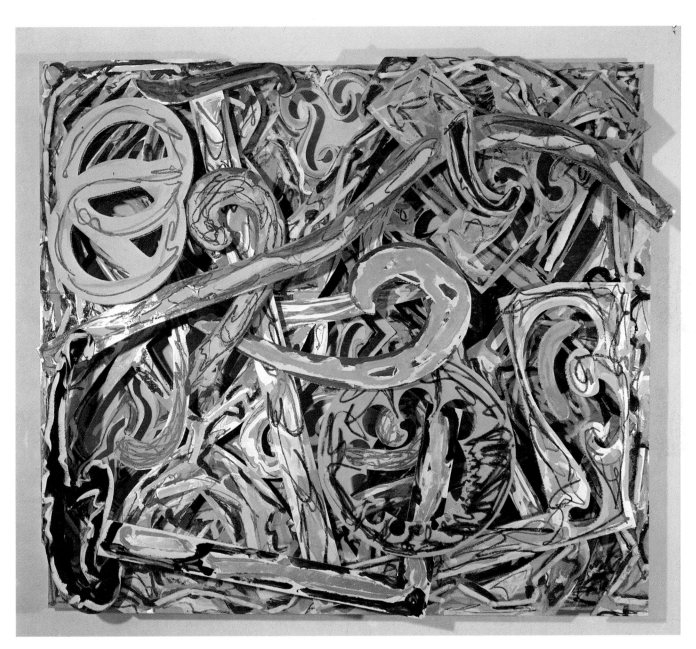

Silverstone 1981 267 x 307,5 cm

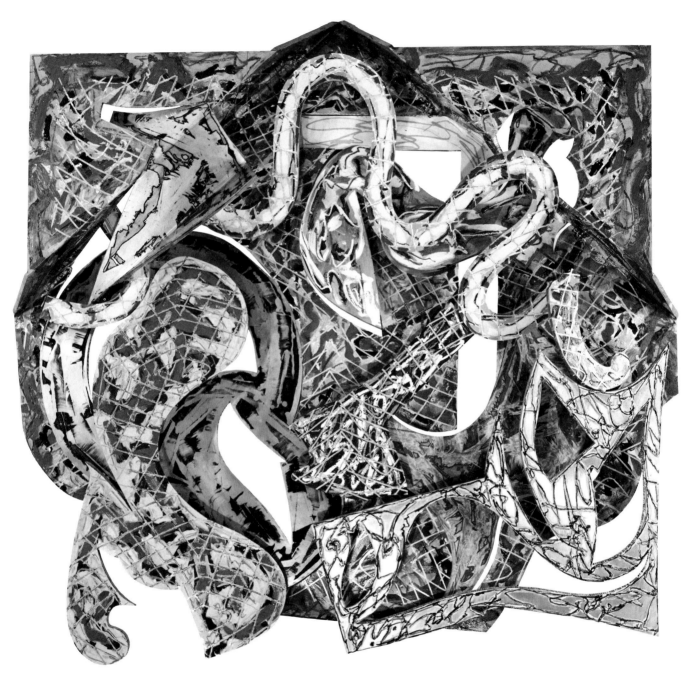

Thruxton 1982 275 x 278 cm

Silverstone II 1982 282 x 320 cm

VOLKER TANNERT

Triumph des Willens 1982 200 x 300 cm

Unsere Wünsche wollen Kathedralen bauen 1982 270 x 440 cm

Ohne Titel 1982 150 x 200 cm

Goethe in Italy/Goethe in Italien 1978 Bild in sechs Teilen
I: 119,5 x 62 cm

II: 192 x 156 cm

III: 120 x 88,7 cm

IV: 192 x 156 cm

V: 192 x 312 cm

VI: 71,5 x 101 cm

ANDY WARHOL

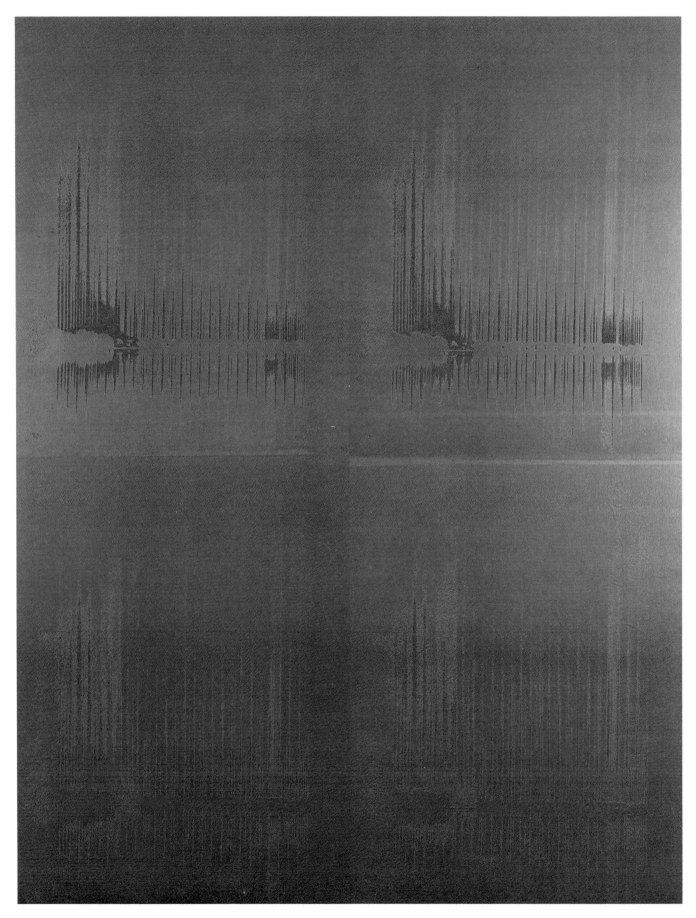

Reflected/Reflektiert 1982 90 x 70 cm

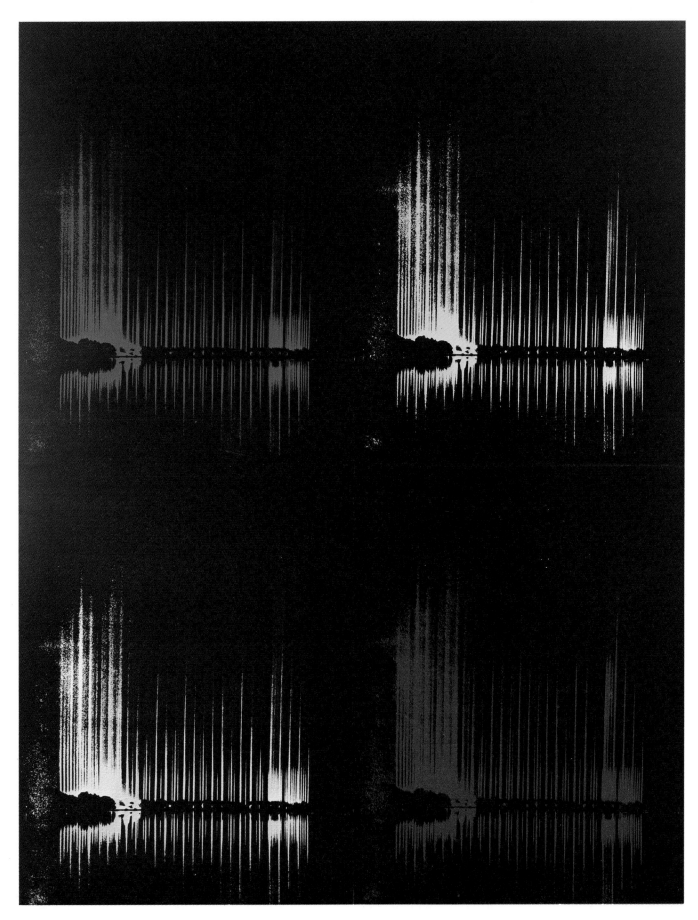

Reflected/Reflektiert 1982 90 x 70 cm

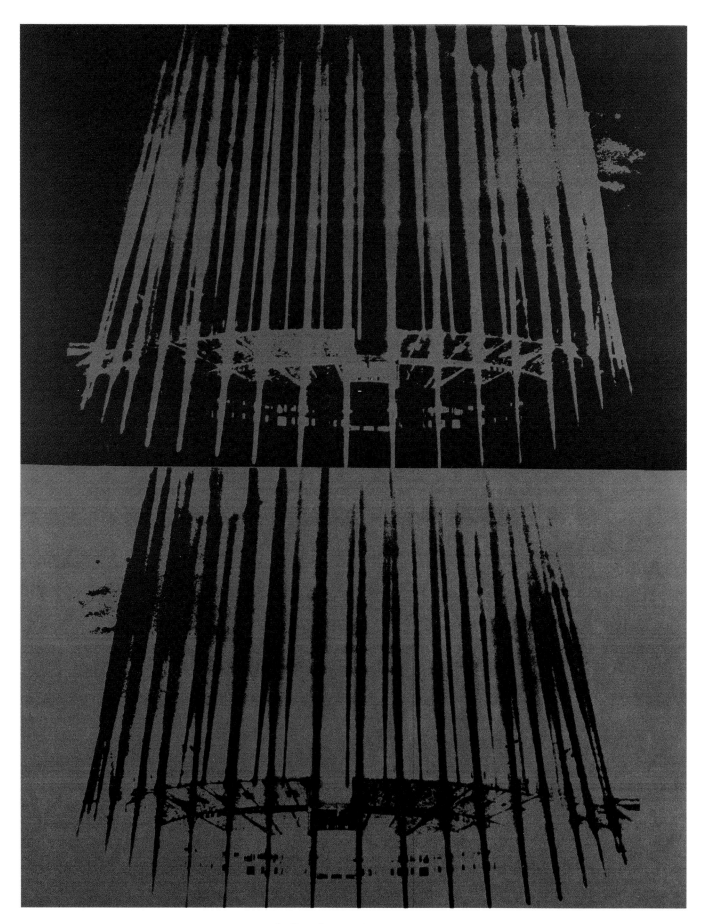

Stadium/Stadion 1982 90 x 70 cm

Biografien

Bei allen Künstlern sind
Ausstellungsverzeichnisse und
Bibliografien nur im Auszug
wiedergegeben.

Siegfried Anzinger

1953 in Weyer bei Steyr in Oberöster-
   reich geboren
1971 Abitur in Steyr
1971 – 76 Studium an der Akademie
   der bildenden Künste in Wien
1982 Übersiedlung nach Köln

Einzelausstellungen
1976
Galerie Herzog, Wien
1978
Galerie Ariadne, Wien
1979
Österr. Hochschülerschaft,
Kulturzentrum, Wien
1980
Sigrid Friedrich Sabine Knust
Galerie & Edition, München
Galerie Krinzinger, Innsbruck
Galerie Ariadne, Wien
1981
Sigrid Friedrich Sabine Knust
Galerie & Edition, München
Perspektive, Art Basel
Kunstmarkt Köln
1982
Galerie Buchmann, St. Gallen
Galerie Krinzinger, Innsbruck
Galerie Nächst St. Stephan, Wien

Gruppenausstellungen
1977
Palais Liechtenstein (Interkunst),
Wien
Galerie Ariadne, Wien
1978
Galerie Ariadne, Wien
1979
Ursulinenhof, Linz
Zeichnung heute, Nürnberg
Galerie Ariadne, Wien
1980
Malerei 80, P. Weiermair,
Galerie Annasäule, Innsbruck
Galerie Ariadne, Wien
1981
Galerie Buchmann, St. Gallen
Kunstpreis NÖ-Art, Wien
Neue Malerei in Österreich,
Landesgalerie Joanneum, Graz
Phoenix, Alte Oper Frankfurt
1981/82
Galerie Vera Munro, Hamburg (mit
Daniel Nagel und Bernd Zimmer)

1982
Kunstmuseum Luzern
Österreichische Figuration,
Galerie Six Friedrich, München
Documenta 7, Kassel

Wichtige Kataloge
Galerie Ariadne, Wien 1979
Galerie Ariadne, Wien 1980

Übrige Bibliografie
Armin Wildermuth, „Siegfried
Anzinger, Hubert Schmalix",
Galerie & Edition Buchmann,
St. Gallen 1982
Wilfried Skreiner, „The Austrian
Trans-Avantgarde", *Flash Art,*
Feb./März 1982

Georg Baselitz

1938 in Deutschbaselitz/Sachsen
   geboren
1956/57 Studium der Malerei an der
   Hochschule für bildende und
   angewandte Kunst in Berlin
   (DDR)
1957 Übersiedlung nach West-Berlin
1957 – 64 Studium der Malerei an der
   Hochschule für bildende
   Künste, Berlin, bei Hann Trier
1961 *Erstes Pandämonium,* Manifest
   und Ausstellung mit Eugen
   Schönebeck gegen den
   Tachismus zugunsten eines
   pathetischen Realismus
1962 *Zweites Pandämonium,* Manifest
   mit Eugen Schönebeck
1963 Ausstellung in der Galerie
   Michael Werner und Benjamin
   Katz, Beschlagnahme der beiden
   Bilder *Die große Nacht im Eimer*
   und *Der nackte Mann* durch die
   Staatsanwaltschaft. Strafprozeß
   bis 1965, Einstellung des
   Verfahrens und Rückgabe der
   Bilder
1965 Stipendium Villa Romana,
   Florenz
1966 *Die großen Freunde,* Manifest und
   Ausstellung in der Galerie
   Rudolf Springer, Berlin
   Übersiedlung nach Osthofen bei
   Worms

1969 Porträts und Landschaftsbilder,
   auf den Kopf gestellt
1975 Übersiedlung nach Schloß
   Derneburg bei Hildesheim
1977 Professur an der Staatlichen
   Kunstakademie, Karlsruhe

Einzelausstellungen
1961
1. Pandämonium, Manifest und
Ausstellung mit Eugen Schönebeck,
Berlin
1963
Galerie Werner & Katz, Berlin
1964
Galerie Werner, Berlin
1965
Galerie Werner, Berlin
Galerie Friedrich & Dahlem, Berlin
1966
Die großen Freunde, Galerie Rudolf
Springer, Berlin
1970
Kunstmuseum Basel
Wide White Space Gallery,
Antwerpen
Galerie Heiner Friedrich, München
1972
Städtische Kunsthalle, Mannheim
Kunstverein Hamburg
1973
Galerie Heiner Friedrich, München
1974
Städtisches Museum, Schloß
Morsbroich, Leverkusen
1975
Galerie Michael Werner, Köln
1976
Kunsthalle Bern
Galerieverein München und Staats-
galerie moderner Kunst, München
Kunsthalle Köln
1978
Galerie Helen van der Meij,
Amsterdam
Galerie Heiner Friedrich, Köln
1979
Galerie Gillespie/Laage/Salomon,
Paris
Van Abbemuseum, Eindhoven
Linolschnitte, Kunsthalle Köln
1980
Galerie Heiner Friedrich, Köln
Whitechapel Art Gallery, London
Linolschnitte, Galerie Rudolf
Springer, Berlin

1981
Straßenbild, Galerie Michael Werner,
Köln
Linolschnitte, Van Abbemuseum,
Eindhoven
Straßenbild, Stedelijk Museum,
Amsterdam
Kunstverein Braunschweig
Xavier Fourcade, New York
1982
Ileana Sonnabend Gallery, New York
Galerie Helen van der Meij,
Amsterdam
Gouachen, Zeichnungen, Galerie
Michael Werner, Köln
Young Hoffmann Gallery, New York

Gruppenausstellungen
1964
Deutscher Künstlerbund, Hochschule
für bildende Künste, Berlin
1966
Labyrinthe, Akademie der Künste,
Berlin; Staatliche Kunsthalle Baden-
Baden; Kunsthalle Nürnberg
1968
14 x 14, Kunsthalle Baden-Baden
1969
Sammlung 1968 Karl Ströher, National-
galerie Berlin; Kunsthalle Düsseldorf;
Kunsthalle Bern
1972
Documenta 5, Kassel
1975
Biennale Sao Paulo
1978
Ink, Zürich
1979
Werke aus der Sammlung Crex, Ink,
Zürich; Louisiana Museum,
Humlebaek; Van Abbemuseum,
Eindhoven; Städtische Galerie im
Lenbachhaus, München
1980
Biennale Venedig, Deutscher Pavillon
Der gekrümmte Horizont, Akademie
der Künste, Berlin
Whitechapel Art Gallery, London
300 dessins 1945 – 78, Bordeaux (mit
Beuys und Penck)
Après le classicisme, Musée d'art et
d'industrie, Saint Etienne
1981
Art Allemagne aujourd'hui, Musée
d'art moderne de la ville de Paris
A New Spirit in Painting, Royal
Academy, London

Malerei in Deutschland, Palais des
Beaux-Arts, Brüssel
Kunsthalle Düsseldorf (mit Gerhard
Richter)
Westkunst, Köln
1982
Studio Marconi, Mailand (mit
Lüpertz, Penck, Immendorff,
Kirkeby, Kiefer)
Avanguardia – Transavanguardia,
Rom
Documenta 7, Kassel
German Drawings of the 60's, Yale
University

Eigene Veröffentlichungen
„Warum das Bild ‚Die großen
Freunde' ein gutes Bild ist!", Manifest,
Berlin 1966
„1. Pandämonium" (1961), „2. Pandä-
monium" (1962) und Brief „Lieber
Herr W." (1963), *Die Schastrommel*,
Hg. Günter Brus, Nr. 6, März 1972

Wichtige Kataloge
Galerie Werner & Katz, Berlin 1963
Galerie Friedrich & Dahlem,
München 1965
14 x 14, Kunsthalle Baden-Baden 1968
Baselitz-Zeichnungen, Kunstmuseum,
Basel 1970
*Georg Baselitz – Tekeningen en
Schilderijen*, Wide White Space
Gallery, Antwerpen 1970
Kunstverein Hamburg 1972 (2. rev.
Ed. Galerie Rudolf Zwirner/Heiner
Friedrich, Köln 1972)
*Radierungen 1963–1976/Holzschnitte
1966–1967*, Städtisches Museum,
Schloß Morsbroich, Leverkusen 1974
Zeichnungen, Galerie Michael
Werner, Köln 1974
Biennale Sao Paulo, Köln und
Sao Paulo 1975
Kunsthalle Bern 1976
Staatsgalerie moderner Kunst,
München 1976
Linolschnitte, Kunsthalle Köln 1976
Van Abbemuseum, Eindhoven 1979
Georg Baselitz, Biennale Venedig 1980
Kunstverein Braunschweig 1981

Übrige Bibliografie
Martin G. Buttig, „Der Fall Baselitz",
Der Monat, Bd. 17, Nr. 203, Aug. 1965
Edouard Roditi, „Le Néo-Nazisme
artistique à Berlin-Ouest", *L'Arche,
Revue du FSJU*, Nr. 98, März 1965

Heinz Ohff, „Das neue Portrait",
Kunstforum International, Bd. 1,
Nr. 6–7, 1973
Cornelia Schulz-Hoffmann, „Georg
Baselitz", *Kunstforum International*,
Bd. 2, Nr. 20, 1977
Theo Kneubühler, „Malerei als
Wirklichkeit", *Kunst-Bulletin*, Nr. 2,
Feb. 1978

Joseph Beuys

1921 in Krefeld geboren
     Kindheit und Schulzeit in
     Rindern und Kleve
1941 Ausbildung zum Kriegsflieger in
     Erfurt
1941 – 44 Als Kriegsflieger in Südruß-
     land, Rumänien, Ungarn und
     Kroatien
1944 – 45 Als Soldat in Holland und
     Nordwestdeutschland
1945 – 46 Englische Kriegsgefangen-
     schaft
1946 Rückkehr nach Kleve
1947 – 52 Ausbildung zum Bildhauer
     an der Düsseldorfer Kunst-
     akademie bei Josef Enseling und
     Ewald Mataré
1952 – 54 Eigenes Atelier in der
     Kunstakademie
1957 Erholung in Kranenburg nach
     einer depressiven Phase
1958/59 Vollendung des Krieger-
     denkmals in Büderich
1961 Hochschullehrer an der
     Düsseldorfer Kunstakademie,
     Bildhauerklasse
1964 Teilnahme an der *Documenta*
     Performance *Der Chef*,
     Galerie Block, Berlin
1965 Performance *Wie man dem toten
     Hasen die Bilder erklärt* in
     Düsseldorf
1966 *Eurasia*, Performance in
     Kopenhagen und Berlin
1968 Karl Ströher kauft eine
     Ausstellung des Museums
     Mönchengladbach für das
     Museum in Darmstadt
1972 Entlassung als Hochschullehrer,
     die durch den Höchsten
     Gerichtshof rückgängig gemacht
     wird

1974 *Coyote-Performance* in New York
1977 *Honigpumpe* auf der *Documenta*
in Kassel
1979/80 Retrospektive im Guggenheim Museum, New York

Einzelausstellungen
1961
*Zeichnungen/Aquarelle/Ölbilder/
plastische Bilder aus der Sammlung
van der Grinten,* Städtisches Museum
Haus Koekkoek, Kleve
1963
*Joseph Beuys Fluxus – Aus der
Sammlung van der Grinten,* Stall-
ausstellung im Hause van der
Grinten, Kranenburg
1967
Städtisches Museum
Mönchengladbach
1968
Van Abbemuseum, Eindhoven
1969
Zeichnungen, kleine Objekte,
Kunstmuseum Basel
1969/70
Werke aus der Sammlung Karl Ströher,
Kunstmuseum Basel
1970
Tekeningen uit de coll. van der Grinten,
Zeews Museum Middelburg
Kunstverein Ulm
*Sammlung Hans und Franz van der
Grinten, Kranenburg,*
Galerie im Taxispalais, Innsbruck
1971
Handzeichnungen, Herzog-Anton-
Ulrich-Museum, Braunschweig
*Zeichnungen und Objekte 1937 bis
1970, aus der Sammlung van der
Grinten,* Moderna Museet, Stockholm
*Entwürfe, Partituren, Projekte,
Zeichnungen,* Galerie René Block,
Berlin
*Objekte und Zeichnungen aus der
Sammlung van der Grinten,*
Von-der-Heydt-Museum, Wuppertal
*La Rivoluzione siamo noi – Partitura
di Joseph Beuys,* Modern Art Agency
Neapel
1972
*Zeichnungen und andere Blätter aus
der Sammlung Karl Ströher,*
Hessisches Landesmuseum,
Darmstadt
Selbstporträts – Weekend,
Galerie René Block, Berlin

Zeichnungen von 1949 bis 1969,
Galerie Schmela, Düsseldorf
1974
*The Secret Block for a Secret Person in
Ireland (Zeichnungen 1936 bis 1972),*
Wanderausstellung: Museum of
Modern Art, Oxford; National
Gallery of Modern Art, Edinburgh;
ICA, London; Municipal Gallery of
Modern Art, Dublin; Arts Council
Gallery, Belfast
Zeichnungen 1946 – 1971,
Museum Haus Lange, Krefeld
1975
*Joseph Beuys, Zeichnungen, Bilder,
Plastiken, Objekte, Aktionsphoto-
graphien,* Kunstverein Freiburg
1977
Museum van Hedendaagse Kunst,
Gent
Richtkräfte, Nationalgalerie Berlin
1979
Guggenheim Museum, New York
1979/80
Museum Boymans – van Beuningen,
Rotterdam
1980
Zeichnungen, Museum Boymans –
van Beuningen, Rotterdam
Badischer Kunstverein, Karlsruhe
1981
Nijmeegs Museum, Caommanderie
van St. Jan
Anthony D'Offay, London

Gruppenausstellungen
1963
Schmela Auktion 1 – moderne Kunst
Düsseldorf
1964
Documenta 3, Kassel
1965
Kinetik und Objekte, Staatsgalerie
Stuttgart
1967
Fetisch-formen, Städtisches Museum
Schloß Morsbroich, Leverkusen;
Haus am Waldsee, Berlin
Hommage à Lidice,
Galerie René Block, Berlin
1968
Sammlung 1968 Karl Ströher, Galerie-
Verein München, Neue Pinakothek,
Haus der Kunst
Documenta 4, Kassel

1969
Sammlung Karl Ströher, Neue
Nationalgalerie Berlin
Städtische Kunsthalle Düsseldorf
When Attitudes Become Form,
Kunsthalle Bern
intermedia 69, Heidelberg
Düsseldorfer Szene, Kunstmuseum
Luzern
1970
Jetzt, Künste in Deutschland heute,
Kunsthalle Köln
Kunst und Politik, Badischer Kunst-
verein Karlsruhe
Die Handzeichnungen der Gegenwart,
Staatsgalerie Stuttgart
Zeichnungen, Städtisches Museum
Leverkusen
Das Ding als Objekt, Kunsthalle
Nürnberg
*Bildnerische Ausdrucksformen 1960 –
1970, Sammlung Karl Ströher,*
Darmstadt
Biennale d'arte contemporanea,
San Benedetto del Tronto
1971
Happening & Fluxus, Kölnischer
Kunstverein
*Was die Schönheit sei, das weiß ich
nicht – Künstler, Theorie, Werk, Zweite
Biennale Nürnberg Sammlung Cremer –
Kunst der sechziger Jahre,*
Heidelberger Kunstverein
Zeitgenössische Deutsche Kunst,
Nationalmuseum für moderne Kunst,
Tokio
Prospect 71, Kunsthalle Düsseldorf
1972
Documenta 5, Kassel
Szene Rhein-Rhur '72,
Museum Folkwang, Essen
1973
Kunst im politischen Kampf,
Kunstverein Hannover
Kunst und Fotografie,
Kunstverein Hannover
Op Losse Schroeven,
Stedelijk Museum, Amsterdam
1974
Art into Society, Society into Art,
ICA, London
1977
Documenta 6, Kassel
1978
Door beeldhouwers gemaakt,
Stedelijk Museum, Amsterdam
1981
Westkunst, Köln

1982
'60 - '80,
Stedelijk Museum, Amsterdam
Documenta 7, Kassel

Wichtige Kataloge
Joseph Beuys ... aus der Sammlung
van der Grinten, Städtisches Museum
Haus Koekkoek, Kleve 1961
Stallausstellung im Hause van der
Grinten, Kranenburg 1963
Moderna Museet, Stockholm 1971
Art into Society, Society into Art,
ICA, London 1974
Kunstverein Freiburg, 1975
Kestner-Gesellschaft, Hannover 1975
Joseph Beuys, Multiples, Catalogue
Raisonné, Schellmann & Kluser,
München 1977
Museum van Hedendaagse Kunst,
Gent 1977
Museum Boymans - van Beuningen,
Rotterdam 1979/80
Guggenheim Museum, New York
1979/80

Übrige Bibliografie
Joseph Beuys, Eine Straßenaktion,
anläßlich *Aktuelle Kunst Hohe Straße*
Köln '71, Edition Dietmar Schneider,
Köln, o. J.
Joseph Beuys, „Multiples + Grafik",
München 1971, erweiterte Auflage,
München 1972
Joseph Beuys, „1 a gebratene Fisch-
gräte", Berlin 1972
Joseph Beuys, „Zeichnungen
1947 - 59 I" (Gespräch zwischen
Joseph Beuys und Hagen Lieber-
knecht - geschrieben von Joseph
Beuys), Köln 1972
Heiner Bastian, „Tod im Leben",
Gedicht für Joseph Beuys,
München 1972
Lothar Romain, Rolf Wedewer,
„Über Beuys", Düsseldorf 1972
Joseph Beuys, „Jeder Mensch ein
Künstler, Gespräche auf der
documenta 5, 1972", aufgezeichnet
von Clara Bodenmann-Ritter,
Frankfurt 1975
Götz Adriani, Winfried Konnertz,
Karin Thomas, „Joseph Beuys",
Köln 1973 (Neuauflage 1981)
Caroline Tisdall, „Coyote",
München 1976
Christos M. Joachimides,
„Richtkräfte", Berlin 1977

Germano Celant, „Beuys tracce in
Italia", Neapel 1978
„Similia similibus", Joseph Beuys
zum 60. Geburtstag, hg. von
Johannes Stüttgen, Köln 1981
Heiner Bastian, Franz Joseph van der
Grinten, Hans van der Grinten,
„Ölfarben, Oilcolors 1936 - 1965",
München 1981
Caroline Tisdall, „Joseph Beuys,
dernier espace avec introspecteur",
London 1982
„Zirkulationszeit", Worms 1982 (mit
einer Einleitung von Peter Anselm
Riedl)

Erwin Bohatsch

1951 in Mürzzuschlag geboren
1966 - 70 Kunstgewerbeschule in
  Graz
1971 - 76 Studium an der Akademie
  der bildenden Künste, Wien
Lebt in Fehring, Steiermark

Einzelausstellungen
1977
Galerie Brandstätter & Cie., Wien
1980
Oberösterreichisches Landeskultur-
zentrum Ursulinenhof, Linz
1981
Galerie Ariadne, Wien
1982
Galerie Arte Viva, Basel
1983
Galerie Ariadne, Wien

Gruppenausstellungen
1972
Meisterklassen-Ausstellungen in der
Clubgalerie, Secession, Wien
1974
Impulse, Maria Schutz
1977
Interkunst, Palais Liechtenstein, Wien
1978
Tendenzen und Wege, Secession, Wien
1979
Galerie Ariadne, Wien
1980
Kunstszene Wien, Künstlerhaus, Wien
XV. Internationale Malerwochen,
Neue Galerie, Graz

1980/81
Kunst auf Rezept?, Künstlerhaus Wien
1981
Galerie Ariadne, Kunstmarkt Köln
Galerie Ariadne, Art Basel
1982
Galerie Ariadne, Kunstmesse Madrid
Galerie Ariadne, Art Basel
Junge Maler aus Österreich, Kunst-
museum Luzern; Rheinisches
Landesmuseum Bonn

Jonathan Borofsky

1942 in Boston geboren
1964 Studium an der Carnegie Mellon
  University und der École de
  Fontainebleau
1966 Studium an der Yale School of
  Art and Architecture
1969 - 77 Lehrer an der School of
  Visual Arts
1977 - 80 Lehrer am California
  Institute of the Arts

Einzelausstellungen
1975
Paula Cooper Gallery, New York
1976
Wadsworth Atheneum, Hartford,
Connecticut
Paula Cooper Gallery, New York
1977
University of California, Irvine
1978
Protetch-McIntosh Gallery,
Washingthon
Thomas Lewallen Gallery,
Los Angeles
University Art Museum, Berkeley,
Kalifornien
Corps de Garde, Groningen
Projects Gallery, Museum of Modern
Art, New York
1979
Ink, Zürich
Portland Center for the Visual Arts,
Oregon
1980
Paula Cooper Gallery, New York
Hayden Gallery, Massachusetts
Institute of Technology, Cambridge,
Massachusetts

1981
The Contemporary Arts Museum,
Houston, Texas
Galerie Rudolf Zwirner, Köln
Dreams 1973 – 81, Kunsthalle Basel
Institute of Contemporary Art,
London
1982
Museum Boymans – van Beuningen,
Rotterdam
Museum van Hedendaagse Kunst,
Gent

Gruppenausstellungen
1969
No. 7, Paula Cooper Gallery,
New York
1973
Artists Space, New York
1974
Drawing and Other Work,
Paula Cooper Gallery, New York
1975
Auteography, Downtown Branch,
Whitney Museum of American Art,
New York
1976
Internationale Tendenzen 1972 – 1976,
Biennale Venedig
SoHo, Akademie der Künste, Berlin
und Louisiana Museum, Humlebaek
1977
Surrogates/Self-Portraits,
Holly Solomon Gallery, New York
1979
Whitney Biennial, Whitney Museum
of American Art, New York
1980
Dammi il tempo di guardare,
Padiglione d'Arte Contemporanea,
Mailand
Paula Cooper at Yvon Lambert, Paris
Biennale Venedig, *Aperto '80* und
amerikanischer Pavillon
1981
Twenty Artists,
Yale University Art Gallery
*New Directions: A Corporate
Collection,* Sidney Janis Gallery,
New York
Contemporary Drawing/New York,
U. C. S. B. Art Museum, Santa
Barbara
*L. A. 1981, The Museum as Site: Fifteen
Projects,* Los Angeles County
Museum of Art
Baroques '81, Musée d'art moderne de
la ville de Paris

*Amerikanische Zeichnungen der
siebziger Jahre,* Louisiana Museum,
Humlebaek; Kunsthalle Basel;
Städtische Galerie im Lenbachhaus,
München; Wilhelm Hack-Museum,
Ludwigshafen
*35 Artists Return to Artists Space: A
Benefit Exhibition,* Artists Space,
New York
1982
Painting, Metro Pictures, New York
Eight Artists: The Anxious Edge,
Walker Art Center, Minneapolis
Focus of the Figure: 20 Years, Whitney
Museum of American Art, New York
Painting and Sculpture Today 1982,
Indianapolis Museum of Art
Documenta 7, Kassel
Avanguardia – Transavanguardia,
Rom

Wichtiger Katalog
Jonathan Borofsky, Dreams 1973 – 81,
Institute of Contemporary Arts,
London und Kunsthalle Basel 1981

Übrige Bibliografie
Lucy Lippard, „Jonathan Borofsky
at 2, 096, 974", *Artforum,* Nov. 1974
Jeffrey Deitsch, „Before the Reason
of Images: the New York of Jon
Borofsky", *Arts,* Okt. 1976
Morgan Thomas, „Jon Borofsky's
Dream Language", *Artsweek,*
23. Apr. 1977
Philip Smith, „Jon Borofsky", *Arts
Magazine,* März 1978, S. 13
Michael Klein, „Jon Borofsky's
Doubt", *Arts Magazine,* Nov. 1979
John Russell, „Art: Transformations
of Jonathan Borofsky", *New York
Times,* 24. Okt. 1980
„Strike: a project by Jonathan
Borofsky", *Artforum,* Feb. 1981
„Questo Borofsky ha dei numeri",
Bolaffiarte, Jan. 1981
Germano Celant, „L'ingrandimento
del segno e del sogno – Jon
Borofsky", *Domus,* Ausg. 612, 1981
Hilton Kramer, „An Audacious
Inaugural Exhibition", *The New York
Times,* 20. Sept. 1981
Patrick Frey, „Mario Merz und
Jonathan Borofsky in Basel", *Du,*
Sept. 81
Joan Simon, „An Interview with
Jonathan Borofsky", *Art in America,*
Nov. 1981

Nena Dimitrijevic, „Jonathan
Borofsky: ICA", *Flash Art,*
Dez. 1981/Jan. 1982

Peter Bömmels

1951 in Frauenberg geboren
1970 – 76 Universitätsstudium
       (Soziologie, Politik, Pädagogik)
1977 – 80 Arbeit im Kinderladen
       Autodidakt
Lebt in Köln

Einzelausstellung
1982
Orbis Pictus, Galerie Paul Maenz,
Köln

Gruppenausstellungen
1980
*Auch wenn das Perlhuhn leise
weint . . .,* (mit Dahn, Dokoupil,
Adamski) in der Hahnentorburg,
Köln
*Mülheimer Freiheit und interessante
Bilder aus Deutschland,* Galerie Paul
Maenz, Köln
1981
Nieuwe Duitse Kunst 1, Museum
Groningen
Rundschau Deutschland I,
Lothringer Str. 13, München
Rundschau Deutschland II,
Klapperhof 33, Köln
*Der grüne Hühnerficker ist endlich
traurig,* (mit Adamski, Dahn,
Dokoupil, Kever, Naschberger),
Galerie Paul Maenz, Köln
Bildwechsel, Akademie der Künste,
Berlin
*Die heimliche Wahrheit, Mülheimer
Freiheit,* Kunstverein Freiburg
*Die Seefahrt und der Tod, Mülheimer
Freiheit,* Kunsthalle Wilhelmshaven;
Kunstverein Wolfsburg (1982)
1982
Zehn junge Künstler aus Deutschland,
Museum Folkwang, Essen
Zwölf Künstler aus Deutschland,
Kunsthalle Basel; Museum Boymans-
van Beuningen, Rotterdam
Galerie 121, Antwerpen
Schranne, Laupheim

Galerie Swart, Amsterdam –
Zeichnungen
Galerie Nächst St. Stephan, Wien –
Skulpturen

Wichtige Kataloge
*Nieuwe Duitse Kunst I: Mülheimer
Freiheit,* Museum Groningen 1981
Bildwechsel, Akademie der Künste,
Berlin 1981

Übrige Bibliografie
„Deutsche Malerei, hier heute",
Kunstforum International,
Dez. 1981/Jan. 1982
Wolfgang Max Faust/Gerd de Vries,
„Hunger nach Bildern", Köln 1982

Werner Büttner

1954 in Jena/Thüringen geboren
1976 Gründung der *Liga zur
Bekämpfung des widersprüch-
lichen Verhaltens* mit Albert
Oehlen
1977 Übersiedlung nach Hamburg
und erste Ausgabe des Zentral-
organs der Liga *Dum-Dum* mit
Albert Oehlen
1978 (Eines Tages werden wir ihnen
das Fenster zunageln, und dann
kommt) *Das Licht von der
anderen Seite,* Wandbild bei
Hilka Nordhausen mit Albert
Oehlen, Hamburg
1980 Einrichtung einer Samenbank
für DDR-Flüchtlinge mit Albert
Oehlen und Georg Herold

Einzelausstellung
1981
Galerie Hetzler, Stuttgart

Gruppenausstellungen
1979
Elend, Kippenbergers Büro, Berlin
*Enthemmungsprozesse äußern sich im
Anfang immer als gute Laune,*
Café Vienna, Hamburg
1980
*Aktion Pisskrücke/Geheimdienst am
Nächsten,* Künstlerhaus Hamburg
Finger für Deutschland,
Atelier Jörg Immendorff, Düsseldorf

*Mülheimer Freiheit und interessante
Bilder aus Deutschland,*
Galerie Paul Maenz, Köln
1981
Bildwechsel, Akademie der Künste,
Berlin
Junge Kunst aus Westdeutschland '81,
Galerie Hetzler, Stuttgart
1982
Zwölf Künstler aus Deutschland,
Kunsthalle Basel; Museum
Boymans – van Beuningen,
Rotterdam
Über sieben Brücken mußt Du gehen,
Galerie Hetzler, Stuttgart

Eigene Veröffentlichung
„Offener Brief an den deutschen
Pöbel", *Sounds,* Hamburg, Feb. 1982

Wichtige Kataloge
Finger für Deutschland, Atelier Jörg
Immendorff, Düsseldorf 1980
Bildwechsel, Akademie der Künste,
Berlin 1981
Junge Kunst aus Westdeutschland '81,
Galerie Hetzler, Stuttgart 1981
Über sieben Brücken mußt Du gehen,
Galerie Hetzler, Stuttgart 1982
Zwölf Künstler aus Deutschland,
Kunsthalle Basel 1982

Übrige Bibliografie
„Deutsche Kunst, hier – heute",
Kunstoforum International,
Nr. 47, 1982
Wolfgang Max Faust und Gerd de
Vries, „Hunger nach Bildern",
Köln 1982

James Lee Byars

1932 in Detroit geboren
Studien an der Wayne State
University und der Meril Palmer
School of Psychology
In den 60er Jahren Tätigkeit als
Englischlehrer
Aufenthalte in Japan, die
Einfluß auf seine Performances
ausüben
Lebt in New York und Europa

Einzelausstellungen
1962
Paper of Kyoto, Grundriß eines
Tempels, Japan
1968
The World Question Center, The
Hudson Institute, Croton-on the
Hudson, N. Y.
Question Book, Guggenheim
Museum, New York
1969
*The World Question Center on Belgian
T. V.,* Wide White Space Gallery,
Antwerpen
1970
The Gold Curb, The Metropolitan
Museum, New York
1971
The Black Book, Galerie Michael
Werner, Köln
1972
Visitor of Theory Department,
C. E. R. N., Genf
1974
The Perfect Love Letter, Palais des
Beaux-Arts, Brüssel
The Golden Tower, Galerie Springer,
Berlin
1975
*The Holy Ghost, Opening of The
Celibatarian Machine,*
Piazza San Marco, Venedig
1976
*The Perfect Performance is to Stand
Still,* I. C. C., Antwerpen
1977
The Hundred One Page Books,
Rolf Preisig, Basel
The Play of Death, Domplatz, Köln
*The First Total Interrogative
Philosophy,* Städtisches Museum
Mönchengladbach
1978
The Perfect Kiss, University Art
Museum, Berkeley
*HEAR TH FI IN PH AROUND THIS
CHAIR AND IT KNOCKS YOU OUT.*
Goodman Gallery, New York
The Exhibition of Perfect,
Kunsthalle Bern
1980
The Exhibition of Perfect,
Busch Reisinger Museum at Havard,
Cambridge
1981
*The Perfect Kiss, The Perfect Cheek,
The Perfect Fragrance,* De Appel,
Amsterdam

Ausstellungen Galerie Michael
Werner, Köln
1982
Westfälischer Kunstverein, Münster

Gruppenausstellungen
1972
Documenta 5, Kassel
1977
Aspects of Recent Art from Europe,
Serone Westwater Fischer, New York
Documenta 6, Kassel
1978/79
Werke aus der Sammlung Crex, Zürich,
Ink Zürich; Louisiana Museum
Humlebaek; Galerie im Lenbach-
haus, München; Van Abbemuseum,
Eindhoven
1980
Biennale Venedig
1981
Westkunst, Köln
1982
Documenta 7, Kassel

Eigene Veröffentlichungen
„100 000 Minutes of 1/2 an Autobio-
graphy or the First Paper of
Philisophy", Wide White Space
Gallery, Antwerpen 1969
„The Gertrude Stein Book", Museum
of Modern Art, New York 1970
„The Eatable Paper Book", 100 Seiten,
Hudson Institute 1973
„The 100 One Page Books", Galerie
Michael Werner, Köln 1977

Wichtige Kataloge
I. C. C., Antwerpen 1976
Städtisches Museum,
Mönchengladbach 1977
Kunsthalle Bern 1978
Werke aus der Sammlung Crex,
Zürich 1978
The Exhibition of Perfect,
Busch Reisinger Museum at Harvard,
Cambridge 1980
Foundation for Art Resources,
Sponsored by the National
Endowment for the Arts,
Los Angeles 1980
Galerie Michael Werner, Köln 1981

Übrige Bibliografie
Grace Glueck, „Art Note", *The New
York Times,* 22. Sept. 1968

Jacqueline Barnitz, „Six One Word
Plays", *Arts Magazine,*
Bd. 43, Sept. 1968
Maurice Tuchman, „Art and
Technology", Los Angeles County
Museum of Art 1971
Burnham, „Corporate Art", *Artforum,*
Bd. 10, Okt. 1971
Harald Szeemann, „James Lee Byars,
New York", *Werk,* Nr. 6, 1975
Paul Stimson, „Goodman Multiples",
Art in America, März/April 1978
Howard Junker, „James Lee Byars:
Performance as Protective
Coloration", *Art in America,*
Nov./Dez. 1978
Monografie James Lee Byars,
Kunstmagazin, Nr. 1, 1979

Filme
100 minds, 1/24 Sec. Film, Hollywood
1970
As a Sight, 1 frame. 16 mm.
schwarz/weiß
Two Presidents, 16 mm. Color. 1 Min.

Pierpaolo Calzolari

1943 als Sohn venezianischer Eltern
     in Bologna geboren
1961 Studium an der Accademia di
     Belle Arti, Roma
1964 Architekturstudium am Istituto
     Universitario di Architettura,
     Venezia
1966 – 1969 Lehrer für Malerei am
     Istituto di Storia dell'Arte
     Medioevale e Moderna, Urbino
1972 Stipendium des Deutschen
     Akademischen
     Austauschdienstes, Berliner
     Künstlerprogramm
     Arbeit mit organischen Stoffen
     und Metallen
Lebt in Mailand

Einzelausstellungen
1965
Sala Studio Bentivoglio, Bologna
1967
Sala Studio Bentivoglio, Bologna
1969
Galleria Sperone, Turin

1970
Galleria Sperone, Turin
Galerie Ileana Sonnabend, Paris
1971
Ileana Sonnabend Gallery, New York
1972
Galleria Lucio Amelio, Neapel
Galerie Folker Skulima, Berlin
1973
Festival d'Automne, Musée Galliéra,
Paris
1974
Galleria Toselli, Mailand
1975
Galleria Lucrezia De Domizio,
Pescara
Galleria Paolo Betti, Mailand
1976
Studio De Ambrogi, Mailand
1977
Galleria Tucci Russo, Turin
Museo Pignatelli, Neapel
1978
Galleria Sperone, Rom
Galleria Salvatore Ala, Mailand
Karen and Jean Bernier Gallery,
Athen
1979
Galleria Mazzoli, Modena
Galleria Tucci Russo, Turin
Karen and Jean Bernier Gallery,
Athen
Galleria Tucci Russo, Köln (in
Zusammenarbeit mit Karen and Jean
Bernier Gallery, Athen)
1980
Cantieri Navali-Luigi De Ambrogi,
Venedig,
Galleria Di Capricorno, Venedig
1981
Galerie Eric Fabre, Paris
Galerie Ursula Schurr, Stuttgart

Gruppenausstellungen
1966
Cà Giustinian, Venedig
1968
Teatro delle mostre, Galleria La
Tartaruga, Rom
Prospect '68, Kunsthalle Düsseldorf
1969
Op Losse Schroeven, Stelelijk Museum
Amsterdam
When Attitudes Become Form,
Kunsthalle Bern
Prospect '69, Kunsthalle Düsseldorf
Conceptual Art, Städtisches Museum
Leverkusen

1970
Processi di pensiero visualizzati,
Kunstmuseum Luzern
Conceptual Art, Arte Povera, Land Art,
Museo d'Arte Moderna, Turin
1971
Biennale Paris
1972
Documenta 5, Kassel
*Festival dei 2 mondi, 420 West
Broadway,* Spoleto
1973
X Quadriennale Nazionale d'Arte,
Rom
Biennale Sao Paulo
International Exhibition, Philadelphia
Museum of Art
1974
Internationale Ausstellung organisiert
von Lucio Amelio, Basel
1978
Biennale Venedig
1980
Castello di Genazzano
1981
A New Spirit in Painting, Royal
Academy, London
Westkunst, Köln
1982
Avanguardia – Transavanguardia,
Rom

Sandro Chia

1946 in Florenz geboren
      Studium an der Florentiner
      Kunstakademie
1969 Examen
      Reisen durch Europa und nach
      Indien
1970 Wohnsitz in Rom
1980 Studio in New York
Lebt in New York und Ronciglione

Einzelausstellungen
1971
Galleria La Salita, Rom
1972
Galleria La Salita, Rom
1975
Lucrezia De Domizio, Pescara
Galleria L'Attico, Rom

1976
Paolo Marinucci und Tucci Russo,
Turin
Galleria La Salita, Rom
1977
Galleriaforma, Genua
Galleria Gian Enzo Sperone, Rom
1978
Galleria Dell'Oca, Rom
Galleria Giuliana De Crescenzo, Rom
Studio Antonio Tucci Russo, Turin
Galerie Paul Maenz, Köln
1979
Galleria Mario Diacono, Bologna
Galleria Gian Enzo Sperone, Rom
1980
Sperone Westwater Fischer,
New York
Art & Project, Amsterdam
Galerie Paul Maenz, Köln
1981
Sperone Westwater Fischer,
New York
Galerie Bischofberger, Zürich
Galleria Mario Diacono, Rom
Anthony D'Offay und Gian Enzo
Sperone, London
1982
The James Corcoran Gallery,
Los Angeles

Gruppenausstellungen
1977
Biennale Paris, Musée d'art moderne
de la ville de Paris
Sandro Chia, Giulio Paolini, Salvo,
Galleria Gian Enzo Sperone, Rom
1979
Arte Cifra, Galerie Paul Maenz, Köln
Emilio Mazzoli, Modena (mit Enzo
Cucchi)
Europa 79, Stuttgart
Biennale Sao Paulo
*Die enthauptete Hand,
100 Zeichnungen aus Italien,* Bonner
Kunstverein; Städtische Galerie
Wolfsburg; Museum Groningen
1980
Egonavigatio, Kunstverein Mannheim
7 junge Künstler aus Italien,
Kunsthalle Basel; Folkwang
Museum, Essen; Stedelijk Museum,
Amsterdam
Aperto '80, Biennale Venedig
1981
Daniel Templon, Paris
A New Spirit in Painting,
Royal Academy, London

Recent Acquisitions: Drawings, The
Museum of Modern Art, New York
Westkunst, Köln
Figures: Forms and Expressions,
Albright Knox Gallery, CEPA
Gallery and HALLWALLS, Buffalo,
New York
1982
Aspects of Italian Art Now,
Guggenheim Museum, New York
Documenta 7, Kassel
'60 – '80, Stedelijk Museum,
Amsterdam
Homo Sapiens: The Many Images, The
Aldrich Museum of Contemporary
Art, Ridgefield, Connecticut
Avanguardia – Transavanguardia,
Rom
Transavanguardia, Galleria Civica,
Modena

Eigene Veröffentlichungen
„Bibliographie", Rom 1972
„Intorno a se", Rom 1978 (anläßlich
der Ausstellung in der Galleria De
Crescenzo)
„Mattinata all'opera", Modena 1979
„Tre o quattro artisti secchi", Modena
1979 (mit Achille Bonito Oliva und
Enzo Cucchi)
„Carta d'Olanda", Amsterdam 1980
Roberto Triana Arenas, „Bestiario",
Rom 1980 (Illustrationen)

Wichtige Kataloge
Arte Cifra, Paul Maenz, Köln 1979
Die enthauptete Hand, Bonn 1980
7 junge Künstler aus Italien,
Kunsthalle Basel; Museum
Folkwang, Essen; Stedelijk Museum,
Amsterdam 1980

Übrige Bibliografie
Achille Bonito Oliva, „Europa
America", F. M. Ricci, Mailand 1976
Jean-Christophe Ammann,
„Espansivo-Eccessivo", *Domus,*
Nr. 593, April 1979 und *Kunst-
Nachrichten,* Nr. 4, Juli 1979
Achille Bonito Oliva, „The Italian
Trans-Avantgarde", *Flash Art,*
Nr. 92/93, Nov. 1979
„Italienische Kunst heute",
Kunstforum, Bd. 39, März 1980
Kay Larson, „Bad Boys at Large! The
Three C's Take on New York", *The
Village Voice,* Bd. XXV, Nr. 38,
17. Sept. 1980

Achille Bonito Oliva, „La Transavantgarde Italienne", Mailand 1980 (deutsch: Merve-Verlag, Berlin 1982)
Carter Ratcliff, „A New Wave from Italy: Sandro Chia", *Interview,* Bd. XI, Nr. 6/7, Juni/Juli 1981
Carter Ratcliff, „The End of the American Era", *Saturday Review,* Sept. 1981
Anne Seymour, „The Draught of Dr. Jekyll: An Essay on the Work of S. C.", London 1981
Danny Berger, „Sandro Chia in his Studio: An Interview", *The Print Collectors Newsletter,* Bd. XII, Nr. 6, Jan./Feb. 1982
Robert Hughes, „Wild Pets, Tame Pastiche", *Time,* Bd. 119, Nr. 17, 26. April 1982
Peter Schjeldahl, „Treachery on the High C's", *The Village Voice,* Bd. XXVII, Nr. 17, 27. April 1982

Francesco Clemente

1952 in Neapel geboren
Lebt in Rom, Madras und New York

Einzelausstellungen

1971
Erste Einzelausstellung in Rom
1974
Galleria Area, Florenz
1975
Galleria Gian Enzo Sperone, Rom
Galleria Gian Enzo Sperone, Turin
Galleria Massimo Minini, Brescia
Galleria Franco Toselli, Mailand
1976
Galleria Gian Enzo Sperone, Rom
Lucrezia De Domizio, Pescara
1977
Galleria Paola Betti, Mailand
1978
Centre d'art contemporain, Genf
Art & Project, Amsterdam
Lisson Gallery, London
Galleria Emilio Mazzoli, Modena
Giuliana De Crescenzo, Rom
Galleria Lucio Amelio, Neapel
Galleria Gian Enzo Sperone, Turin
1980
Galerie Paul Maenz, Köln
Padiglione d'Arte Contemporanea, Mailand
Art & Project, Amsterdam
Galleria Mario Diacono, Rom
Galleria Gian Enzo Sperone, Rom
1981
Sperone Westwater Fischer, New York
Museum van Hedendaagse Kunst, Gent
Anthony D'Offay, London
Galerie Bruno Bischofberger, Zürich
California State University, Berkeley
1982
Wadsworth Atheneum, Hartford, Connecticut
Galerie Daniel Templon, Paris

Gruppenausstellungen

1973
Italy Two, Museum of the Philadelphia Civic Center
1974
Studenteski Center, Belgrad
1975
Biennale Sao Paulo
24 ore su 24, Galleria L'Attico, Rom
Campo dieci, Galleria Diagramma, Mailand
1976
Gian Enzo Sperone, Rom (Merz, Pisani, Clemente)
1977
Disegno/Trasparenza, Studio Cannaviello, Rom
Mercoledi 16 febbraio 1977, Gian Enzo Sperone, Rom
X. Biennale Paris, Musée d'art moderne de la ville de Paris
Progetto 80, Bari
1978
Pas de deux, Galleria La Salita, Rom
1979
Perspective, Art, Basel
Arte Cifra, Paul Maenz, Köln
Annemarie Verna, Zürich (Clemente, De Maria, Paladino)
Europa 79, Stuttgart
Le stanze, Castello Colonna, Genazzano/Rom
1980
*Die enthauptete Hand –
100 Zeichnungen aus Italien,* Bonner Kunstverein; Städtische Galerie Wolfsburg; Groninger Museum
Egonavigatio, Kunstverein Mannheim
7 junge Künstler aus Italien, Kunsthalle Basel; Museum Folkwang, Essen; Stedelijk Museum, Amsterdam
Aperto '80, Biennale Venedig
1981
Westkunst, Köln
Sperone Westwater Fischer, New York
Tesoro, Emilio Mazzoli, Modena
1982
Issues: New Allegory I, Institute of Contemporary Art, Boston
Documenta 7, Kassel
Transavanguardia, Galleria Civica, Modena

Wichtige Kataloge
Arte Cifra, Paul Maenz, Köln 1979
Die enthauptete Hand, Kunstverein Bonn 1980
7 junge Künstler aus Italien, Kunsthalle Basel 1981

Übrige Bibliografie
Jean-Christophe Ammann, „Espansivo-Eccessivo", *Domus,* Nr. 593, April 1979 und *Kunst-Nachrichten,* Nr. 4, Juli 1979
Achille Bonito Oliva, „The Italian Trans-Avantgarde", *Flash Art,* Nr. 92/93, Nov. 1979
„Italienische Kunst heute", *Kunstforum,* Bd. 39, Nr. 3, 1980
Achille Bonito Oliva, „La Transavantgarde Italienne", Mailand 1980 (deutsche Ausgabe Merve-Verlag, Berlin 1982)
Kay Larson, „Bad Boys at Large! The Three C's Take on New York", *The Village Voice,* Bd. XXV, Nr. 38, 17. Sept. 1980
Edit de Ak, „A Chameleon in a State of Grace", *Artforum,* Bd. XIX, Nr. 6, Feb. 1981
Kim Levin, „The Miniature Marauder", *The Village Voice,* Bd. 26, Nr. 21, Mai 1981
Hilton Kramer, „Art: Expressionism from Italy Arrives", *The New York Times,* 5. Juni 1981
Jean Rouzade und Emile Laugier, „Francesco Clemente change de style chaque matin comme on enfile un costume", *Actuel,* Nr. 23, Sept. 1981
Carter Ratcliff, „The End of the American Era", *Saturday Review,* Sept. 1981
William Wilson, „Clemente: The Uses of Naivete", *Los Angeles Times,* 2. Nov. 1981

Danny Berger, „Francesco Clemente at the Metropolitan: An Interview", *The Print Collector's Newsletter*, Bd. XIII, Nr. 1, März/April 1982
Marcia Tucker, „An Iconography of Recent Figurative Painting: Sex, Death, Violence, and the Apocalypse", *Artforum*, Bd. XX, Nr. 10, Juni 1982
Mark Stevens, „Revival of Realism: Art's Wild Young Turks", *Newsweek*, Bd. XCIX, Nr. 23, 7. Juni 1982

Enzo Cucchi

1950 in Morro d'Alba geboren
Lebt in Ancona

Einzelausstellungen
1977
Ritratto di casa, Incontri Internazionali D'Arte, Rom
Montesicuro Cucchi Enzo giù, Galleria Luigi De Ambrogi, Mailand
1978
Mare Mediterraneo, Galleria Giuliana De Crescenzo, Rom
Alla lontana alla francese, Galleria Giuliana De Crescenzo, Rom
1979
La cavalla azzurra, Galleria Mario Diacono, Bologna
Sul marciapiede, durante la festa dei cani, Galleria Tucci Russo, Turin
La pianura bussa, Galleria Emilio Mazzoli, Modena
1980
Uomini con una donna al tavolo, Galleria Dell'Oca, Rom
5 monti sono santi, Paul Maenz, Köln
1981
Sperone Westwater Fischer, New York
Bruno Bischofsberger, Zürich
Galleria Emilio Mazzoli, Modena
Galleria Gian Enzo Sperone, Rom
Galerie Paul Maenz, Köln
1981/82
Art & Project, Amsterdam
1982
Zeichnungen, Kunsthaus Zürich; Museum Groningen

Gruppenausstellungen
1979
Tre o quattro artisti secchi, Galleria Emilio Mazzoli, Modena
Le alternative del nuovo, Palazzo Esposizioni, Rom
Europa 79, Stuttgart
XV. Biennale Sao Paulo
1980
Die enthauptete Hand, 100 Zeichnungen aus Italien, Kunstverein Bonn; Städtische Galerie Wolfsburg; Museum Groningen
Italiana: nuova immagine, Ravenna
Galleria Sperone, Turin und Rom (Cucchi, Chia, Merz, Calzolari)
XI. Biennale Paris
7 junge Künstler aus Italien, Kunsthalle Basel; Museum Folkwang, Essen; Stedelijk Museum, Amsterdam
Aperto '80, Biennale Venedig
La Transavantgarde Italienne, Daniel Templon, Paris
1981
Recent Acquisitions: Drawings, Museum of Modern Art, New York
Westkunst, Köln
Sperone Westwater Fischer, New York
Tesoro, Galleria d'Arte Emilio Mazzoli, Modena
1982
Aspects of Italian Art Now, Guggenheim Museum, New York
'60 – '80, Stedelijk Museum, Amsterdam
Avanguardia – Transavanguardia, Rom
Transavanguardia, Galleria Civica, Modena

Eigene Veröffentlichungen
„Disegno finto", Rom 1978
„Canzone", Modena 1979 (mit Achille Bonito Oliva)
„Il veleno è stato sollevato e trasportato", Macerata 1979
„Tre o quattro artisti secchi", Modena 1979 (mit Achille Bonito Oliva und Sandro Chia)
„Diciannove disegni", Modena 1980
„Enzo Cucchi und Diego Cortez", Hg. Art & Project, Paul Maenz, Köln 1981

Wichtige Kataloge
Die enthauptete Hand – 100 Zeichnungen aus Italien, Bonn 1980

7 junge Künstler aus Italien, Kunsthalle Basel 1980
Aspects of Italian Art Now, Guggenheim Museum, New York 1982
Zeichnungen, Kunsthaus Zürich, 1982

Übrige Bibliografie
Achille Bonito Oliva, „The Italian Trans-Avantgarde", *Flash Art*, Nr. 92/93, Okt./Nov. 1979
Achille Bonito Oliva, „La Transavantgarde Italienne", Mailand 1980 (deutsche Ausgabe, Merve Verlag, Berlin 1982)
Achille Bonito Oliva, „The Bewildered Image", *Flash Art*, Nr.96/97, März/April 1980
Achille Bonito Oliva, „An Interview with Achille Bonito Oliva", *Flash Art*, Nr. 98/99, Sommer 1980
„Italienische Kunst heute", *Kunstforum*, Bd 39, 3/80
Robert Pincus-Witten, „Entries: If Even in Fractions", *Arts Magazine*, Bd. 55, Nr. 1, Sept. 1980
Milton Gendel, „Ebb and Flood Tide in Venice", *Artnews*, Bd. 79, Nr. 7, Sept. 1980
Kay Larson, „Bad Boys At Large! The Three C's Take on New York", *The Village Voice*, Bd. XXV, Nr. 38, 17. Sept. 1980
William Zimmer, „Italians Iced", *The SoHo Weekly News*, Bd. 8, Nr. 2, 8. Okt. 1980
Jean-Christophe Ammann, Paul Groot, Pieter Heynen, Jan Zumbrink, „Un altre art?", *Museumsjournaal*, Serie 25, Nr. 7, Dez. 1980
John Russell, „Critics' Choices", *The New York Times*, 22. Feb. 1981
Hilton Kramer, „Expressionism Returns to Painting", *The New York Times*, 12. Juli 1981
Jeff Perrone, „Boy Do I Love Art or What", *Arts Magazine*, Bd. 56, Nr. 1, Sept. 1981
Jean Rouzaud und Emile Laugier, „Enzo Cucchi peint des héros et des saints pour consoler les petits hommes craintifs", *Actuel*, Nr. 21, Sept. 1981
Robert Hughes, „Wild Pets, Tame Pastiche", *Time*, Bd. 119, Nr. 17, 26. April 1982
Peter Schjeldahl, „Treachery on the High C's", *The Village Voice*, Bd. XXVII, Nr. 17, 27. April 1982

Walter Dahn

1954 in Krefeld geboren
    Mitglied der Künstlergruppe
    Mülheimer Freiheit
Lebt in Köln

Einzelausstellungen
1982
Galerie Paul Maenz, Köln
Galerie Helen van der Meij,
Amsterdam
Galerie't Venster, Rotterdam,
(mit Jiři Georg Dokoupil)
Galerie Philomene Magers, Bonn
(mit Jiři Georg Dokoupil)

Gruppenausstellungen
1976
Beuys und seine Schüler,
Kunstverein Frankfurt
1980
*Auch wenn das Perlhuhn leise
weint...,* Hahnentorburg, Köln (mit
Adamski, Bömmels, Dokoupil)
*Mülheimer Freiheit und interessante
Bilder aus Deutschland,*
Galerie Paul Maenz, Köln
1981
Nieuwe Duitse Kunst 1,
Museum Groningen
Rundschau Deutschland I,
Lothringerstraße, München
Rundschau Deutschland II,
Klapperhof, Köln
*Der grüne Hühnerficker ist endlich
traurig,* Galerie Paul Maenz, Köln
(mit Adamski, Bömmels, Dokoupil,
Kever, Naschberger)
Bildwechsel, Akademie der Künste,
Berlin
*Die heimliche Wahrheit, Mülheimer
Freiheit,* Kunstverein Freiburg
*Die Seefahrt und der Tod, Mülheimer
Freiheit,* Kunsthalle Wilhelmshaven;
Kunstverein Wolfsburg
1982
Zehn junge Künstler aus Deutschland,
Museum Folkwang, Essen
Zwölf Künstler aus Deutschland,
Kunsthalle Basel; Museum
Boymans – van Beuningen,
Rotterdam
Schranne, Laupheim
Galerie 121, Antwerpen
Galerie Swart, Amsterdam
Galerie Six Friedrich, München

*Die neue Künstlergruppe: Die wilde
Malerei,* Klapperhof, Köln
Documenta 7, Kassel

Wichtige Kataloge
Beuys und seine Schüler,
Kunstverein Frankfurt 1976
Mülheimer Freiheit,
Museum Groningen 1981
Bildwechsel, Akademie der Künste,
Berlin 1981
Zehn junge Künstler aus Deutschland,
Museum Folkwang, Essen 1981
Zwölf Künstler aus Deutschland,
Kunsthalle Basel 1982

Übrige Bibliografie
„Deutsche Kunst, hier – heute",
Kunstforum International, Nr. 47, 1982
Wolfgang Max Faust und Gerd de
Vries, „Hunger nach Bildern",
Köln 1982

René Daniels

1950 in Eindhoven geboren

Einzelausstellungen
1977
Stadtsparkasse Düsseldorf
(mit Hans Biezen)
1978
Galerie Helen van der Meij,
Amsterdam (mit Joop Stolk)
Van Abbemuseum, Eindhoven
1979
Galerie Helen van der Meij,
Amsterdam
1981
Vereniging Aktuele Kunst, Gewad,
Gent (mit Lili Dujouri)
1982
Galerie Helen van der Meij,
Amsterdam
„121" Art Gallery, Antwerpen
(mit John van 't Slot)

Gruppenausstellungen
1978
Atelier 15, Stedelijk Museum,
Amsterdam
1980
Biennale, Paris, Musée d'art moderne
de la ville de Paris

Neue Malerei aus den Niederlanden,
Neue Galerie am Landesmuseum,
Graz
1981
Schilderijententoonstelling,
Het Apollohuis, Eindhoven
Westkunst, Köln (Teil Heute)
1982
„Nieuwe" schilderkunst,
Akademie Arnhem
'60 – '80, Stedelijk Museum,
Amsterdam
Zeichnung heute, Nürnberg
Sonderschau, Art Basel
Documenta 7, Kassel

Bibliografie
Jan Debbaut, „René Daniels – Van
Londen naar Gent", *Gewad,*
Jg. 1, Nr. 3, Mai 1981
Paul Groot, „René Daniels", *Flash
Art,* Nr. 104, Nov. 1981

Jiři Georg Dokoupil

1954 in Krnov/Tschechoslowakei
    geboren
Lebt in Köln

Einzelausstellungen
1982
Galerie Paul Maenz, Köln
Galerie 't Venster, zusammen mit
Walter Dahn
Galerie Philomene Magers,
zusammen mit Walter Dahn

Gruppenausstellungen
1980
*Auch wenn das Perlhuhn leise
weint...,* (mit Adamski, Bömmels,
Dahn) in der Hahnentorburg, Köln
*Mülheimer Freiheit und interessante
Bilder aus Deutschland,* Galerie Paul
Maenz, Köln
1981
Nieuwe Duitse Kunst 1,
Museum Groningen
Rundschau Deutschland I,
Lothringerstr. 13, München
Rundschau Deutschland II,
Klapperhof 33, Köln
*Der grüne Hühnerficker ist endlich
traurig,* (mit Adamski, Bömmels,
Dahn, Kever, Naschberger) Galerie
Paul Maenz, Köln

Bildwechsel, Akademie der Künste, Berlin
Die heimliche Wahrheit, Mülheimer Freiheit, Kunstverein Freiburg
Phoenix, Alte Oper, Frankfurt
Fleisches Lust. Die Wiederkehr des Sinnlichen – Die Erotik der Neuen Kunst, Galerie Paul Maenz, Köln
Die Seefahrt und der Tod, Mülheimer Freiheit, Kunsthalle Wilhelmshaven; Kunstverein Wolfsburg (1982)
1982
Zehn Künstler aus Deutschland, Museum Folkwang, Essen
Zwölf Künstler aus Deutschland, Kunsthalle Basel; Museum Boymans-van Beuningen, Rotterdam
Galerie 121, Antwerpen
Schranne, Laupheim
Galerie Swart, Amsterdam – Zeichnungen
Galerie Nächst St. Stephan, Wien – Skulpturen
Die neue Künstlergruppe: Die wilde Malerei, Köln
Biennale Venedig
Documenta 7, Kassel
Galerie Six Friedrich, München

Wichtige Kataloge
Nieuwe Duitse Kunst I: Mülheimer Freiheit, Museum Groningen 1981
Bildwechsel, Akademie der Künste, Berlin 1981
Jiří Georg Dokoupil „Neue Kölner Schule", Galerie Paul Maenz, Köln 1982

Übrige Bibliografie
„Deutsche Kunst, hier – heute",
Kunstforum International, Dez. 1981/Jan. 1982
Wolfgang Max Faust/Gerd de Vries, „Hunger nach Bildern", Köln 1982

Rainer Fetting

1949 in Wilhelmshaven geboren
1969 – 72 Tischlerlehre (Gesellenprüfung). Nebenher Volontär (Bühnenbild) an der Landesbühne Niedersachsen Nord, Wilhelmshaven
1972 – 78 Studium an der Hochschule der Künste Berlin bei Hans Jaenisch, Meisterschüler

1977 Mitgründung der Galerie am Moritzplatz
1978/79 Stipendium des Deutschen Akademischen Austauschdienstes für New York (Brooklyn)
Seit 1975 Filme

Einzelausstellungen
1977
Stadtbilder, Galerie am Moritzplatz, Berlin
1978
Figur und Porträt, Galerie am Moritzplatz, Berlin
1979
Interni Galerie, Berlin
Kulissenbild New York (mit Bernd Zimmer), Musikhalle SO 36, Berlin
1981
Paintings 1979–81, Anthony d'Offay, London (mit Helmut Middendorf)
Mary Boone Gallery, New York
1982
Anthony D'Offay, London
Galerie Paul Maenz, Köln

Gruppenausstellungen
1974–79
Freie Berliner Kunstausstellung
1976
Große Münchner Kunstausstellung (Neue Gruppe)
1977
Die zwanziger Jahre, Hochschule der Künste, Berlin
1978
1 Jahr Moritzplatz, Galerie am Moritzplatz, Berlin
1979
Alkohol, Nikotin, fff . . ., Galerie am Moritzplatz, Berlin
Deutscher Künstlerbund, Stuttgart
1980
Heftige Malerei, Haus am Waldsee, Berlin (mit Middendorf, Salomé und Zimmer)
Junge Kunst aus Berlin, Wanderausstellung des Goetheinstituts München
1981
Après le classicisme, Musée d'art et d'industrie, Saint Etienne
A New Spirit in Painting, Royal Academy, London
Ten Young Painters from Berlin, Goethe Institut London

Bildwechsel, Akademie der Künste, Berlin
Rundschau Deutschland, Fabrik Lothringerstraße, München
Situation Berlin, Musée national d'art contemporain, Nizza
Berlin – eine Stadt für Künstler, Kunsthalle Wilhelmshaven
Return of Eros, Galerie Paul Maenz, Köln
1981/82
Im Westen nichts Neues, Kunstmuseum Luzern; Centre d'art contemporain, Genf; Neue Galerie, Sammlung Ludwig, Aachen
10 x Malerei, Kunstverein Münster
1982
Zehn Künstler aus Deutschland, Folkwang Museum, Essen
Zwölf Künstler aus Deutschland, Kunsthalle Basel
Biennale, Venedig
Spiegelbilder, Kunstverein Hannover
Gefühl und Härte, Kulturhuset Stockholm; Kunstverein München
The Pressure to Paint, Marlborough Gallery, New York
Berlin – das malerische Klima einer Stadt, Musée des Beaux-Arts, Lausanne

Wichtige Kataloge
1 Jahr Galerie am Moritzplatz, Berlin 1978
Heftige Malerei, Haus am Waldsee, Berlin 1980
Après le classicisme, Saint Etienne 1980
Im Westen nichts Neues, Kunstmuseum Luzern 1981

Übrige Bibliografie
Art, Nr. 1, 1981
Wolfgang Max Faust, „Tendencies in Recent German Art", *Artforum*, Sept. 1981
Carter Ratcliff, „The End of the American Era", *Saturday Review*, Sept. 1981
Kim Levin, „Rhine Wine", *The Village Voice*, 16. Dez. 1981
Heiner Bastian, „Bilder von Rainer Fetting, Bilder in Berlin", *Du*, Jan. 1982
Wolfgang Max Faust und Gerd de Vries, „Hunger nach Bildern", Köln 1982
„Deutsche Kunst, hier – heute", *Kunstforum*, Nr. 47, 1982

Filme

Geburtstag 76, 45 Min., Super 8, color, Magnetton, 1976
R. und S. in B., 90 Min., Super 8, color, Magnetton, 1977
Brooklyn 11238, 90 Min., Super 8, color, Magnetton, 1978/79

Barry Flanagan

1941 in Prestatyn, Wales, geboren
1964 – 66 Studium an der St. Martin's School of Art
1967 – 71 Lehre an der St. Martin's School of Art und an der Central School of Art
Lebt in London

Einzelausstellungen
1966
Rowan Gallery, London
1968
Galleria Dell'Ariete, Mailand
Galerie Ricke, Kassel
1969
Museum Haus Lange, Krefeld
Fishbach Gallery, New York
1971
Galleria Del Leone, Venedig
1974
Museum of Modern Art, New York
Bluecoat Gallery, Liverpool
Galleria Dell'Ariete, Mailand
Museum of Modern Art, Oxford
1975
Hogarth Galleries, Sidney
Art and Project, Amsterdam
1976
Hester van Royen Gallery, London
1977
Art and Project, Amsterdam
Apeldoorn Museum, Holland
Arnolfini Gallery, Bristol
Van Abbemuseum, Eindhoven
1978-79
Serpentine Gallery, London (Wanderaustellung)
1980
Liliane et Michel Durand-Dessert, Paris
Waddington Galleries, London
New 57 Gallery, Edinburgh
1981
Mostyn Art Gallery, Llandudno, Wales

Waddington Galleries, London
„Sixties and Seventies" Prints and Drawings by Barry Flanagan, Mostyn Art Gallery, Llandudno, Wales; Southampton Art Gallery, London
1982
Biennale, Venedig, Britischer Pavillon

Gruppenausstellungen
1966
Young Contemporaries, London
1967
Biennale, Paris
Biennale, Tokio
1968
Young British Artists, Museum of Modern Art, New York
1969
Nine Young Artists, Guggenheim Museum, New York
Six Artists, Hayward Gallery, London
John Moores Exhibition, Walker Art Gallery, Liverpool
1970
British Sculpture out of the 60's, ICA, London
Contemporary British Art, Museum of Modern Art, Tokio
1971
British Avant-Garde, New York Cultural Centre, New York
1972
The New Art, Hayward Gallery, London
1973
From Henry Moore to Gilbert & George, Palais des Beaux-Arts, Brüssel
1974
Within the Decade, Guggenheim Museum, New York
1976
Arte inglese oggi, Palazzo Reale, Mailand
1977
Hayward Annual, Hayward Gallery, London
Silver Jubilee Contemporary British Sculpture Exhibition, Battersea Park, London
1978
Door beeldhouwers gemaakt, Stedelijk Museum, Amsterdam
1979
J. P. 2., Palais des Beaux-Arts, Brüssel
1980
Pier and Ocean, Hayward Gallery, London

Rosc '80, University College, Dublin
Kunst nach '68... in Europa, Gent
1981
Tolly Cobbold Eastern Arts Association, (Wanderausstellung)
Art and Sea, Arts Council, London (Wanderausstellung)
1982
British Sculpture in the 20th century, Part 2: Symbol and Imagination 1951–1980, Whitechapel Art Gallery, London
Aspects of British Art Today, The British Council, London mit fünf Museen in Japan
Inner Worlds, Arts Council, London
British Drawings and Watercolours, Volksrepublik China, eine Ausstellung des British Council
Documenta 7, Kassel

Wichtige Kataloge
Six at the Hayward, Arts Council, London 1969
Van Abbemuseum, Eindhoven 1977
Waddington Galleries, London 1980
New 57 Gallery, Edinburgh 1980
Kunst na' 60 in Europa, Gent 1980
Rosc '80, Dublin 1980
Waddington Galleries, London 1981
Mostyn Art Gallery, Llandudno 1981
Inner Worlds, Arts Council, London 1982
Barry Flanagan Sculptures, British Council 1982, für die Biennale in Venedig

Übrige Bibliografie

Gene Baro, „British Sculpture: The Developing Scene", *Studio International,* Okt. 1966
Anthony Fawcett, „Doubts Dilemmas, Eyeliners. Some Leaves from Barry Flanagan's notebook", *Art and Artists,* April 1968
Charles Harrison, „Barry Flanagan's Sculpture", *Studio International,* Mai 1968
Charles Harrison, „Some Recent Sculpture in Britain", *Studio International,* Jan. 1969
„Sculpture made Visible", Barry Flanagan in Discussion with Gene Baro, *Studio International,* Okt. 1969
Andrea Rose, „Paschal Lamps and March Hares", *The London Magazine,* Bd. 21, Nr. 12, März 1982

Barbara Ann Taylor, „Barry Flanagan", *Harpers and Queen Magazine,* Juni 1982

Gérard Garouste

1946 in Paris geboren
1977 Schauspiel *Le Classique et l'Indien* für das Festival *Trans-Théâtre*
Lebt in Paris

Einzelausstellungen
1979
Galerie Travers, Paris
1980
Cerbère et le masque, Galerie Durand-Dessert, Paris
La règle du „Je", Vereniging voor het Museum van Hedendaagse Kunst, Gent
1981
Gérard Garouste, Etudes 1974–1981, Palazzo Ducezio, Noto
1982
Canis Major, Galerie Durand-Dessert, Paris

Gruppenausstellungen
1980
Biennale, Musée d'art moderne de la ville de Paris; Galerie des Ponchettes, Nizza; Galeria national de arte moderna, Lissabon; Sara Hilden Art Museum, Tempere
Après le classicisme, Musée d'art et d'industrie, St. Etienne
Made in France, Elac, Lyon
XVI. Triennale nuova immagine, Palazzo della Triennale, Mailand
1981
Enciclopedia – il magico primario in Europa, Galleria Civica, Modena
Aljofre Barocco, Museo delle Belle Arti, Noto
1982
Generazioni a confronto, Istituto di Storia dell'Arte dell'Università di Roma, Rom
Festival junger europäischer Kunst, Düsseldorf
Holly Solomon Gallery, New York
Musée d'art et d'industrie, St. Etienne
Centre Pompidou, Paris

Bibliografie
Bernard Blistène, „Gérard Garouste, comédie policière", *Cimaise,* Nr. 141, 1979
Demetrio Paparoni, „Il gioco di Gérard Garouste", *Il Diario,* 29. Feb. 1980
Frédéric Edelmann, „Nuits Parisiennes – stuc", *Le Monde,* 21. Okt. 1980
Bernard Blistène, „Gérard Garouste – entretien avec Bernard Blistène", *Artistes,* Nr. 6, Okt./Nov. 1980
Mattia Bonetti, „La règle du „Je"", *T – Ribalta,* Lugano, Nov. 1980
Giovanni Joppolo, „Situations italiennes – le contexte italien", *Opus International,* Nr. 78, Paris, Herbst 1980
Catherine Nadaud, „Mais où est donc passé Gérard Garouste?", *Libération,* Paris, 27. Okt. 1980
Bernard Blistène, „Gérard Garouste", *+ – O,* Nr. 31, Brüssel, Dez. 1980
Jean-Marc Poinsot, „The Paris Biennal", *Flash Art,* Nr. 100, Nov. 1980
Nadine Coleno, „Contemporary Trend", *The Paris Reporter,* Feb. 1981
Catherine Strasser, „Eloges du déplacement", *Artistes,* Nr. 9–10, Okt./Nov. 1981

Gilbert & George

Gilbert
1943 in den Südtiroler Dolomiten geboren
George
1942 In Totness, Devon geboren
Gilbert studiert an der Wolkenstein School of Art, an der Hallein School of Art und an der Münchener Kunstakademie
George studiert am Dartington Adult Education Centre, am Dartington Hall College of Art und an der Oxford School of Art
1967 Begegnung der beiden Künstler an der St. Martin's School of Art, London
Seit 1968 Zusammenarbeit und Selbstpräsentation als *Human Sculptors* in Performances. *Living Sculptures,* die mithilfe von Zeichnungen, Fotos und Filmen festgehalten werden. In den letzten Jahren pictogrammartige Großfotos.
Gilbert & George leben in London

Einzelausstellungen
1970
Art Notes and Thoughts, Art & Project Gallery, Amsterdam
The Pencil on Paper, Descriptive Works, Galerie Konrad Fischer, Düsseldorf; Galerie Folker Skulima, Berlin
1971
The General Jungle, Sonnabend Gallery, New York
The Paintings, Whitechapel Art Gallery, London; Stedelijk Museum, Amsterdam; Kunstverein Düsseldorf; Kon. Museum voor schone Kunsten, Antwerpen
1972
The Bar, Anthony D'Offay, London
1973
The Shrubberies & Singing Sculpture, National Gallery of New South Wales, John Kaldor Project, Sydney
Modern Rubbish, Sonnabend Gallery, New York
New Decorative Works, Galleria Sperone, Turin
1976
The General Jungle, Albright-Knox Art Gallery, Buffalo
1980/81
Photo-Pieces 1971–80, Van Abbemuseum Eindhoven; Kunsthalle Düsseldorf; Kunsthalle Bern; Centre Georges Pompidou, Paris; Whitechapel Art Gallery, London

Gruppenausstellungen
1969
Conception, Städtisches Museum, Leverkusen
1970
Information, Museum of Modern Art, New York
Plans and Projects, Kunsthalle Bern
1971
Prospect 71 Projection, Kunsthalle Düsseldorf
The British Avant-Garde, Cultural Center, New York
1972
Documenta 5, Kassel
The New Art, Hayward Gallery, London

Concept Kunst, Kunstmuseum, Basel
1973
Kunst als Fotografie, Kunstverein
Hannover
From Henry Moore to Gilbert & George,
Palais des Beaux-Arts, Brüssel
Contemporanea, Villa Borghese, Rom
1974
Medium Fotografie, Kunstverein
Hamburg; Kunstverein Münster
Kunst bleibt Kunst, Kunsthalle Köln
Prospect, Kunsthalle Düsseldorf
Sculpture Now, Royal College of Art,
London
1976
Arte inglese oggi, Palazzo Reale,
Mailand
1977
Documenta 6, Kassel
1977/78
Europe in the 70's, The Art Institute,
Chicago; Hirshhorn Museum,
Washington; Modern Art Museum,
San Francisco; Fort Worth Art
Museum, Texas
1978
Door beeldhouwers gemaakt, Stedelijk
Museum, Amsterdam
Biennale Venedig
1979
Un certain art anglais, Musée d'art
moderne de la ville de Paris
Hayward Annual, Hayward Gallery,
London
1979/80
Gerry Schum, Stedelijk Museum,
Amsterdam; Museum Boymans-van
Beuningen, Rotterdam; Kunstverein
Köln; The Art Gallery, Vancouver;
A Space, Toronto
1980
Kunst na '68, Museum voor
Hedendaagse Kunst, Gent
1981
Westkunst, Köln
1982
Documenta 7, Kassel

Eigene Veröffentlichungen

„The Pencil on Paper", Descriptive
Works, Gilbert & George,
London 1970
„Art Notes and Thoughts",
Gilbert & George, London 1970
„To Be With Art Is All We Ask",
Gilbert & George, London 1970
„A Guide to the Singing Sculpture",
Gilbert & George, London 1970

„The Paintings", Kunstverein
Düsseldorf 1971
„Side by Side", Gebr. König,
Köln 1971
„A Day in the Life of
George & Gilbert", Gilbert & George,
London 1971
„The Grand Old Duke of York",
Kunstmuseum Luzern 1972
„Catalogue for their Australian Visit",
John Kaldor, Sydney 1973
„Dark Shadow", Nigel Greenwood,
London 1976
„Gilbert & George", Galerie des
Taxispalais, Innsbruck 1977

Wichtige Kataloge

The New Art, Hayward Galleries/Arts
Council, London 1972 (Interview)
Van Abbemuseum, Eindhoven 1980
(Buch zur Ausstellung mit
ausführlicher Bibliografie)

Übrige Bibliografie

Ger van Elk, „We Would Honestly
Like to Say „How Happy We Are to
Be Sculptors", *Museumjournaal,*
Serie 14, Nr. 5, Okt. 1969
Caroline Tisdall, „Gilbert and
George", *The Guardian,* 20. Nov. 1970
John Perreault, „Nothing
Breathtaking Will Occur Here
But...", *The Village Voice,* 7. Okt. 1971
Donald Zec, „The Odd Couple",
Daily Mirror, 5. Sept. 1972
Richard Cork, „It's G & G, Always
the Life & Soul of the Party", *Evening
Standard,* 22. Juli 1972
Caroline Tisdall, „The Greatest Two-
Man Vaudeville Act in the Art
Galleries", *The Guardian,*
30. Nov. 1972
Douglas Davis, „Living Statues",
Newsweek, 3. Dez. 1973
Tommaso Trini, „Gilbert & George
the Human Sculptors", *Data,* Bd. 4,
Nr. 12, Sommer 1974
Robert Novak, „Gay Gordons", *Times
Literary Supplement,* 21. Juni 1974
Lynda Morris, „Gilbert and George",
Studio International, Bd. 188, Nr. 968,
Juli/Aug. 1974
Carter Ratcliff, „The Art and
Artlessness of Gilbert & George",
Arts Magazine, Bd. 50, Nr. 5, Jan. 1976
Edward Lucie-Smith, „Ever So Nice",
Art & Artists, Bd. 11, Nr. 2, März 1977

Dieter Hacker

1942 in Augsburg geboren
1960 – 65 Studium an der Akademie
    der bildenden Künste, München
1971 Gründung der 7. Produzenten-
    galerie, Westberlin
    Herausgeber der Zeitungen der
    7. Produzentengalerie
1974 Gastdozent an der Hochschule
    der Künste, Hamburg
1976 Mit Andreas Seltzer
    Herausgeber der Zeitung für
    Fotografie VOLKSFOTO
Lebt und arbeitet in Westberlin

Einzelausstellungen

1965
EFFEKT, Deutsches Institut für Film
und Fernsehen, München
EFFEKT, Galerie Pro, Bad Godesberg
1967
Modern Art Agency Lucio Amelio,
Neapel
1968
Galerie Schütze, Bad Godesberg
1969
Galerie Van de Loo – Forum,
München
Werkkunstschule Offenbach
1970
Modern Art Agency Lucio Amelio,
Neapel
Galleria La Bertesca, Genua
Augenladen, Mannheim
1978
Galerie René Block, Berlin
Galleria Lucio Amelio, Neapel
1979
Künstlerhaus, Stuttgart (mit Andreas
Seltzer)
1980
Museum Bochum (mit Andreas
Seltzer)
Augenladen, Mannheim
1981
DAAD-Galerie, Berlin
Städtische Galerie im Lenbachhaus,
München
Galerie Maier-Hahn, Düsseldorf
Internationaal Cultureel Centrum,
Antwerpen
1982
Augenladen, Mannheim
Museum am Ostwall, Dortmund

Gruppenausstellungen
1971
Experimenta, Kunstverein Frankfurt
1973
Kunst im politischen Kampf,
Kunstverein Hannover
1974
Art into Society, Society into Art, ICA,
London
Demonstrative Fotografie, Kunstverein
Heidelberg
1977
Über Fotografie, Kunstverein Münster
X. Biennale Paris
*Photography as Art – Art as
Photography,* Kassel u. a.
1978
Feldforschung, Kunstverein Köln
*13. East Eleven Artists Working in
Berlin,* Whitechapel Art Gallery,
London
1979
Eremit? Forscher? Sozialarbeiter?,
Kunstverein Hamburg
1980
*Fotografie als Kunst – Kunst als
Fotografie 3,* Zagreb, Paris u. a.
*De la photographie – 17 deutsche
Künstler,* Goethe-Institut, Paris
1981
Kunst und Politik, Badischer
Kunstverein, Karlsruhe
Art Allemagne aujourd'hui, Musée
d'art moderne de la ville de Paris
A New Spirit in Painting, Royal
Academy London
Die Kehrseite der Wunschbilder,
Bonner Kunstverein
Szenen der Volkskunst,
Württembergischer Kunstverein,
Stuttgart

Eigene Veröffentlichungen
„Kritik des Konstruktivismus",
Berlin 1972
„Volkskunst", Berlin 1972
Zeitungen der 7. Produzentengalerie,
Berlin 1972–1977
„Die Welt als Produzentengalerie",
Magazin Kunst, Nr. 50, 1973
„Welchen Sinn hat Malen?",
Berlin 1974
„Millionen Touristen fotografieren
den schiefen Turm von Pisa. Wie
viele halten ihren Fotoapparat
schief?", Berlin 1976
„Aufklärung und Agitation in der
Kunst Chinas. Aufklärung und

Agitation in der Kunst der Bundes-
republik", Berlin 1976
„VOLKSFOTO 1-6", Berlin 1976–1980
(mit Andreas Seltzer),
Gesamtausgabe Verlag
Zweitausendeins, Frankfurt 1981
„The Artist's Political Work Begins
with his Work'", *Control Magazine,*
Nr. 11, London 1979
„Macht guten Mist!", *VOLKSFOTO 6,*
1980
„Lieber Sternleser!", *VOLKSFOTO 6,*
1980
„Unsere Nationalgalerie", *Kunst,
Gesellschaft, Museum,* Berlin 1980
„Geprüft und für wertlos befunden,
Fotos für den Müll", *Kunstforum,*
Bd. 42, 1981 und *European
Photography,* Nr. 10, 1982
„Heimliche Bilder", *Ästhetik und
Kommunikation,* Bd. 7, 1981 (mit
Andreas Seltzer)
„Die Wunder des Werktags",
Errungenschaften, Edition Suhrkamp,
Bd. 1101 (mit Andreas Seltzer)
„Die Schönheit muß auch manchmal
wahr sein", Beiträge zu Kunst und
Politik, Berlin 1982 (mit Bernhard
Sandfort)

Wichtige Kataloge
Kunst im politischen Kampf,
Kunstverein Hanover 1973
Demonstrative Fotografie, Kunstverein
Heidelberg 1974
Art into Society, Society into Art, ICA,
London 1974
Feldforschung, Kunstverein Köln 1978
*13. East, Eleven artists working in
Berlin,* Whitechapel Art Gallery,
London 1978
Eremit? Forscher? Sozialarbeiter?,
Kunstverein Hamburg 1979
De la photographie, Goethe-Institut,
Paris 1980
A New Spirit in Painting, Royal
Academy, London 1981
Kunst und Politik, Badischer
Kunstverein, Karlsruhe 1981
DAAD-Galerie, Berlin 1981
Städtische Galerie im Lenbachhaus,
München 1981
Internationaal Cultureel Centrum,
Antwerpen 1981
Museum am Ostwall, Dortmund 1982

Übrige Bibliografie
Heinz Ohff, „Mit Sendern angepeilt",
Magazin Kunst, Nr. 4, 1975

7. Produzentengalerie –
„Beschreibung eines Arbeitsmodells",
Ästhetik und Kommunikation, Nr. 24,
1976
Karl Josef Pazzini, „Der unsichtbare
Berg", *Ästhetik und Kommunikation,*
Nr. 28, 1977
Jörg Boström, „Volksfoto oder
Arbeiterfotografie", *Tendenzen,*
Nr. 120, 1978
Wolfgang Max Faust, „Der Mythos
des Bildes", *Kunstforum,* Nr. 37, 1980
Walter Grasskamp, „Der Künstler als
Kritiker", *Kunstforum,* Nr. 37, 1980
Gerhard Schumacher, „Von
Müllhaufen an Bildern und dem
Hochhalten der Utopie", *foto-scene,*
Nr. 7, 1980
Gerhard Schumacher, „Volksfoto –
ein Projekt zur Erforschung der
Fotografie", *filter-Magazin für
Fotografie,* Nr. 11, 1980

Filme
Zeichen von Gezeichneten, ZDF
(Zweites Deutsches Fernsehen),
5. 6. 1977, 45 Minuten lang (mit
Wolfgang Ebert und Andreas Seltzer)
Alltagsfotografie I, WDR
(Westdeutscher Rundfunk)
3. Programm, 4. 12. 1980, 45 Minuten
(mit Dieter Koch und Andreas
Seltzer)
Alltagsfotografie II, WDR
(Westdeutscher Rundfunk)
3. Programm, 12. 12. 1980, 45 Minuten
(mit Dieter Koch und Andreas
Seltzer)

Antonius Höckelmann

1937 in Oelde in Westfalen geboren
1951 – 57 Lehre und weitere
        Ausbildung zum Holzbildhauer
        in der Werkstatt
        H. Lückenkötter, Oelde
1957 – 61 Studium an der Hochschule
        für bildende Kunst in Berlin bei
        Karl Hartung
1960 – 61 Vier Monate Aufenthalt in
        Neapel
1962 Studium bei Pfennig, Oldenburg,
        und Hann Trier, Berlin

1961 Beginn der Auseinandersetzung
mit der Malerei und Zeichnung
von Georg Baselitz
Teilzeitarbeit bei der Bundespost
in Berlin
1964 Privatausstellung in Berlin,
Rheingaustraße: Hille Eilers und
Antonius Höckelmann – Malerei
und Plastik (Plakat)
1970 Übersiedlung nach Köln, wo er
heute lebt und arbeitet
Drei Monate Aufenthalt im
Bahnhof Rolandseck bei Bonn
Beschäftigt als Arbeiter bei dem
Postamt Köln 1 bis 1979

Einzelausstellungen
1966
Galerie Michael Werner, Berlin
1969
Galerie Michael Werner, Köln
Galerie Benjamin Katz, Berlin
1971
Galerie Michael Werner, Köln
1972
Galerie im Goethe-Institut,
Amsterdam
Galerie Michael Werner, Köln
1973
Galerie Loehr, Frankfurt/Main
Galerie Michael Werner, Köln
1974
Galerie Cornels, Baden-Baden
1975
Städtisches Museum Leverkusen,
Schloß Morsbroich
Galerie Friedrich, München
Kunsthalle Bern
1978
Galerie Hertha Klang, Köln
Galerie Der Spiegel, Köln
Galerie Borgmann, Köln
Artothek, Köln
1979
Agentur Fred Jahn, München
Galerie Borgmann, Köln
Galerie Toni Gerber, Bern
1980
Galerie Zellermayer, Berlin
Kunsthalle, Köln
Galerie Fred Jahn, München
1981
Galerie Heike Curtze, Düsseldorf
Galerie Zimmer, Düsseldorf
Galerie Borgmann, Köln (Westkunst)
Galerie Helen van der Meij,
Amsterdam
1982
Galerie Zimmer, Düsseldorf

Gruppenausstellungen
1964
Wanderausstellung *Berliner Bildhauer
und Maler,* Galerie S. Ben Wargin,
Pseudonym Sögen Sundern
Ausstellung Berlin – Rheingaustraße
Malerei und Plastik
1969
II. Internationale Frühjahrsmesse
Berlin
1972
14 x 14, Kunsthalle Baden-Baden
Zeichnung II, Städtisches Museum
Schloß Morsbroich
Zeichnung der deutschen Avantgarde,
Galerie im Taxispalais Innsbruck und
Galerie Nächst St. Stephan Wien
1973
Bilanz einer Aktivität, Galerie im
Goethe-Institut, Amsterdam
1977
Documenta 6, Kassel
1980
Erste Ausstellung der Ponto-Stiftung,
Frankfurt
Der gekrümmte Horizont, Akademie
der Künste, Berlin
1982
Documenta 7, Kassel
GAK, Bremen

Eigene Veröffentlichungen
Plakat für die Galerie Stummer und
Hubschmid, Zürich 1966
Die Schastrommel, Nr. 6, Hg. Günter
Brus, Bozen und Berlin 1972
Karte „Gerichtsschwierigkeiten“,
Galerie Michael Werner, Köln 1972
Hans Salentin Skulpturen –
gezeichnet von Antonius
Höckelmann, Hake Verlag, Köln 1974
Kölner Skizzen, Heft 1, 1979
Karte für die Galerie Toni Gerber,
Bern 1979
„Turf“, Hake Verlag, Köln 1981

Wichtige Kataloge
Berliner Bildhauer und Maler,
Galerie S. Ben Wargin, Berlin 1964,
Abbildung unter dem Pseudonym
Sögen Sundern
Michael Werner, Berlin 1966
14 x 14, Kunsthalle Baden-Baden 1972
Zeichnung II, Städtisches Museum
Leverkusen, Schloß Morsbroich 1972
Zeichnung der deutschen Avantgarde,
Galerie im Taxispalais,
Innsbruck 1972

A. R. Penck, „Zur Ausstellung
Antonius Höckelmann“,
Amsterdam 1973
Museum Leverkusen, Schloß
Morsbroich 1975
Kunsthalle Bern 1975
Documenta 6, Kassel 1977
Galerie Borgmann, Köln 1979
Galerie Zellermayer, Berlin 1980
Ausstellung der Pontostiftung,
Frankfurt 1980
Kunsthalle Köln 1980
GAK, Bremen 1982

Karl Horst Hödicke

1938 in Nürnberg geboren
1959 Studium an der Hochschule für
bildende Künste, Berlin, bei
Fred Thieler
1961 Mitglied der Gruppe Vision,
München/Berlin
1964 Eröffnungsausstellung der
Galerie Großgörschen 35,
Berlin. Erste Objekte. Vertreten
von der Galerie René Block bis
1979
1966 Einjähriger Aufenthalt in New
York, Produktion
experimenteller Kurzfilme
1968 Villa Massimo, Rom
1974 Professur an der Hochschule für
bildende Künste, Berlin
1980 Mitglied der Akademie der
Künste, Berlin
Lebt in Berlin

Einzelausstellungen
1964
Galerie Großgörschen 35, Berlin
1965
Galerie Niepel, Düsseldorf
Galerie René Block, Berlin
1966
Galerie T, Heidelberg
1967
Galerie René Block, Berlin
Galerie Niepel, Düsseldorf
Passage mit Fenster,
Galerie René Block, Berlin
Galerie Zwirner, Köln (mit
KP Brehmer)
1969
Galerie René Block, Berlin

1970
Galerie René Block, Berlin
1973
Galerie René Block, Berlin
1974
Galerie Wintersberger, Köln
1975
Galerie René Block, Berlin
1976
René Block Gallery, New York
1977
Badischer Kunstverein, Karlsruhe
René Block Gallery, New York
1980
Galerie Springer, Berlin
Kalenderblätter, DAAD-Galerie,
Berlin
1981
K. H. Hödicke, Bilder 1962–1980, Haus
am Waldsee, Berlin
Annina Nosei Gallery, New York
1982
L. A. Louver Gallery, Los Angeles
Galerie Folker Skulima, Berlin

Gruppenausstellungen
1964
Neodada, Pop, Décollage,
Kapitalistischer Realismus, Galerie
René Block, Berlin
1965
K. H. Hödicke, Passagen, Verzerrungen,
Galerie René Block, Berlin
Großgörschen-35-Retrospektive 1964/65,
Galerie Großgörschen, Berlin
1966
Junge Generation, Akademie der
Künste, Berlin
1967
Neuer Realismus, Haus am Waldsee,
Berlin
Hommage à Lidice, Galerie René
Block, Berlin
1969
Blockade 69, Galerie René Block,
Berlin
Objekte und Bildreliefs, Staatsgalerie
Stuttgart
1970
New Multiple Art, 3–00, Arts Council
of Great Britain, London
1971
Frankfurter Kunstverein zur
Experimenta IV
Metamorphose des Dinges,
Nationalgalerie Berlin
Zeichnungen, Galerie René Block,
Berlin
Multiples, The First Decade, Museum
Philadelphia

Prospekt, Kunsthalle Düsseldorf
1972
Szene Berlin, Württembergischer
Kunstverein, Stuttgart
The Berlin Scene, Gallery House,
London
1973
Grafische Techniken, Neuer Berliner
Kunstverein, Berlin
1974
1. Biennale, Berlin
Geschichte des Multiple, Neuer
Berliner Kunstverein, Berlin
1975
8 from Berlin, Edinburgh-Festival
Video Art, Institute of Contemporary
Art, Philadelphia
1976
Made in Berlin, René Block Gallery,
New York
SoHo – Downtown Manhattan,
Akademie der Künste, Berlin
La Boîte, Musée d'art moderne de la
ville de Paris
1978
*13. East Eleven Artists Working in
Berlin,* Whitechapel Art Gallery,
London
1980
Der gekrümmte Horizont, Akademie
der Künste, Berlin
1981
A New Spirit in Painting, Royal
Academy, London
Art Allemagne aujourd'hui, Musée
d'art moderne de la ville de Paris
Schwarz, Kunsthalle Düsseldorf
11 x Malerei, Kunstverein Münster
1982
*Berlin, das malerische Klima einer
Stadt,* Musée Cantonal des Beaux-
Arts, Lausanne

Eigene Veröffentlichungen
„Anatomie – Autonomie –
Anomalie", Rainer Verlag, Berlin 1976
„Kalenderblätter", DAAD und
Rainer Verlag, Berlin 1980

Wichtige Kataloge
*Berlin, Berlin – Junge Berliner Maler
und Bildhauer,* Deutsche Gesellschaft
für Bildende Kunst, Zapeion,
Athen 1967
Hommage à Lidice, Galerie René
Block, Berlin 1967
Konzepte einer neuen Kunst,
Kunstverein Göttingen, 1970

New Multiple Art, Arts Council of
Great Britain, London 1970
Metamorphose des Dinges,
Nationalgalerie Berlin 1971
The Berlin Scene, Gallery House,
London und Kunstverein
Hamburg 1972
8 from Berlin, The Fruit Market
Gallery, Scottish Arts Council,
Edinburgh 1976
SoHo Downtown Manhattan,
Akademie der Künste, Berlin 1976
K. H. Hödicke, Badischer Kunstverein,
Karlsruhe 1977
*13. East, Eleven Artists Working in
Berlin,* Whitechapel Art Gallery,
London 1978
Haus am Waldsee, Berlin 1981

Übrige Bibliografie
„Grafik des Kapitalistischen
Realismus, Selbstporträts/Weekend",
Edition René Block, Berlin 1972,
Ergänzungsband 1976
Plakatkataloge Videothek Berlin 1973
Kunstforum International, Nr. 13, 1973
„Der europäische Koffer", *Magazin
Kunst,* Nr. 3, 1976
Michael Schwarz, „Spontanmalerei –
Über das Verhältnis von Farbe und
Gegenstand in der neuen Malerei",
Kunstforum International, Bd. 20, 1977

Jörg Immendorff

1945 in Bleckede am westlichen
     Elbeufer von Lüneburg geboren
1963 – 64 Drei Semester Bühnenkunst
     bei Teo Otto an der
     Kunstakademie in Düsseldorf
1964 Aufnahme in die Klasse von
     Josef Beuys an der
     Kunstakademie in Düsseldorf
1965 – 66 Verschiedene Aktionen an
     der Kunstakademie in
     Düsseldorf
1968 – 69 Lidl-Aktivitäten in
     Düsseldorf und in anderen
     Städten und Ländern
1977 Am 1. Mai, Begegnung mit Ralf
     Winkler in Berlin/DDR; in der
     Folge verschiedene gemeinsame
     künstlerische Aktivitäten und
     Ausstellungen zum Thema

1978 Beginn der Arbeit am *Café Deutschland*
1981 Gastprofessur an der Konsthögskolan in Stockholm
Lebt in Düsseldorf

Einzelausstellungen
1961
New Orleans-Club, Bonn
1966
Galerie Schmela, Düsseldorf
Galerie Fulda, Fulda
Galerie Aachen, Aachen
1967
Galerie Art Intermedia, Köln
1968
Galerie Patio, Frankfurt
1969
Galerie Lichter, Frankfurt
Eine Wanderausstellung, Galerie Michael Werner, Köln
1971
Arbeit an der Hauptschule, Galerie Michael Werner, Köln
1972
Galerie Michael Werner, Köln
1973
Hier und jetzt: Das tun, was zu tun ist. Westfälischer Kunstverein Münster
Galerie Michael Werner, Köln
Galerie Loehr, Frankfurt
Galerie Cornels, Baden-Baden
1974
Daner Galleriet, Kopenhagen
Galerie Michael Werner, Köln
1975
Galerie am Savignyplatz, Berlin
Galerie Michael Werner, Köln
Galerie Nächst St. Stephan, Wien
1976
Seriaal, Helen van der Meij, Amsterdam
1977
Hedendaagse Kunst, Utrecht
Penck mal Immendorff, Immendorff mal Penck, Galerie Michael Werner, Köln
1978
Galerie Maier-Hahn, Düsseldorf
Café Deutschland, Galerie Michael Werner, Köln
1979
Café Deutschland, Kunstmuseum Basel
Galerie Helen van der Meij, Amsterdam
Teilbau, Bleckede an der Elbe (permanente Freilichtausstellung)

Position-Situation, Galerie Michael Werner, Köln
1980
Malermut rundum, Kunsthalle Bern
1981
Pinselwiderstand (4 x), Van Abbemuseum, Eindhoven
Teilbau, Galerie Neuendorf, Hamburg
Galerie Heinrich Ehrhard, Madrid
Lidl 1966–1970, Van Abbemuseum, Eindhoven
1982
Kein Licht für wen?, Galerie Michael Werner, Köln
Grüße von der Nordfront, Galerie Fred Jahn, München
Galerie Strelow, Düsseldorf
Café Deutschland / Adlerhälfte, Kunsthalle Düsseldorf
Galerie Rudolf Springer, Berlin

Gruppenausstellungen
1967
Deutsch-Dänische Wochen, mit Kirkeby, Nørgaard, Reinecke, Galerie Aachen, Aachen
Hommage a Lidice, Galerie René Block, Berlin
1969
Düsseldorfer Szene, Kunstmuseum Luzern
1970
Jetzt, Kunsthalle Köln
1972
Zeichnungen 2, Schloß Morsbroich, Städtisches Museum Leverkusen
Documenta 5, Kassel
1973
Bilder / Objekte / Filme / Konzepte, Städtische Galerie im Lenbachhaus, München
1974
XX. Internationales Kunstgespräch, Galerie Nächst St. Stephan, Wien
1975
°45, Galerie René Block, Berlin
1976
Ex Cantiere navale alla Giudecca, Biennale Venedig
1977
Zeitgenössische Kunst aus der Sammlung des Stedelijk Van Abbemuseum Eindhoven, Kunsthalle Bern
1979
Solidaritätsaktion für Jochen Hiltmann, Van Abbemuseum, Eindhoven

Malerei auf Papier, Badischer Kunstverein, Karlsruhe
1980
Les nouveaux fauves, Neue Galerie Aachen
L'arte negli anni settanta, Biennale Venedig
Après le classicisme, Musée d'art Saint-Etienne
1981
Galerie Gillespie / Laage / Salomon, Paris
Art Allemagne aujourd'hui, Musée d'art moderne de la ville de Paris
Der Hund stößt im Laufe der Woche zu mir, Moderna Museet, Stockholm
Malerei in Deutschland, Palais des Beaux-Arts, Brüssel
Le Moderna Museet de Stockholm au Palais des Beaux-Arts, Brüssel
Westkunst, Köln
1982
German Drawings of the 60's, Yale University
Studio Marconi, Mailand
Avanguardia-Transavanguardia, Rom
Documenta 7, Kassel

Eigene Veröffentlichungen
„Lidlstadt", Eigenverlag, Düsseldorf 1968
„Den Eisbären mal reinhalten" (Faltblatt), Eigenverlag, Düsseldorf 1968
„Hier und jetzt: Das tun, was zu tun ist", Verlag Gebr. König, Köln/ New York 1973
„An die ,Parteilosen' Künstler-Kollegen", *Kunstforum International,* 1. Jg., Bd. 8/9, 1973/74
„Redebeitrag für das XX. Internationale Kunstgespräch in Wien 1974, je/nous – ik/wij", Musée d'Ixelles, Brüssel 1975
Jörg Immendorff/Michael Schürmann, „Beuys geht" (Interview), *Überblick,* 2. Jg., Nr. 12, Düsseldorf, Dez. 1978
Interview mit Josef Beuys, *Spuren – Zeitschrift für Kunst und Gesellschaft,* 5/78, Köln, Dez. 1978
Jörg Immendorff/Michael Schürmann, Interview mit Josef Beuys, Fortsetzung, *Überblick,* 3. Jg., Nr. 1, Düsseldorf, Jan. 1979
Jörg Immendorff/A. R. Penck, „Deutschland mal Deutschland", München 1979

Jörg Immendorff/Hans Peter Riegel, „Was Kunst soll" (Interview), *OETZ*, Nr. 5, Düsseldorf, Feb. 1982

Wichtige Kataloge
Düsseldorfer Szene, Kunstmuseum Luzern 1969
Zeichnungen 2, Städtisches Museum Schloß Morsbroich, Leverkusen 1972
Zeichnungen der deutschen Avantgarde, Galerie im Taxispalais, Innsbruck 1972
Bilder/Objekte/Filme/Konzepte, Städtische Galerie im Lenbachhaus, München 1973
Café Deutschland, Galerie Michael Werner, Köln 1978
Café Deutschland, Kunstmuseum Basel 1979
Position-Situation/Plastiken, Galerie Michael Werner, Köln 1979
Malerei auf Papier, Badischer Kunstverein, Karlsruhe 1979
Kunsthalle Bern 1980
Le Moderna Museet de Stockholm au Palais des Beaux-Arts, Brüssel 1981
Lidl 1966–1970, Van Abbemuseum Eindhoven 1981
Kein Licht für wen?, Galerie Michael Werner, Köln 1982
Kunsthalle Düsseldorf 1982 (mit ausführlicher Bibliografie)

Übrige Bibliografie
Chris Reinicke, „Gedanken zu Jörg Immendorffs Babies und Aktionen" (Faltblatt), Nr. 2, Information, Staatliche Kunstakademie Düsseldorf o. J.
Marie Louise Flammersfeld, „De werkelijkheid van Jörg Immendorff", *De Nieuwe Linie,* Amsterdam, 15. Juni 1977
Jan Zumbrink, „Immendorff: realisme, maar geen sovjetrealisme", *De Nieuwe Linie,* Amsterdam, 15. Juni 1977

Anselm Kiefer

1945 in Donaueschingen geboren
1965 Beginn eines Jura- und Französischstudiums
1966 – 68 Malkurse bei Peter Dreher in Freiburg

1969 Studium bei Horst Antes in Karlsruhe
1970 – 72 Studium bei Joseph Beuys
Lebt in Hornbach, Odenwald

Einzelausstellungen
1969
Galerie am Kaiserplatz, Karlsruhe
1973
Nothung, Galerie Michael Werner, Köln
Der Niebelungen Leid, Galerie im Goethe-Institut/Provisorium, Amsterdam
1974
Alarichs Grab, Galerie Felix Handschin, Basel
Heliogabal, Galerie t'Venster/ Rotterdam Arts Foundation, Rotterdam
Malerei der verbrannten Erde, Galerie Michael Werner, Köln
1975
Unternehmen Seelöwe, Galerie Michael Werner, Köln
1976
Siegfried vergißt Brünhilde, Galerie Michael Werner, Köln
1977
Bonner Kunstverein, Bonn
Galerie Helen van der Meij, Amsterdam
Ritt an die Weichsel, Galerie Michael Werner, Köln
1978
Wege der Weltweisheit – Hermannsschlacht, Galerie Maier-Hahn, Düsseldorf
Bilder und Bücher, Kunsthalle Bern
1979
Van Abbemuseum, Eindhoven
Bücher, Galerie Helen van der Meij, Amsterdam
1980
Verbrennen – Verholzen – Versenken – Versanden, Biennale Venedig, Deutscher Pavillon (mit Georg Baselitz)
Bilderstreit
Kunstverein, Mannheim
Württembergischer Kunstverein, Stuttgart
Galerie Helen van der Meij, Amsterdam
Bilder und Zeichnungen, Galerie und Edition Sigrid Friedrich – Sabine Knust, München
Holzschnitte und Bücher, Museum Groningen

1981
Urd, Werlandi, Skuld, Galerie Paul Maenz, Köln
Marian Goodman Gallery, New York
Galleria Salvatore Ala, Mailand
Bücher, Galerie und Edition Sigrid Friedrich – Sabine Knust, München
Aquarelle 1970–1980, Kunstverein Freiburg,
Margarete – Sulamith, Museum Folkwang, Essen
1982
Whitechapel Art Gallery, London
Marian Goodman, New York
Galerie Paul Maenz, Köln

Gruppenausstellungen
1973
14 x 14, Staatliche Kunsthalle, Baden-Baden
Bilanz einer Aktivität, Galerie im Goethe-Institut/Provisorium, Amsterdam
1976
Beuys und seine Schüler, Kunstverein, Frankfurt
1977
Peiling af Tysk Kunst, Louisiana Museum, Humblebaek
Documenta 6, Kassel
Biennale Paris, Musée d'art moderne de la ville de Paris
1978
The Book of the Art of Artist's Books, Teheran Museum of Contemporary Art, Teheran
1979
Malerei auf Papier, Badischer Kunstverein, Karlsruhe
1981
A New Spirit in Painting, Royal Academy, London
Art Allemagne Aujourd'hui, Musée d'art moderne de la ville de Paris
Schilderkunst in Duitsland 1981/ Peinture en Allemagne 1981, Palais des Beaux-Arts, Brüssel
Westkunst, Köln
1982
Documenta 7, Kassel
Vergangenheit – Gegenwart – Zukunft, Württembergischer Kunstverein Stuttgart
Avanguardia – Transavanguardia, Rom

Eigene Veröffentlichungen
„Besetzungen 1969", *Interfunktionen,*
Nr. 12, Ed. & Publ. B. H. D. Buchloh,
Köln 1975
„Die Donauquelle", Hg. Michael
Werner, Köln 1978
„Hoffmann von Fallersleben auf
Helgoland", Hg. Museum
Groningen 1980
„Gilgamesch und Enkidu im
Zedernwald", *Artforum,* Bd. XIX,
Nr. 10, Juni 1981

Wichtige Kataloge
Bonner Kunstverein 1977
Kunsthalle Bern 1978
Badischer Kunstverein,
Karlsruhe 1979
Van Abbemuseum, Eindhoven 1980
Biennale Venedig 1980, Deutscher
Pavillon
Mannheimer Kunstverein 1980
Württembergischer Kunstverein,
Stuttgart 1980
*Schilderkunst in Duitsland/Peinture en
Allemagne 1981,* Palais des Beaux-
Arts, Brüssel 1981
Kunstverein Freiburg 1981
Museum Folkwang, Essen;
Whitechapel Art Gallery,
London 1981/92

Übrige Bibliografie
Michael Schwarz, „Spontanmalerei –
Über das Verhältnis von Farbe und
Gegenstand in der neuen Malerei",
Kunstforum International, Bd. 20, 1977
Evelyn Weiss, „Anselm Kiefer",
Kunstforum International, Bd. 20, 1977
Theo Kneubühler, „Malerei als
Wirklichkeit – Baselitz, Kiefer,
Lüpertz, Penck", *Kunst-Bulletin,*
Nr. 2, Luzern 1978
Johannes Gachnang, „Anselm
Kiefer", *Kunst-Nachrichten,* Heft 3,
Luzern 1979
Bazon Brock, „Avantgarde und
Mythos", *Kunstforum International,*
Bd. 40, 1980
Klaus Wagenbach, „„Neue Wilde",
teutonisch, faschistisch?", *Freibeuter,*
Nr. 5, Berlin 1980
Bazon Brock, „The End of the
Avantgarde? And so the End of the
Tradition, Note on the present
,Kulturkampf' in West Germany",
Artforum, Bd. XIX, Nr. 10, Juni 1981

Per Kirkeby

1938 in Kopenhagen geboren
1957 Abitur, Beginn des natur-
   wissenschaftlichen Studiums an
   der Universität Kopenhagen
   Zahlreiche geologische
   Expeditionen, zunächst nach
   Grönland
   Landschaftsmalerei, abstrakte
   Bilder, Environments und
   Happenings
1964 Beendigung der Studien mit
   dem Sonderfach arktischer
   Quartärgeologie
1966/67 New York
   Weitere Expeditionen nach
   Grönland, Tunis, Zentralamerika
   und Zentralasien
Seit 1972 *Museumsausstellungen* mit
   Objekten und Fundstücken von
   den Reisen
1973 Haus-Skulptur
   Weitere Reisen ans Mittelmeer,
   nach Island und in die Türkei
1978 Lehrbeauftragter an der
   Staatlichen Akademie in
   Karlsruhe
1981 Gast des Berliner
   Künstlerprogramms des
   Deutschen Akademischen
   Austauschdienstes

Einzelausstellungen
1964
Hoved-Bibliotek, Kopenhagen
1965
Den Fries Udstillingsbygning,
Kopenhagen
Galerie Jensen, Euklids Raum,
Kopenhagen
1967
Galerie 101, Skulpturen-Festival der
Zeitschrift *ta',* Kopenhagen
1968
Jysk Kunstgalerie, Kopenhagen
Fyns Stiftsmuseum, Odense
1969
Jysk Kunstgalerie, Kopenhagen
1972
Daner Galleriet, Karlsons Klister 1,
Kopenhagen
Museumsausstellung, Gentofte
Kunstbibliotek, Kopenhagen
1973
Museumsausstellung, Galerie St. Petri,
Lund/Schweden

1974
Museumsausstellung, Haderslev
Museum, Haderslev
Galerie Michael Werner, Köln
1975
Daner Galleriet, Karlsons Klister 11,
Kopenhagen
Retrospektive mit Zeichnungen und
graphischen Blättern, Statens
Museum for Kunst,
Kupferstichkabinett, Kopenhagen
Kunstbygningen Arhus
1976
Museumsausstellung, Galerie Cheap
Thrills, Helsinki
Ribe Museum
1977
Museum Folkwang, Essen
1978
Galerie Michael Werner, Köln
Kunstraum München
1979
Kunsthalle Bern
1980
Galerie Fred Jahn, München
Galerie Helen van der Meij,
Amsterdam
Galerie Michael Werner, Köln
1981
Museum Ordrupgaardsamlingen,
Kopenhagen
Galerie Fred Jahn, München
1982
Galerie Michael Werner, Köln
Galerie Rudolf Springer, Berlin

Gruppenausstellungen
1962
Den eksperimenterende Kunstkole,
Galerie Admiralgade 20, Kopenhagen
1966
Kunstnernes Efterärsudstilling,
Kopenhagen
1970
Tabernakel, Louisiana Museum,
Humlebaek
1976
Biennale Venedig
Arme und Beine, Kunstmuseum
Luzern
1980
Biennale Venedig
Après le classicisme, Musée d'art,
Saint Etienne
1981
A New Spirit in Painting, Royal
Academy, London
Moderna Museet, Stockholm

1982
Avanguardia – Transavanguardia,
Rom
Documenta 7, Kassel

Eigene Veröffentlichungen
Seit 1967 zahlreiche
Veröffentlichungen von Gedichten,
Erzählungen und Bilderzählungen im
Borgens Forlag, Kopenhagen

Wichtige Kataloge
Fliegende Blätter, Museum Folkwang,
Essen 1977
Per Kirkeby und Hermann Kern,
Kunstraum München 1978
Kunsthalle Bern 1979

Filme
Stevns Klint og Møns Klint
Kreidefelsen auf Stevn und Mon,
Fernsehfilm, 16 mm schwarz/weiß,
ca. 40 Min., Dänemark 1969
Grønlandsfilmen I, 8 mm Color,
ca. 30 Min., 1969
Grønlandsfilmen II, 8 mm Color,
ca. 60 Min., 1970
Fraendelos, 16 mm Color,
90 Min., 1970
Dyrehavn den romantiske skov,
35 mm Color, 40 Min., 1970
Tre piger og en gris, 16 mm Color,
90 Min., 1971
Og myndighederne sagde stop, 16 mm
Color, 90 Min., 1972
*En erindring om et besog hos en
lacandonfamilie i regnskoven i Mexico,*
16 mm Color, ca. 20 Min., 1974
Normannerne, 35 mm Color,
90 Min., 1975
Asger Jorn, 16 mm Color,
60 Min., 1977

Bernd Koberling

1938 in Berlin geboren
1955 - 58 Kochlehre, Gesellenbrief,
    Tätigkeit als Koch bis 1968
1958 - 60 Studium an der Hochschule
    für bildende Künste, Berlin
1961 - 63 Aufenthalt in England
1969 - 70 Aufenthalt in Rom, Villa
    Massimo

1970 Preis des Verbandes deutscher
    Kritik
1970 - 74 Aufenthalt in Köln
1976 - 81 Gastdozentur Hamburg,
    Düsseldorf und Berlin
1981 Professor an der Hochschule für
    bildende Künste, Hamburg

Einzelausstellungen
1965
Sonderromantik, Galerie
Großgörschen 35, Berlin
1966
Überspannungen, Galerie René Block,
Berlin
1968
Berge, Birken, Seen, Galerie Falazik,
Bochum
*Berge, Birken, Seen, Überspannungen
1965–68,* Haus am Lützowplatz,
Berlin
1969
Landschaften, Galerie Lichter,
Frankfurt
Landschaften, Galerie Werner, Köln
1971
Rombilder, Galerie Art Intermedia,
Köln
1972
Land-schaft, Galerie Lichter,
Frankfurt
1973
Malwasser, Galerie Magers, Bonn
1974
Rombilder, Galerie Abis, Berlin
1978
Malerei, 1962–77, Haus am Waldsee,
Berlin und Städtisches Museum,
Leverkusen
1980
Galerie Art in Progress, Düsseldorf
1981
Works on Paper, Nigel Greenwood
Gallery, London (mit Ian
Mc. Keever)
1982
Annina Nosei Gallery, New York
Studio d'Arte Cannaviello, Mailand
Landscapes, Robert Miller, New York

Gruppenausstellungen
1965
Retrospektive Großgörschen 35,
1964-65, Berlin
1966
Neue Malerei und Plastik, Galerie
Potsdamer, Berlin

1967
Junge Berliner Maler und Bildhauer,
Athen
Geburtstag Großgörschen 35, Galerie
René Block, Berlin
Hommage à Lidice, Galerie René
Block, Berlin – Hamburg – Prag
1968
Kunststoffe, Galerie Art Intermedia,
Köln
Vier junge Künstler – 4 Räume
(Graubner, Pohl, Wintersberger),
Modern Art Museum, München
1969
Berliner Maler, Kopenhagen
Kaitum-Kalixälv, 14 x 14, Kunsthalle
Baden-Baden
1971
20 Deutsche, Galerie Onnasch,
Berlin – Köln
Konkrete Kritik, Galerie Art
Intermedia, Köln
1972
Szene Rhein-Ruhr, Folkwang-
Museum, Gruga-Hallen, Essen
The Berlin Scene, Gallery House,
London; Kunstverein Hamburg
1974
*Landschaft – Fluchtraum oder
Gegenpol,* Museum Schloß
Morsbroich, Leverkusen; Haus am
Waldsee, Berlin
Erste Biennale, Berlin
1975
8 from Berlin, The Fruit Market
Gallery, Scottish Arts Council
Exhibition, Edingburgh
1978
*13. East, Eleven Artists Working in
Berlin,* Whitechapel Art Gallery,
London
1980
*Zeichen des Glaubens – Geist der
Avantgarde,* Orangerie Schloß
Charlottenburg, Berlin
1981
A New Spirit in Painting, Royal
Academy, London
Berlin expressiv, Berlinische Galerie,
Berlin
1982
In virtù del possesso delle mani,
Museo Gibellina, Sizilien
*Berlin, das malerische Klima einer
Stadt,* Musée Cantonal des Beaux-
Arts, Lausanne

Wichtige Kataloge
Berlin, Berlin – Junge Berliner Maler und Bildhauer, Deutsche Gesellschaft für Bildende Kunst, Berlin; Zapeion, Athen, 1967
Haus am Lützowplatz, Berlin 1968
Galerie Lichter, Frankfurt 1969
Villa Massimo, Rom 1970
The Berlin Scene, Gallery House, London und Kunstverein Hamburg 1972
Malerei 1962–77, Haus am Waldsee, Berlin 1978

Übrige Bibliografie
Rolf-Gunter Dienst, „Deutsche Kunst – Eine neue Generation", Köln 1970
Juliane Roh, „Deutsche Kunst der 60er Jahre", München 1971
Heinz Ohff, „Galerie der neuen Künste", Berlin 1971
Wieland Schmid, „Malerei nach 1945 in Deutschland, Österreich und Schweiz", Berlin 1974
Rolf Wedewer, „Landschaftsmalerei zwischen Traum und Wirklichkeit", Köln 1978
Handbuch Museum Ludwig, Kunst des 20. Jahrhunderts, Köln 1979

Jannis Kounellis

1936 in Piräus geboren
1956 Übersiedlung nach Rom
    Studium an der Kunstakademie in Rom
1958/59 Schrift- und Ziffernbilder
Seit 1960 Performances mit Musik und Worten
Seit 1967 Einbeziehung von Natur, z. B. Kohle, Tiere, Blumen
Seit 1970 Performances mit Masken und Fragmenten der Statue Apollos
Kounellis lebt in Rom

Einzelausstellungen
1960
Galleria La Tartaruga, Rom
1964
Galleria La Tartaruga, Rom
1967
Galleria L'Attico, Rom
1968
Galleria Iolas, Mailand
1969
Galleria Sperone, Turin
1969–70
Modern Art Agency, Neapel
1972
Galerie Folker Skulima, Berlin
Ileana Sonnabend Gallery, New York
1973
Galerie Ileana Sonnabend, Paris
Galleria L'Attico, Rom
1974
Galleria Stein, Turin
Ileana Sonnabend Gallery, New York
Galleria L'Attico, Rom
Galerie Folker Skulima, Berlin
1975
Modern Art Agency, Neapel
Galerie Zwirner, Köln
1976
Galleria L'Attico, Rom (Hotel Luneta)
1977
Galleria Salvatore Ala, Mailand
Kunstmuseum Luzern
Museum Boymans-van Beuningen, Rotterdam
Jean and Karen Bernier Gallery, Athen
1978
Städtisches Museum, Mönchengladbach
1979
Galerie Konrad Fischer, Düsseldorf
Salvatore Ala Gallery, New York
Pinacoteca di Bari
Museum Folkwang, Essen
1980
A.R.C., Musée d'art moderne de la ville de Paris
Ileana Sonnabend Gallery, New York
1981
Van Abbemuseum, Eindhoven (Madrid, London, Baden-Baden)

Gruppenausstellungen
1963
Schrift en beeld, Stedelijk Museum, Amsterdam; Kunsthalle Baden-Baden
1967
Lo spazio degli elementi, fuoco, immagine, aqua, terra, Galleria L'Attico, Rom
Biennale Paris, Musée d'art moderne de la ville de Paris
Arte Povera, Galleria La Bertesca, Genua
1968
Recent Italian Painting and Sculpture, Jewish Museum, New York
1969
Op Losse Schroeven, Stedelijk Museum, Amsterdam
When Attitudes Become Form, Kunsthalle Bern; Museum Haus Lange, Krefeld; Institute of Contemporary Arts, London
4 artistes italiens plus que nature, Musée des arts décoratifs, Paris
Prospect '69, Kunsthalle Düsseldorf
1970
Conceptual art, Arte povera, Land Art, Galleria Civica d'Arte Moderna, Turin
Processi di pensiero visualizzati, Kunstmuseum Luzern
Vitalità del negativo, Galleria Nazionale d'Arte Moderna, Rom
1972
Documenta 5, Kassel
1973
Contemporanea, Parcheggio di Villa Borghese, Rom
1976
Prospect-Retrospect: Europa 1946–1976, Kunsthalle Düsseldorf
1978
Ink, Zürich
Teatro con Carlo Quartucci, Arancera di San Sisto
1980
Biennale Venedig
1981
A New Spirit in Painting, Royal Academy, London
Westkunst, Köln
Kounellis, Merz, Nauman, Serra, Museum Haus Lange, Krefeld
1982
Documenta 7, Kassel

Eigene Veröffentlichungen
„Per Pascali", *Qui Arte Contemporanea,* Rom, 5. März 1969
„Non per il teatro ma con il teatro", *Sipario,* Mailand, Nr. 276, April 1969
Città di Riga I, La Nuova Foglio Ed., Rom 1976

Wichtige Kataloge
Kunstmuseum Luzern 1977
Städtisches Museum Mönchengladbach 1978
Pinacoteca di Bari 1979
Museum Folkwang, Essen 1979
Musée d'art moderne de la ville de Paris 1980
Museum Haus Lange, Krefeld 1981
Van Abbemuseum, Eindhoven 1981

Übrige Bibliografie
Maurizio Calvesi, „Le due avanguardie dal futurismo alla pop art", Lerici, Mailand 1966
Carlo Lonzi und Jannis Kounellis, „Interview", *Marcatre,* Nr. 26/29, Dez. 1966
Mario Diacono, „Jannis Kounellis", *Bit,* Nr. 1, März 1967
Germano Celant, „Arte povera. Appunti per una guerriglia", *Flash Art,* Nr. 5, Nov./Dez. 1967
Germano Celant, „Arte povera", Mailand 1969
Tommaso Trini, „Nuovo alfabeto per corpo e materia, Kounellis: liberi nella sottonatura", *Domus,* Nr. 470, Jan. 1969
R. Barilli, „Dall'oggetto al comportamento", Rom 1971
G. E. Simonetti, „Jannis Kounellis", *Flash Art,* Mai/Juni 1972
Interview mit Jannis Kounellis, *Avalanche,* Sommer 1972
Germano Celant, „Jannis Kounellis", *Studio International,* Nr. 979, Jan./Feb. 1976
Maurizio Calvesi, „Avanguardia di massa", Mailand 1978
Marlis Grüterich, „Jannis Kounellis in Mönchengladbach", *Pantheon,* Okt./Nov./Dez. 1978
R. White, „Interview at Crown Point Press", *View,* März 1979

Christopher LeBrun

1951 in Portsmouth geboren
1970 – 74 Studium an der Slade School of Fine Art
1974/75 an der Chelsea School of Art
1975 Lehrer am Brighton Polytechnic Gelegentlich Gastvorlesungen an der Wimbledon School of Art

Einzelausstellungen
1980
Zeichnungen, Nigel Greenwood Inc., London
1981
Gillespie, Laage, Salomon, Paris
1982
Gemälde, Nigel Greenwood Inc., London

Gruppenausstellungen
1975
London Group, Camden Arts Centre
1977
London Group, Camden Arts Centre
1978
John Moores Liverpool Exhibition XI, Walker Art Gallery, Liverpool
1979
Summer Show III, Serpentine Gallery, London
Peter Moores Exhibition VI, „The Craft of Art", Walker Art Gallery, Liverpool
1980
Nigel Greenwood Inc., London
Nuova immagine, Palazzo della Triennale, Mailand
Whitechapel Open, Whitechapel Art Gallery, London
John Moores Liverpool Exhibition XII, Walker Art Gallery, Liverpool
1981
Enciclopedia, Galleria Civica, Modena
1981/82
13 englische Künstler, Neue Galerie – Sammlung Ludwig, Aachen
1982
Musée d'art moderne, Saint Etienne
Biennale Venedig

Wichtiger Katalog
13 englische Künstler, Neue Galerie – Sammlung Ludwig, Aachen, 1981/82

Übrige Bibliografie
Fenella Crichton, „London Review", *Art and Artists,* Nov. 1979
Matthew Collings, „Serpentine Summer Show III", *Artscribe,* Nr. 20, Nov. 1979
Matthew Collings, „Christopher LeBrun Interviewed by Matthew Collings", *Artscribe,* Nr. 28, März 1980

Markus Lüpertz

1941 in Liberec, Böhmen, geboren
1956 – 61 Beginn des Studiums an der Werkkunstschule Krefeld bei Laurens Goosens Studienaufenthalt im Kloster Maria Laach (Kreuzigungsbilder). Anschließend einjährige Arbeit im Kohlenbergbau (Zeche Hibernia). Weitere Studien in Krefeld und an der Kunstakademie Düsseldorf, Arbeit im Straßenbau.
1963 Übersiedlung nach Berlin, Beginn der dithyrambischen Malerei
1964 Gründung der Galerie Großgörschen 35 in Berlin
1966 Dithyrambisches Manifest: *Die Anmut des 20. Jahrhunderts wird durch die von mir erfundene Dithyrambe sichtbar gemacht,* Großgörschen 35, Berlin
1970 Preis der Villa Romana, einjähriger Aufenthalt in Florenz
1971 Preis des Deutschen Kritikerverbandes
1973 Werkübersicht in der Staatlichen Kunsthalle Baden-Baden
1974 Gastdozentur und seit 1976 Professur an der Staatlichen Akadamie der bildenden Künste in Karlsruhe
1980 Ablehnung der Teilnahme an der Biennale in Venedig
Lebt in Berlin

Einzelausstellungen
1964
Galerie Großgörschen 35, Berlin
1966
Galerie Großgörschen 35, Berlin
Galerie Potsdamer, Berlin
1968
Galerie Rudolf Springer, Berlin
Galerie Michael Werner, Berlin
1969
Galerie Gerda Bassenge, Berlin
Galerie Benjamin Katz, Maison de France, Berlin
1972
Galerie Der Spiegel, Köln
1973
Kunsthalle Baden-Baden
1974
Galerie Michael Werner, Köln
1975
Galerie Neuendorf, Hamburg
1976
Galerie Michael Werner, Köln
Galerie Rudolf Zwirner, Köln
Galerie Seriaal, Amsterdam
1977
Galerie Neuendorf, Hamburg
Kunsthalle Hamburg

Galerie Michael Werner, Köln
Dithyrambische und Stil-Malerei,
Kunsthalle Bern
Van Abbemuseum, Eindhoven
1978
Galerie Michael Werner, Köln
Galerie Heiner Friedrich, München
Galerie Helen van der Meij,
Amsterdam
Galerie Gillespie, de Laage, Paris
1979
Whitechapel Art Gallery, London
Gallery Barry Barker, London
1979/80
Kunsthalle Köln
Galerie Michael Werner, Köln
Galerie Helen van der Meij,
Amsterdam
Galerie Rudolf Springer, Berlin
Dr. Stober, Berlin (Lithos)
1981
Whitechapel Art Gallery, London
Galleri Riis, Oslo
Galerie Michael Werner, Köln
Galerie Rudolf Springer, Berlin
Marian Goldman, New York
Waddington Galleries, London
Kunstverein Freiburg
1982
Galerie Fred Jahn, München

Gruppenausstellungen
1967
Jeunes peintures de Berlin, Genf,
Mailand, Paris
*Berlin Berlin - Junge Maler und
Bildhauer,* Zapeion, Athen
1969
Sammlung Ströher 1968, Kunsthalle
Bern; Nationalgalerie Berlin;
Kunsthalle Düsseldorf
14 x 14, Kunsthalle Baden-Baden
1971
Aktiva 71, Haus der Kunst, München
und Landesmuseum Münster
1973
Prospect '73, Kunsthalle Düsseldorf
VIII. Biennale Paris, Musée d'art
moderne de la ville de Paris
1974
1. Biennale Berlin 1974 (Organisation
Markus Lüpertz)
1977
*Zeitgenössische Kunst aus der
Sammlung des Stedelijk Van
Abbemuseums, Eindhoven,*
Kunsthalle Bern

Documenta 6, Kassel (Rückzug der
Leihgaben aus Protest gegen die
schlechte Präsentation der Werke
innerhalb der Abteilung Malerei,
gemeinsam mit Georg Baselitz)
1978
Eleven Artists Working in Berlin,
Whitechapel Art Gallery, London
1979
Werke aus der Sammlung Crex, Ink,
Zürich; Louisiana Museum,
Humlebaek; Van Abbemuseum,
Eindhoven; Städtische Galerie,
München
1980
Der gekrümmte Horizont, Akademie
der Künste, Berlin
Après le classicisme, Musée d'art et
d'industrie, Saint Etienne
1981
A New Spirit in Painting, Royal
Academy, London
Art Allemagne aujourd'hui, Musée
d'art moderne de la ville de Paris
Immendorff, Kirkeby, Lüpertz, Penck,
Moderna Museet, Stockholm
Malerei in Deutschland, Palais des
Beaux-Arts, Brüssel
1982
Avanguardia - Transavanguardia,
Rom
Documenta 7, Kassel
*Berlin, das malerische Klima einer
Stadt,* Musée Cantonal des Beaux-
Arts, Lausanne

Eigene Veröffentlichungen
„Westwall", Köln 1969
„Dithyramben, die die Welt
verändern", *Kunst Magazin,* Nr. 50,
1973
„1. Biennale Berlin", Berlin 1974
„9 x 9 Gedichte", Berlin 1975

Wichtige Kataloge
Galerie Springer, Berlin 1968
*Markus Lüpertz - eine Festschrift,
Bilder, Gouachen und
Zeichnungen 1967-73,* Kunsthalle
Baden-Baden 1973
Markus Lüpertz, Bilder 1972-1976,
Galerie Zwirner, Köln 1976
Kunsthalle Hamburg 1977
Dithyrambische und Stil-Malerei,
Kunsthalle Bern 1977
*13. East, Eleven Artists Working in
Berlin,* Whitechapel Art Gallery,
London 1977

Van Abbemuseum, Eindhoven 1977
*Gemälde und Handzeichnungen
1964-79,* Kunsthalle Köln
Style Paintings 1977-79, Whitechapel
Art Gallery, London 1981

Übrige Bibliografie
Heinz Ohff, „Das neue Portrait oder
Was ist neu dran?", *Kunstforum
International,* Bd. 1, Nr. 6/7, 1973
Michael Schwarz, „Spontanmalerei",
Kunstforum International, Bd. 2,
Nr. 20, 1977
Theo Kneubühler, „Malerei als
Wirklichkeit", *Kunst-Bulletin,* Nr. 2,
Feb. 1978
Klaus Wagenbach, „,Neue Wilde'
teutonisch, faschistisch?", *Freibeuter,*
Nr. 5, 1980

Bruce Mc Lean

1942 in Glasgow geboren
1961 - 63 Studium an der Glasgow
    School of Art
1963 - 66 Studium der Bildhauerei an
    der St. Martin's School of Art,
    London. Minimal-Skulpturen
    und Events
1969 Einbeziehung des Körpers,
    traditioneller Kunstmedien,
    Postkarten
1971 Foto-, Video-, Filmarbeiten
1972 - 74 Perfomance-Skulpturen der
    *Nice Style: the World's First Pose
    Band*
1975 Neue Performance- und
    Theaterarbeiten, Zeichnungen,
    Bilder
1981 Stipendium des Berliner
    Künstlerprogramms des
    Deutschen Akademischen
    Austauschdienstes
Lebt in London, z. Zt. in Berlin

Einzelausstellungen
1969
Galerie Konrad Fischer, Düsseldorf
1970
King For a Day, Nova Scotia College
of Art Gallery, Halifax, Kanada
1971
Objects no Concepts, Situation
Gallery, London

Galerie Yvon Lambert, Paris
1972
Galleria Françoise Lambert, Mailand
*King For A Day (one Day
Retrospective)*, Tate Gallery, London
1975
Early Works, Museum of Modern Art,
Oxford
1977
Early Works, Robert Self Gallery,
London
Political Drawings, Robert Self
Gallery, London
New Political Drawings, Robert Self
Gallery, London
1978
The Object of the Exercise
(Performance Sculpture), The
Kitchen, New York
1979
Installation, Southampton University
Gallery
Halle für Internationale neue Kunst,
Zürich
Barry Barker Gallery, London
1980
*New Works and Performance/Actions
Positions,* Third Eye Centre,
Glasgow; Fruit Market Gallery,
Edinburgh; Arnolfini, Bristol
1981
Kunsthalle Basel; Whitechapel Art
Gallery, London; Van Abbemuseum,
Eindhoven
Galerie Chantal Crousel, Paris
Galerie Art and Project, Amsterdam
Anthony D'Offay, London
1982
Mary Boone Gallery, New York

Gruppenausstellungen
1965
Five Young Artists, ICA, London
1968
Konzeption/Conception, Leverkusen
1969
Op Losse Schroeven, Stedelijk
Museum, Amsterdam
When Attitudes Become Form,
Kunsthalle Bern
1970
Information, Museum of Modern Art,
New York
Biennale Sao Paulo
1977
*In Terms Of, an Institutionalised Farce
Sculpture,* Serpentine Gallery,
London

1979
Lives, Hayward Gallery, London
Performance Festival, Palazzo Grassi,
Venedig
1980
Die Kunst der siebziger Jahre, Biennale
Venedig
1981
A New Spirit in Painting, Royal
Academy, London
Musée d'art et d'industrie, Saint
Etienne
1982
Documenta 7, Kassel
Vergangenheit – Gegenwart – Zukunft,
Württembergischer Kunstverein,
Stuttgart

Eigene Veröffentlichungen
„Not even Crimble Crumble", *Studio
International,* London 1969
„King for a Day", Situation Gallery,
London 1972
„Nice Style at the Hanover Grand",
Audio Arts, Lonon 1973
„Nice Style at Garage", *Audio Arts,*
London 1974
„Tape Slide Piece, Performance
Works", *Audio Arts,* London 1977
„Titles Teacups", *Salon Arts
Magazine,* Düsseldorf 1979

Wichtige Kataloge
Third Eye Centre, Glasgow 1980
Kunsthalle Basel; Whitechapel Art
Gallery, London; Van Abbemuseum,
Eindhoven 1981/82

Übrige Bibliografie
Lucy Lippard, „Dematerialisation of
the Art Object", New York 1973
Rosalee Goldberg, „Performance
1909–1979", London 1979

Mario Merz

1925 in Mailand geboren
    Politischer Kriegsgefangener im
    zweiten Weltkrieg
    Universitätsstudium
Seit 1960 intensive Hinwendung zur
    Kunst
Seit 1966 Objekte und Arbeiten mit
    Neon, Erde, Glas, Strauchwerk

Seit 1968 Iglus, Berührung mit der
    Arte povera
    Einbeziehung der Zahlenreihe
    des Pisaner Mathematikers
    Fibonacci nach dem Prinzip der
    Proliferation in die künstlerische
    Arbeit
1973 Stipendium des Berliner
    Künstlerprogramms des
    Deutschen Akademischen
    Austauschdienstes
    Arbeiten mit Tischen
1976/77 Spiraltische
    In den letzten Jahren wieder
    stärkere Hinwendung zur
    Malerei
Mario Merz lebt in Turin

Einzelausstellungen
1962
Galleria Notizie, Turin
1967
Galleria Gian Enzo Sperone, Turin
1969
Galleria L'Attico, Rom
Galerie Ileana Sonnabend, Paris
1970
Galerie Konrad Fischer, Düsseldorf
Ileana Sonnabend Gallery, New York
Galleria Françoise Lambert, Mailand
1971
Galleria Gian Enzo Sperone, Turin
John Weber Gallery, New York
1972
Walker Art Center, Minneapolis
Jack Wendler Gallery, London
1974
Haus am Lützowplatz, Berlin
1975
Kunsthalle Basel
Kunstmuseum Luzern
1976
Galerie Konrad Fischer, Düsseldorf
1977
Galleria Salvatore Ala, Mailand
1978
Galerie Jean and Karen Bernier,
Athen
Galleria Lucio Amelio, Neapel
1979
Museum Folkwang, Essen; Van
Abbemuseum, Eindhoven
1980
Whitechapel Art Gallery, London
Van Abbemuseum, Eindhoven
Sperone Westwater Fischer,
New York
Galerie Albert Baronian, Brüssel

1981
Galerie Konrad Fischer, Düsseldorf
Musée d'art moderne de la ville de
Paris; Kunsthalle Bern
1982
Folkwang Museum, Essen
Staatsgalerie Stuttgart
Kestner-Gesellschaft, Hannover

Gruppenausstellungen
1968
Prospect 68, Kunsthalle Düsseldorf
1969
When Attitudes Become Form,
Kunsthalle Bern; ICA, London;
Museum Haus Lange, Krefeld
Op Losse Schroeven, Stedelijk
Museum, Amsterdam
Verborgene Strukturen, Museum
Folkwang, Essen
1970
Processi di pensiero visualizzati,
Kunstmuseum Luzern
1970/71
Vitalità del negativo, Palazzo delle
Esposizioni, Rom
1971
Arte povera – 13 italienische Künstler,
Kunstverein München
Projects: Pier 18, Museum of Modern
Art, New York
Prospect '71/Projektion, Kunsthalle
Düsseldorf
1972
Documenta 5, Kassel
1973/74
Contemporanea, Parcheggio di Villa
Borghese, Rom
1974
Projekt '74, Kunsthalle Köln
1976
Ambiente/Arte, Biennale Venedig
1977–79
*Europe in the Senventies: Aspects of
Recent Art,* Art Institute, Chicago;
Hirshhorn Museum, Washington; San
Francisco Museum of Modern Art;
Forth Worth Art Museum;
Contemporary Arts Center,
Cincinnati
1978
Dalla natura all'arte, Biennale
Venedig
1980
Biennale Venedig
1981
Westkunst, Köln
A New Spirit in Painting, Royal
Academy, London

Kounellis, Merz, Nauman, Serra,
Museum Haus Lange, Krefeld
1982
'60 – '80, Stedelijk Museum,
Amsterdam
Avanguardia – Transavanguardia,
Rom
Vergangenheit – Gegenwart – Zukunft,
Württembergischer Kunstverein
Stuttgart
Documenta 7, Kassel
Merz, Kounellis, Kiefer, Turin

Eigene Veröffentlichungen
„Fibonacci 1202 – Mario Merz",
Hg. Germano Celant und Pierluigi
Pero, Sperone Ed., Turin 1970
„Una domenica lunghissima dura
approssimativamente dal 1966 e ora
siamo al 1976", *Città di Riga I,* La
Nuova Foglio Ed., Rom 1977
„La mancanza di iconografia è la
nostra conquista o la nostra
dannazione", *Città di Riga II,*
Rom 1978

Wichtige Kataloge
Haus am Lützowplatz, Berlin 1974
Kunsthalle Basel 1975
Kunstmuseum Luzern 1975
Museum Folkwang, Essen; Van
Abbemuseum, Eindhoven 1979
Musée d'art moderne de la ville de
Paris; Kunsthalle Bern 1981
Kestner-Gesellschaft Hannover 1982
(mit ausführlicher Bibliografie)

Übrige Bibliografie
Germano Celant, „Ars povera",
Studio Wasmuth, Tübingen 1969
Tommaso Trini, „L'immaginazione
conquista il terrestre", *Domus,*
Feb. 1969
Jean-Christophe Ammann, „Zeit,
Raum, Wachstum, Prozesse", *Du,*
Aug. 1970
Germano Celant, „Mario Merz",
Domus, Nr. 499, Juni 1971
Grégoire Müller, „The New
Avantgarde – Issues for the Art of the
Seventies", *Pall Mall Press,*
London 1972
Heinz Ohff, „Mario Merz", *Das
Kunstwerk",* Bd. 27, Nr. 3, Mai 1974
Marlis Grüterich, „Mario Merz",
Kunstforum International, Nr. 15, 1976
Klaus Honnef, „Biennale
Venedig '78", *Kunstforum
International,* Nr. 27, 1978

Maurizio Calvesi, „Avanguardia di
massa", Mailand 1978

Helmut Middendorf

1953 in Dinklage geboren
1971 – 79 Studium der Malerei an der
    Hochschule der Künste, Berlin,
    bei K. H. Hödicke.
    Auseinandersetzung mit dem
    Experimentalfilm.
    Meisterschüler
1977 Mitgründer der Galerie am
    Moritzplatz
1979 Ab Wintersemester Lehrauftrag
    für Experimentalfilm an der
    Hochschule der Künste, Berlin
1980 Stipendium des Deutschen
    Akademischen
    Austauschdienstes für New York

Einzelausstellungen
1977
Galerie am Moritzplatz, Berlin
1978
Gitarren, Galerie Nothelfer, Berlin
1979
Galerie am Moritzplatz, Berlin
1981
Galerie Gmyrek, Düsseldorf
Mary Boone Gallery, New York (mit
Rainer Fetting)
1982
Galerie Albert Baronian, Brüssel
Studio d'Arte Cannaviello, Mailand
Galerie Yvon Lambert, Paris
Galerie Buchmann, St. Gallen

Gruppenausstellungen
1971–79
Freie Berliner Kunstausstellung
1975
Dreißig Jahre Frieden, Haus am
Lützowplatz, Berlin
1976
Das Selbstportrait, Hochschule der
Künste, Berlin
1977
Die zwanziger Jahre heute, Hochschule
der Künste, Berlin
1978
Handzeichnungen, Galerie am
Moritzplatz, Berlin
1 Jahr Galerie am Moritzplatz, Berlin
Photographien, Galerie am
Moritzplatz, Berlin

Galerie Nothelfer, Berlin
1979
Alkohol, Nikotin fff., Galerie am
Moritzplatz, Berlin
12 Räume – 12 Künstler,
DAAD-Galerie, Berlin
Sonnenuntergang, großes Wandbild,
Musikhalle SO 36, Berlin (zusammen
mit Rainer Fetting)
Deutscher Künstlerbund, Stuttgart
1980
Heftige Malerei, Haus am Waldsee,
Berlin
Handzeichnungen II, Galerie am
Moritzplatz, Berlin
Art Basel (Galerie Nothelfer)
Après le classicisme, Musée d'art et
d'industrie, Saint Etienne
Junge Kunst aus Berlin,
Wanderausstellung des Goethe
Instituts, München
1981
Situation Berlin, Musée d'art
contemporain, Nizza
Berlin – eine Stadt für Künstler,
Kunsthalle Wilhelmshaven
Mond – Mord – Macht, Galerie am
Moritzplatz, Berlin
Ten Young Painters from Berlin,
Goethe Institut, London
Szenen der Volkskunst,
Württembergischer Kunstverein
Stuttgart
2. Ausstellung der J. Ponto-Stiftung,
Karmeliterkloster, Frankfurt
Bildwechsel, Akademie der Künste,
Berlin
Phoenix, Alte Oper, Frankfurt
1981/82
Im Westen nichts Neues,
Kunstmuseum Luzern; Centre d'art
contemporain, Genf; Neue Galerie –
Sammlung Ludwig, Aachen
1982
Gefühl und Härte, Kulturhuset
Stockholm; Kunstverein München
Zehn Künstler aus Deutschland,
Museum Folkwang, Essen
Spiegelbilder, Kunstverein Hannover
In virtù del possesso delle mani,
Museo Gibellina/Sizilien
*Berlin, das malerische Klima einer
Stadt,* Musée Cantonal des Beaux-
Arts, Lausanne

Wichtige Kataloge
1 Jahr Galerie am Moritzplatz,
Berlin 1978

Heftige Malerei, Haus am Waldsee,
Berlin 1980

Übrige Bibliografie
„Geländewagen I", Verlag Ästhetik
und Kommunikation, Berlin 1979
Jeannot Simmen, „Ruinen
Faszination", Harenberg Verlag 1980
Wolfgang Max Faust, *Kunstforum
International,* Nr. 38, 1980
Klaus Jürgen Fischer, „Comeback
der Malerei", *Das Kunstwerk,*
Nr. 3, 1980
Ernst Busche, „Violent Painting",
Flash Art, Feb. 1981
Heinz Ohff, „Die neuen Wilden",
Galerie der Künste, Jan. 1981
Eberhard Roters, „Generation 80",
Omnibus, Feb. 1981
Wolfgang Max Faust, „Tendencies in
Recent German Art", *Artforum,*
Sept. 1981
Wolfgang Max Faust und Gerd de
Vries, „Hunger nach Bildern",
Köln 1982
„Deutsche Kunst, hier – heute",
Kunstforum International, Nr. 47, 1982

Filme
1976
*Levitesion, Quelle, Er schwebt, Gesicht,
Nochmal, Italien wird rot,
Wildlederschuhe, Magritte auf Agfa-
Color, Versuch, auszusehen wie Micky
Mouse, Völker der Erde,* alle 8 mm,
Color
1977
*Überfall eines UFOS, TV-Medley,
Quasi schön,* alle 8 mm, Color
1978
Sonnenuntergänge, New York, beide
8 mm, Color
1979
*Die Intelligenz der Stubenfliege,
Afrikanischer Naturalismus,* beide
8 mm, Color

Malcom Morley

1931 in London geboren
1952 – 56 Studium an der
      Camberwell School of Arts and
      Crafts und am Royal College of
      Art, London

1957 Reise nach New York
1964 Übersiedlung nach New York,
      Tätigkeit als Kellner
      Enge Kontakte zu Barnett
      Newman, abstrakte Bilder
1965 – 72 Lehrtätigkeit an der Ohio
      State University und an der
      School of Visual Arts, New York
      Arbeiten mit Fotografien,
      Postkarten und Reiseprospekten
Ab 1966 zerstörerische Behandlung
      dieser Vorlagen wie Zerreißen,
      Durchstreichen
1969 Fotorealistische Arbeiten
      Auseinandersetzung mit dem
      Rassenproblem in Südafrika,
      Abwendung vom Fotorealismus
Morley lebt in New York

Einzelausstellungen
1957
Kornblee Gallery, New York
1964, 1967, 1969
Kornblee Gallery, New York
1973
Galerie Gerald Piltzer, Paris
1974
Stefanotti Gallery, New York
1976
Clock Tower Gallery, Institute for
Art & Urban Resources, New York
1977
Galerie Jurka, Amsterdam
Galerie Jöllenbeck, Köln
1979
Nancy Hoffman Gallery, New York
Suzanne Hilberry Gallery,
Birmingham, Michigan
1980
Wadsworth Atheneum, Hartford,
Connecticut
1982
Kunsthalle Basel; Whitechapel Art
Gallery, London

Gruppenausstellungen
1966
The Photographic Image, Guggenheim
Museum, New York
1971
Radical Realism, Museum of
Contemporary Art, Chicago
1972
Contemporary American Painting,
Whitney Museum of Amerian Art,
New York
Documenta 5, Kassel

1973
Photo-Realism, Serpentine Gallery,
London (Arts Council)
1976
SoHo-Downtown Manhattan,
Akademie der Künste, Berlin
1977
Illusions of Reality, Adelaide;
Canberra; Hobart; Melbourne; Perth
und Sidney
Documenta 6, Kassel
British Painting 1952–1977, Royal
Academy, London
1981
A New Spirit in Painting, Royal
Academy, London
Westkunst, Köln

Eigene Veröffentlichungen
Malcolm Morley, „Talking About
Seeing", Interview mit Klaus Kertess,
Artforum, Sommer 1980
„Dialogue: Malcolm Morley with Les
Levine", *Cover,* Frühling/
Sommer 1980

Übrige Bibliografie
Lawrence Alloway, „The Paintings of
Malcolm Morley", *Art and Artists,*
Januar 1967
Lawrence Alloway, „Morley Paints a
Picture", *Art News,* Sommer 1968
Lawrence Alloway, „Malcolm
Morley", *The Unmuzzled Ox,* Bd. IV,
Nr. 2, 1976
Linda Chase, „Photorealism: Post
Modernist Illusionism", *Art
International,* März/April 1976
Kim Levin, „Malcom Morley, Post
Style Illusionism", *Arts Magazine,*
Feb. 1973
Gregory Battcock, „Super Realism: A
Critical Anthology", New York 1975
Kim Levin, „Malcolm Morley", *Arts
Magazine,* Juni 1976
Valentin Tatransky, „Malcolm
Morley: Toward Erotic Painting",
Arts, März 1979

Robert Morris

1931 in Kansas City, Missouri
geboren

1948 – 50 Studium an der University
of Kansas City und am Kansas
City Art Institute
1951 an der California School of Fine
Arts
1951/52 Militärdienst in Korea
1953 – 55 Studium am Reed College,
Oregon
1961/62 Studium der Kunstgeschichte
am Hunter College, New York
1963 Zusammenarbeit und Aktionen
mit Yvonne Rainer
Ab 1966 Artikel über Plastik für die
Zeitschrift *Artforum*
Seit 1967 Assistant Professor am
Hunter College
1978 Skowhegan Medal for Progress
and Environment
Lebt in New York

Einzelausstellungen
1957
Dilexi Gallery, San Francisco
1964
Galerie Schmela, Düsseldorf
Green Gallery, New York
1967
Leo Castelli Gallery, New York
1968
Van Abbemuseum, Eindhoven
Galerie Ileana Sonnabend, Paris
Leo Castelli Gallery, New York
1969
Galleria Enzo Sperone, Turin
Van Abbemuseum, Eindhoven
1970
The Detroit Institute of Arts
Whitney Museum of American Art,
New York
1971
Tate Gallery, London
Galerie Ileana Sonnabend, Paris
1972
Leo Castelli Gallery, New York
1973
Galerie Konrad Fischer, Düsseldorf
Galleria Lucio Amelio, Neapel
1974
Sonnabend Gallery and the Leo
Castelli Gallery, New York
Galerie Art in Progress, München
1976
Leo Castelli Gallery, New York
1977
Louisiana Museum, Humlebaek
Stedelijk Museum, Amsterdam

Blind Time, Galerie Art in Progress,
Düsseldorf
Galerie Ileana Sonnabend, Paris
1978
Galleria Civica d'Arte Moderna,
Ferrara
1979
Six Mirror Works, Leo Castelli
Gallery, New York
In the Realm of the Carceral, Ileana
Sonnabend Gallery, New York
1980
Waddington Galleries II, London
Art Institute Chicago
1981
Contemporary Arts Museum,
Houston, Texas

Gruppenausstellungen
1966
Primary Structures, The Jewish
Museum, New York
1967
American Sculpture in the Sixties,
Los Angeles County Museum
1968
Earth Art, White Museum of Art,
Cornell University, Ithaca, New York
1969
Minimal Art, Haags
Gemeentemuseum, s'Gravenhage
Documenta 4, Kassel
Pop Art, Hayward Gallery, London
Art by Telephone, Museum of
Contemporary Art, Chicago
*New York Painting and Sculpture:
1940–1970,* Metropolitan Museum of
Art, New York
Op Losse Schroeven, Stedelijk
Museum, Amsterdam
When Attitudes Become Form,
Kunsthalle Bern
1970
Spaces, Museum of Modern Art,
New York
Conceptual Art/Arte povera/Land Art,
Galleria Civica d'Arte Moderna,
Turin
1971
6th International Exhibition,
Guggenheim Museum, New York
Künstler-Theorie-Werk, Kunsthalle
Nürnberg
Works for New Spaces, Walker Art
Center, Minneapolis
1972
Projektion, Louisiana Museum,
Humlebaek

1973
American-Type Sculpture, Visual Arts
Gallery, New York
Video Tapes, Leo Castelli, New York
1977
*Probing the Earth: Contemporary Land
Projects,* Hirshhorn Museum,
Washington
A View of a Decade, Museum of
Contemporary Art, Chicago
Documenta 6, Kassel
1978
Museum des Geldes, Kunsthalle
Düsseldorf; Van Abbemuseum,
Eindhoven; Centre Pompidou, Paris;
Palais des Beaux-Arts, Brüssel
1980
Biennale Venedig
*Carl Andre, Donald Judd, Robert
Morris,* Galleria Nazionale d'Arte
Moderna, Rom
1981
Westkunst, Köln
*Metaphor: New Projects by
Contemporary Sculptors,* Hirshhorn
Museum, Washington
1982
Avanguardia-Transavanguardia, Rom
'60 – '80, Stedelijk Museum,
Amsterdam

Eigene Schriften
„Notes on Sculpture", *Artforum,*
Bd. 4, Nr. 6, Feb. 1966; Bd. 5, Nr. 2,
Okt. 1966; Bd. 5, Nr. 10, Sommer 1967;
Bd. 7, April 1969
„Dance", *The Village Voice,*
3. Feb. 1966 und 10. Feb. 1966
„Anti Forum", *Artforum,* Bd. 6,
April 1968
„The Art of Existence", *Artforum,*
Jan. 1971
„Some Splashes in the Ebb Tide",
Artforum, Feb. 1973
„The Present Tense of Space", *Art in
America,* Jan./Feb. 1978

Wichtige Kataloge
American Sculpture in the Sixties, Los
Angeles County Museum 1967
Earth Art, White Museum of Art,
Cornell University, Ithaca,
New York 1968
Op Losse Schroeven, Stedelijk
Museum Amsterdam 1969
When Attitudes Become Form,
Kunsthalle Bern 1969
Tate Gallery, London 1971

Übrige Bibliografie
Jan Leering, „Robert Morris,
2 L Shapes 1965", *Museumjournaal,*
Serie 13, Nr. 3, 1968
Nicolas Calas, „Wit and Pedantry of
Robert Morris", *Arts Magazine,*
März 1970
Jack Burnham, „Voices From the
Gate", *Arts Magazine,* Sommer 1972,
Bd. 46, Nr. 8
Jeremy Gilbert-Rolfe, „Robert
Morris: the Complication of
Exhaustion", *Artforum,* Sept. 1974

Mimmo Paladino

1948 in Paduli/Benevent geboren
Lebt in Mailand

Einzelausstellungen
1976
Nuovi strumenti, Brescia
1977
Galleria Dell'Ariete, Mailand
Galleria Lucio Amelio, Neapel
1978
Galerie Paul Maenz, Köln
Franco Toselli, Mailand
1979
Galleria Lucio Amelio, Neapel
Galleria Emilio Mazzoli, Modena
Galerie Art and Project, Amsterdam
1980
Galerie Paul Maenz, Köln
Galleria Giorgio Persano, Turin
Galerie Annemarie Verna, Zürich
Badischer Kunstverein, Karlsruhe
Zeichnungen, Kunstmuseum Basel
1982
Galerie Buchmann, St. Gallen

Gruppenausstellungen
1978
Metafisica del quotidiano, Bologna
1979
Perspektive, Art Basel
Europa 79, Stuttgart
Arte Cifra, Galerie Paul Maenz, Köln
1980
*Die enthauptete Hand, 100
Zeichnungen aus Italien,* Kunstverein
Bonn; Städtische Galerie Wolfsburg;
Museum Groningen; Badischer
Kunstverein Karlsruhe

7 Young Artists from Italy, Kunsthalle
Basel; Museum Folkwang, Essen;
Stedelijk Museum, Amsterdam
Biennale, Venedig
1981
A New Spirit in Painting,
Royal Academy, London
1982
Avanguardia – Transavanguardia, Rom
Documenta 7, Kassel

Wichtige Kataloge
7 junge Künstler aus Italien,
Kunsthalle Basel; Museum
Folkwang, Essen; Stedelijk Museum,
Amsterdam 1980
Badischer Kunstverein Karlsruhe
1980
Zeichnungen, Kunstmuseum Basel
1981
Galerie Buchmann, St. Gallen 1982

Übrige Bibliografie
„Mimmo Paladino", *Flash Art,*
Nr. 54/55, 1975
Barbara Radice, „Mimmo Paladino",
Data, Nr. 26, 1977
Germano Celant, „Paul Maenz,
Jahresbericht", Köln 1979
Jean-Christophe Ammann,
„Espansivo-Eccessivo", *Domus,*
Nr. 593, Juli 1979
Achille Bonito Oliva, „EN DE RE",
Modena 1980

A. R. Penck
(Ralf Winkler)

1939 in Dresden geboren
Bis 1970 in Dresden
    Autodidakt als Maler, Schreiber,
    Filmemacher,
    Verwendung verschiedener
    Pseudonyme wie Mike Hammer,
    Y.
Ab 1960 pastos gemalte Bilder
Seit 1965 symbolhafte *System- und
    Weltbilder* mit einem „standar-
    disierten" zeichenhaften
    Repertoire von Strichmännchen-
    figuren
Seit 1969 Ausstellungen in West-
    deutschland
1980 Übersiedlung nach West-
    deutschland

Einzelausstellungen
1969
Galerie Michael Werner, Köln
1971
Galerie Heiner Friedrich, München
Museum Haus Lange, Krefeld
1972
Wide White Space Gallery,
Antwerpen
Kunstmuseum Basel
1973
Galerie Loehr, Frankfurt
L'uomo e l'arte, Mailand
1974
Galerie Michael Werner, Köln
Galerie Nächst St. Stephan, Wien
Galerie Heiner Friedrich, München
Wide White Space Gallery,
Antwerpen
1975
Galerie Neuendorf, Hamburg
Kunsthalle Bern
Van Abbemuseum, Eindhoven
Galerie Michael Werner, Köln
1977
Galerie Seriaal, Amsterdam
1978
Kunstmuseum Basel
Kunstverein Mannheim
Museum Ludwig, Köln
Galerie Helen van der Meij,
Amsterdam
Galerie Rudolf Springer, Berlin
1979
Galerie Michael Werner, Köln
Museum Boymans – van Beuningen,
Rotterdam
1980
Galerie Fred Jahn, München
Städtisches Museum Leverkusen,
Schloß Morsbroich
Galerie Michael Werner, Köln
1981
Kunstmuseum Basel
Galerie Helen van der Meij,
Amsterdam
GEWAD, Gent
Galerie Neuendorf, Hamburg
Kunsthalle Köln
Kunsthalle Bern
1982
Ileana Sonnabend Gallery, New York
Galleria Lucio Amelio, Neapel
Galleria Toselli, Mailand
Studio d'Arte Cannaviello, Mailand
Gillespie, Laage, Salomon, Paris
Waddington Galleries, London

Gruppenausstellungen
1971
Prospect 71 – Projection, Kunsthalle
Düsseldorf
1972
Documenta 5, Kassel
*Zeichnungen der deutschen
Avantgarde,* Galerie im Taxispalais,
Innsbruck
Zeichnungen 2, Schloß Morsbroich,
Städtisches Museum, Leverkusen
1973
Bilder-Objekte-Filme-Konzepte,
Städtische Galerie im Lenbachhaus,
München
Neue Staatsgalerie, München
(mit Beuys)
Prospect 73, Kunsthalle Düsseldorf
1974
Project 74, Kunsthalle Köln
*Kunst na 1960 in het Kunstmuseum
Basel,* Nijmeegs Museum
1975
Zeichnungen, Wide White Space
Gallery, Antwerpen
Functions of Drawing, Rijksmuseum
Kröller-Müller, Otterlo
1976
Zeichnungen-Bezeichnen,
Kunstmuseum Basel
Biennale Venedig
1977
*Sammlung Van Abbemuseum
Eindhoven,* Kunsthalle Bern
1979
Zeichen setzen durch Zeichen,
Kunstverein Hamburg
1980
Zeichnungen, Museum Haus Lange,
Krefeld
Der gekrümmte Horizont, Akademie
der Künste, Berlin
Après le classicisme, Musée d'art et
d'industrie, Saint Etienne
1981
A New Spirit in Painting,
Royal Academy, London
Art Allemagne aujourd'hui, Musée
d'art moderne de la ville de Paris
Westkunst, Köln
1982
Avanguardia – Transavanguardia, Rom
Documenta 7, Kassel

Eigene Veröffentlichungen
„Standard Making", Verlag Jahn und
Klüser, München 1970
„Was ist Standart", Gebr. König,
Köln und New York 1970

„Ich – Standart Literatur",
Ed. Agentzia, Paris 1971
„Der Adler", *Interfunktionen,*
Nr. 11, 1974
„Ich über mich selbst", *Kunstforum
International,* Bd. 12, Nr. 2, 1974/75
„Ich bin ein Buch, kaufe mich jetzt,
Jörg Immendorff an A. R. Penck,
Deutschland mal Deutschland",
Rogner & Bernhard, München 1977
„Der Begriff Modell – Erinnerungen
an 1973", Galerie Michael Werner,
Köln 1978
„Ende im Osten", Rainer Verlag,
Berlin 1981

Wichtige Kataloge
*A. R. Penck – Zeichen als Ver-
ständigung,* Museum Haus Lange,
Krefeld 1971
Kunsthalle Basel 1976
A. R. Penck – Y. Zeichnungen bis 1975,
Kunstmuseum Basel 1978
Concept – Conceptruipte, Museum
Boymans - van Beuningen,
Rotterdam 1979
Y. Rot-Grün / Grün-Rot, Galerie
Michael Werner, Köln 1979
Bilder 1967 – 1977, Fred Jahn,
München 1980
Kunsthalle Köln 1981

Übrige Bibliografie
„A. R. Penck", *Flash Art,* Nr. 43,
Dez. 1973
Rick James, „Halifax - A. R. Penck",
Arts Canada, Nr. 184-187, 1973/74
Dieter Koepplin, „The Art of A. R.
Penck", *Studio International,* Nr. 964,
März 1974
Günther Gercken, „Information om
Ralf Winkler alias Mike Hammer",
Louisiana Revy, Nr. 2, Dez. 1978
Theo Kneubühler, „Malerei als Wirk-
lichkeit", *Kunst-Bulletin,* Nr. 2,
Feb. 1978

Sigmar Polke

1941 in Oels/DDR geboren
1953 Übersiedlung in die
    Bundesrepublik nach Willich bei
    Mönchengladbach
1959/60 Studium der Glasmalerei in
    Düsseldorf

1961 – 67 Studium an der
    Kunstakademie in Düsseldorf
    bei Gerhard Hoehme und Karl-
    Otto Goetz
1963 Gründung der Gruppe
    Kapitalistischer Realismus mit
    Konrad Fischer-Lueg und
    Gerhard Richter
    Verwendung von Fotografien
    meist politisch aktuellen Inhalts
1970/71 Dozent an der Hochschule
    für bildende Künste, Hamburg
Seit 1977 Professor an der Hamburger
    Hochschule für bildende Künste
Lebt in Köln

Einzelausstellungen
1966
Galerie René Block, Berlin
Galerie Alfred Schmela, Düsseldorf
1967
Galerie Heiner Friedrich, München
1969
Galerie Rudolf Zwirner, Köln
1970
Galerie Konrad Fischer, Düsseldorf
Galerie Toni Gerber, Bern
1971
Galerie Michael Werner, Köln
1972
Galerie im Goethe-Institut,
Amsterdam
1973
Galerie Konrad Fischer, Düsseldorf
Original und Fälschung, Westfälischer
Kunstverein, Münster
1974
Galerie Toni Gerber, Bern
Galerie Thomas Borgmann, Galerie
Galerie Michael Werner, Köln
Galerie Rudolf Zwirner, Köln
Städtisches Kunstmuseum, Bonn
1975
Kunsthalle Kiel
Galerie Michael Werner, Köln
Biennale Sao Paulo (mit Baselitz und
Palermo)
1976
Kunsthalle Tübingen
Kunsthalle Düsseldorf
Van Abbemuseum, Eindhoven
1977
Kunstverein Kassel
Galerie Klein, Bonn
1979
Galerie Bama, Paris

Gruppenausstellungen
1963
*Demonstration für den Kapitalistischen
Realismus,* Möbelhaus Berges,
Düsseldorf (mit Kuttner, Lueg und
Richter)
1964
*Neodada, Pop, Kapitalistischer
Realismus,* Galerie Parnass,
Wuppertal (mit Lueg und Richter)
1965
Galerie Orez, Den Haag (mit Lueg
und Richter)
Hommage à Berlin, Galerie René
Block, Berlin
1967
Hommage à Lidice, Galerie René
Block, Berlin
1969
Blockade 69, Galerie René Block,
Berlin
Düsseldorfer Kunstszene,
Kunstmuseum Luzern
Konzeption – conception, Städtisches
Museum, Leverkusen
1970
Jetzt, Kunsthalle Köln
Strategy: Get Arts, Demarco Gallery,
Edinburgh
Zeichnungen I, Kunsthalle Hamburg;
Kunstverein München; Städtisches
Museum, Leverkusen
New Multiple Art, Whitechapel Art
Gallery, London
1971
20 Deutsche, Galerie Onnasch, Berlin
und Köln
Prospect 71, Kunsthalle Düsseldorf
und Louisiana Museum, Humlebaek
1972
*Zeichnungen der deutschen
Avantgarde,* Galerie im Taxispalais,
Innsbruck
Documenta 5, Kassel
Düsseldorfer Konstscen, Ateneum
Taidokoelmat, Helsinki/Turku
Amsterdam – Paris – Düsseldorf,
Guggenheim Museum, New York
Zeichnungen II, Städtisches Museum
Leverkusen
1973
Bilder/Objekte/Filme/Konzepte,
Sammlung Herbig, Städtische Galerie
im Lenbachhaus, München
Medium Fotografie, Städtisches
Museum, Leverkusen
Prospect 73, Kunsthalle Düsseldorf

1974
Project, Kunsthalle Köln
René Block Gallery, New York
1979
Kunstverein Köln
Ink, Zürich
1981
Westkunst, Köln
A New Spirit in Painting, Royal
Academy, London
1982
Avanguardia – Transavanguardia,
Rom
Documenta 7, Kassel

Eigene Veröffentlichung
Sigmar Polke und Gerhard Richter,
„Textcollage", Galerie h, Hannover
1966 (Reprint: Gerhard Richter,
Katalog Biennale Venedig 1972 und
Flash Art 1972)

Wichtige Kataloge
Galerie René Block, Berlin 1966
Amsterdam – Paris – Düsseldorf,
Guggenheim Museum,
New York 1972
Original und Fälschung, Westfälischer
Kunstverein Münster 1973
Kunsthalle Kiel 1975
*Sigmar Polke, Bilder, Tücher, Objekte,
Werkauswahl 1962–71,* Kunsthalle
Tübingen 1976
Kunstverein Kassel 1977

Übrige Bibliografie
Manfred de la Motte, „Junge
deutsche Maler nach Pop", *Art
International,* Bd. X, Nr. 2, 1966
Rolf-Gunter Dienst, „Deutsche Kunst
– eine neue Generation", Köln 1970
Karin Thomas, „Bis heute", Köln 1971
Jürgen Morschel, „Deutsche Kunst
der Sechziger Jahre", München 1972
Georg Jappe, „Young Artists in
Germany", *Studio International,*
Nr. 941, Feb. 1972
Carter Ratcliff, „Amsterdam – Paris –
Düsseldorf", *Artforum,* Dez. 1972
Dierk Stemmler, „Sigmar Polke",
Kunstforum, Bd. 10, 1974

Film
Sigmar Polke und Chris Kohlhöfer,
*... der ganze Körper fühlt sich leicht
und möchte fliegen...,* 16 mm
schwarz-weiß, 35 Min.,
Düsseldorf 1969

Susan Rothenberg

1945 in Buffalo, New York geboren
1966/67 Studium an der Cornell
    University, der George
    Washington University und der
    Corcoran Museum School,
    Washington
Lebt in New York

Einzelausstellungen
1975
Three Large Paintings, 112 Greene
Street, New York
1976
Willard Gallery, New York
1977
Willard Gallery, New York
1978
Matrix, University Art Museum,
Berkeley
1978
Greenberg Gallery, St. Louis
1979
Willard Gallery, New York
1981
Five Heads, Willard Gallery,
New York
1981/82
Akron Art Museum, Ohio

Gruppenausstellungen
1974
New Talent, Sachs Gallery, New York
1975
Willard Gallery, New York
1976
Animals, Holly Solomon Gallery,
New York
1977
May Painting Show, P.S. 1, Long
Island City, New York
New Acquisitions, Museum of
Modern Art, New York
Extraordinary Women, Museum of
Modern Art, New York
1978
The Minimal Image, Protech-
McIntosh Gallery, Washington
1979
New Image Painting, Whitney
Museum of American Art, New York
1980
Tendences actuelles de l'art américain,
Daniel Templon, Paris
Selections from Art Lending, Museum
of Modern Art, New York

Horror pleni, Padiglione d'Arte
Contemporanea, Mailand
1980
Biennale Venedig
1981
*Contemporary Drawings: In Search of
an Image,* University
Art Museum, Santa Barbara
1981/82
*Robert Moskowitz, Susan Rothenberg,
Julian Schnabel,* Kunsthalle Basel;
Frankfurter Kunstverein; Louisiana
Museum, Humlebaek

Bibliografie
Mark Rothenthal, „From Primary
Structures to Primary Imagery", *Arts,*
Okt. 1978
Roberta Smith, „The Abstract
Image", *Art in America,*
März/April 1979
Barbara Rose, „Art for '79 Eyes",
Vogue, Jan. 1979
Hilton Kramer, „Neo-Modernists – A
Sense of Déjà-Vu", *New York Times,*
23. Sept. 1979
Thomas Lawson, „Painting in
New York: An Illustrated Guide",
Flash Art, Okt./Nov. 1979
Carter Ratcliff, „Art Stars for the
Eighties", *Saturday Review,* Feb. 1981
Peter Schjeldahl, „Bravery in Action",
The Village Voice, 29. April–
5. Mai 1981
Sam Hunter, „Post-Modernist
Painting", *Portfolio Magazine,*
Jan./Feb. 1981
Barbara Rose, „Ugly? The Good, The
Bad, and the Ugly: Neo-
Expressionism Challenges Abstract
Art", *Vogue Magazine,* März 1982

David Salle

1952 in Norman, Oklahoma geboren
Bis 1975 Studium am California
    Institute of the Arts, Valencia
Lebt in New York

Einzelausstellungen
1975
Project, Inc., Cambridge,
Massachusetts
Claire S. Copley Gallery, Los Angeles

1976
Corps de Garde, Groningen
Artists Space, New York
1977
de Appel, Amsterdam
The Kitchen, New York
1978
Real Art Ways, Hartford, Connecticut
1979
Anna Leonowens Gallery, Nova
Scotia College of Art and Design,
Nova Scotia
Gagosian/Nosei-Weber Gallery,
New York
1980
de Appel, Amsterdam
Annina Nosei Gallery, New York
Galerie Bischofberger, Zürich
1981
Mary Boone Gallery, New York
Larry Gagosian Gallery, Los Angeles
Galleria Lucio Amelio, Neapel
1982
Galleria Mario Diacono, Rom
Mary Boone/Leo Castelli, New York
Galerie Bischofberger, Zürich

Gruppenausstellungen
1977
Galerie Seriaal, Amsterdam
1978
Museum Groningen
1980
L'Amérique aux indépendants, Grand
Palais, Paris
Nuova immagine, Mailand
Horror pleni, Padiglione d'Arte
Contemporanea, Mailand
1981
Westkunst, Köln
Figures, Formsand, Exressions,
Albright, Knox Museum, Buffalo
1982
Avanguardia – Transavanguardia,
Rom
Documenta 7, Kassel
Transavanguardia, Museo Civico,
Modena

Bibliografie
Richard Burgin, „The Impact of
Conceptual Art at Project, Inc.", *The
Boston Globe,* 17. Sept. 1974
Carrie Rickey, „Voice Choices: David
Salle", *The Village Voice,* 21. Nov. 1979
Carrie Rickey, „Naive Nouveau and
its Malcontents", *Flash Art,*
Sommer 1980

Achille Bonito Oliva, „The Bewildered Image", *Flash Art,* März/April 1980
Carrie Rickey, „Advance to the Rear Garde", *The Village Voice,* 27. August 1980
Rene Ricard, „Not About Julian Schnabel", *Artforum,* Sommer 1981
Peter Schjeldahl, „David Salle Interview", *Journal,* Sept./Okt. 1981
Thomas Lawson, „Last Exit: Painting", *Artforum,* Okt. 1981
Achille Bonito Oliva, „The International Trans-Avantgarde", *Flash Art,* Okt./Nov. 1981
Kim Levin, „Rhine Wine", *The Village Voice,* 16. Dez. 1981
Sam Hunter, „Post-Modernist Painting", *Portfolio Magazine,* Jan./Feb. 1982
Craig Owens, „Back to the Studio", *Art in America,* Jan. 1982
Carter Ratcliff, „An Attack on Painting", *Saturday Review,* Jan. 1982
Carter Ratcliff, „David Salle", *Interview,* Feb. 1982
Lisa Peters, „David Salle", *The Print Collector's Newsletter,* Jan./Feb. 1982
Robert Pincus-Witten, „David Salle: Holiday Glassware", *Arts Magazine,* April 1982

Salomé

1954 in Karlsruhe geboren
1974 – 80 Studium an der Hochschule der Künste, Berlin
    Meisterschüler bei
    K. H. Hödicke
1977 Mitgründer der Galerie am Moritzplatz, Berlin
1977 – 81 Darsteller in Filmen von Rainer Fetting, Robert van Ackeren, Jo Schablonsky, Knut Hoffmeister, Christof Eichborn
1980 Zusammenarbeit mit Luciano Castelli. Hörspiel: *The Boys in the Band-Emory,* Radio Basel – Katja Früh. Schallplatten und Auftritte mit den *Geilen Tieren,* Berlin. Auftritt mit Nina Hagen, Berlin
1981 P.S. 1, New York, Stipendium des Deutschen Akademischen Austauschdienstes

Einzelausstellungen
1977
Malerei, Fotos, Objekte, Performance
Galerie am Moritzplatz, Berlin
Galerie Petersen, Berlin
1978
Frühling, Sommer, Herbst, Winter, Galerie am Moritzplatz, Berlin
Galerie Anderes Ufer, Berlin
Für meine Schwestern in Österreich (Performance), Berlin
Bodyworks (Performance), West-Broadway, New York
1979
Selbstdarstellung, Realismusstudio der Neuen Gesellschaft für Bildende Kunst, Berlin
Galerie Interni, Berlin
1980
Pink and Blue (Performance), Berlin
Galerie Hermeyer, München
Emilia Galotti (Malprojekt, Schauspiel), Theater Freie Volksbühne, Berlin
1981
Phantasien, Träume, Sehnsüchte, Galerie am Moritzplatz, Berlin
Galerie Lietzow, Berlin
Annina Nosei Gallery, New York
Galerie Rudolf Zwirner, Köln
Galerie Bischofberger, Zürich

Gruppenausstellungen
1975
Kunstpreis junger Westen, Recklinghausen
1975
Galerie am Moritzplatz, Berlin
Deutscher Künstlerbund, Berlin
Neue Galerie, Stadt Aachen
1979
Galerie am Moritzplatz, Berlin
Deutscher Künstlerbund, Stuttgart
Big-Birds-Performance, Berlin
1980
Gelbe Tupfen (Performance mit Anne Jud), Berlin
Heftige Malerei, Haus am Waldsee, Berlin
10 Jahre Galerie Lietzow, Berlin
1981
Ten Young Painters from Berlin, Goethe Institut, London
Après le classicisme, Musée d'art et d'industrie, Saint Etienne
Centre d'art contemporain, Genf (mit Luciano Castelli)

Rundschau Deutschland, München
Symposion international d'art performance, Lyon
Westkunst, Köln (Teil Heute)
Situation Berlin, Musée d'art contemporain, Nizza
Berlin, eine Stadt für Künstler, Kunsthalle Wilhelmshaven
Szenen der Volkskunst, Württembergischer Kunstverein, Stuttgart
Enciclopedia, Galleria Civica, Modena
Im Westen nichts Neues, Kunstmuseum Luzern; Centre d'art contemporain, Genf; Neue Galerie – Sammlung Ludwig, Aachen
1982
Zehn Künstler aus Deutschland, Museum Folkwang, Essen
Zwölf Künstler aus Deutschland, Kunsthalle Basel
Biennale Sidney
Gefühl und Härte, Kulturhuset Stockholm; Kunstverein München
Documenta 7, Kassel
Berlin, das malerische Klima einer Stadt, Musée Cantonal des Beaux-Arts, Lausanne

Wichtige Kataloge
1 Jahr Galerie am Moritzplatz, Berlin 1979
Salomé Selbstdarstellung, Katalogmappe, Berlin 1979
Heftige Malerei, Haus am Waldsee, Berlin 1980
Après le classicisme, St. Etienne 1980
Rundschau Deutschland, München 1981
Heute – Westkunst, Köln 1981
Galerie Hermeyer, München 1981
Szenen der Volkskunst, Württembergischer Kunstverein, Stuttgart 1981

Übrige Bibliografie
„Geländewagen I", Berlin 1979
Art, Nr. 1, 1981
Wolfgang Max Faust, „Tendencies in Recent German Art", *Artforum,* Sept. 1981
Wolfgang Max Faust, *Kunstforum,* Nr. 44/45, 1981
„Deutsche Kunst, hier – heute", *Kunstforum,* Nr. 47, 1982
Wolfgang Max Faust und Gerd de Vries, „Hunger nach Bildern", Köln 1982

Filme
Pussycat, 3 Min., Super 8, Color, *Rosa-Hellblau,* 1979, 13 Min., Magnetton. Video: *Pink tableau,* 1977, 30 Min.; *Für meine Schwestern in Österreich,* 1978, 30 Min.; *Bodyworks,* 1978, 30 Min.

Mitwirkung in anderen Filmen
seabrazes von Rainer Fetting, *Geburtstag* von Rainer Fetting, *R. und S. in B.* von Rainer Fetting, *Die Einsamkeit des Herren* von Robert van Ackeren, *Geile Tiere* von Knut Hoffmeister

Julian Schnabel

1951 in New York geboren
1969 – 72 Studium an der University of Houston, Texas
1973/74 Whitney Independent Study Program, New York
Lebt in New York

Einzelausstellungen
1976
Contemporary Arts Museum, Houston, Texas
1978
Galerie December, Düsseldorf
1979
Mary Boone Gallery, New York
Daniel Weinberg Gallery, San Francisco
Mary Boone Gallery, New York
1980
Galerie Bischofberger, Zürich
Young/Hoffman Gallery, Chicago
1981
Mary Boone/Leo Castelli, New York
1982
Stedelijk Museum, Amsterdam
Tate Gallery, London

Gruppenausstellungen
Hidden Houston, University of Saint Thomas, Houston
1972
Louisiana Gallery, Houston
1974
W.I.S.P. Exhibition, Whitney Museum of American Art, New York

1977
Surrogate/Self Portraits, Holly Solomon Gallery, New York
1979
Visionary Images, Renaissance Society, University of Chicago
1980
Nuova immagine, Mailand
L'Amérique aux indépendants, Grand Palais, Paris
Biennale Venedig
Painting and Sculpture Today, Indianapolis Museum of Art
New Gallery, Cleveland
1981
A New Spirit in Painting, Royal Academy, London
Biennial Exhibition, Whitney Museum of American Art, New York
Westkunst, Köln
New York, New York, Addison Gallery, Andover, Massachusetts
U.S. Art Now, Konsthallen Göteborg
1982
Schnabel, Rothenberg, Moskowitz, Frankfurter Kunstverein
Issues: New Allegory, The Institute of Contemporary Art, Boston
'60 – '80, Stedelijk Museum, Amsterdam
Avanguardia – Transavanguardia, Rom

Übrige Bibliografie
William Zimmer, „Julian Schnabel, New Painting", *Soho Weekly News,* 22. Feb. 1979
Ali Anderson, „Voice Choices: Julian Schnabel", *The Village Voice,* 26. Feb. 1979
Carrie Rickey, „Julian Schnabel", *Artforum,* Mai 1979
William Zimmer, „Art Goes to Rock World on Fire: The Pounding of a New Wave", *Soho Weekly News,* 27. Sept. 1979
Carrie Rickey, „What Becomes a Legend Most?", *The Village Voice,* 22. Okt. 1979
Dupuy Warrick Reed, „Julian Schnabel, The Touch of the Moment", *Arts Magazine,* Nov. 1979
William Zimmer, „Artbreakers: New York's Emerging Artists", *Soho News,* 17. Sept. 1980
Carter Ratcliff, „Art to Art: Julian Schnabel", *Interview Magazine,* Okt. 1980

Robert Hughes, „Quirks, Clamors and Variety", *Time Magazine,* 2. März 1981
Gerald Marzorati, „Art Picks: Julian Schnabel", *Soho News,* 15. April 1981
Kim Levin, „Art: Julian Schnabel", *The Village Voice,* 15. April 1981
Hilton Kramer, „Art: Two Painters Explore New Wave", *New York Times,* 17. April 1981
John Perrault, „Is Julian Schnabel That Good?", *Soho News,* 22. April 1981
Christos Joachimides, „Ein neuer Geist in der Malerei", *Kunstforum,* Mai 1981
Hilton Kramer, „Expressionism Returns to Painting", *New York Times,* 12. Juli 1981
Rene Ricard, „Not About Julian Schnabel", *Artforum,* Sommer 1981
Edy de Wilde, „Schilderkunst is meer dan olieverf op linnen", *Museumjournaal,* Nr. 3, 1981
Thomas Lawson, „Julian Schnabel", *Flash Art,* Sommer 1981
Germano Celant, „Les débordements d'une avantgarde internationale", *Artpress,* Okt. 1981
Achille Bonito Oliva, „The International Trans-Avantgarde", *Flash Art,* Okt.-Nov. 1981
Steven Hager, „The Schnabel Effect", *Horizon Magazine,* Dez. 1981
Sam Hunter, „Post-Modernist Painting", *Portfolio Magazine,* Jan./Feb. 1982
Robert Pincus-Witten, „Julian Schnabel: Blind Faith", *Arts Magazine,* Feb. 1982

Frank Stella

1936 in Malden (Massachusetts) geboren
1950 – 54 Studium der Malerei an der Philips Academy in Andover (Massachusetts) bei Patrick Morgan
1954 – 58 Studium in Princeton bei dem Maler Stephen Greene und dem Kunsthistoriker William Seitz
Einfluß der abstrakten Expressionisten

1958 Abschluß des
    Geschichtsstudiums
    Übersiedlung nach New York
    Gelderwerb als Anstreicher
    Einfluß von Jasper Johns, *Flag-*
    und *Target*-Bildern
    Beginn der *Black Series*
1960 Erste Beschäftigung mit dem
    Shaped Canvas
1970 Bildobjekte,
    Reliefkonstruktionen
1975 *Exotic Birds* Reliefs

Einzelausstellungen
1960
Leo Castelli Gallery, New York
1961
Galerie Lawrence, Paris
1964
Kasmin Gallery, London
1966
Pasadena Art Museum, Pasadena,
Kalifornien
1968
Washington Gallery of Modern Art,
Washington
1970
Museum of Modern Art, New York
Hayward Gallery, London (Arts
Council)
Stedelijk Museum, Amsterdam
1971
Art Gallery of Ontario
1973
Phillips Collection, Washington
1976
Kunsthalle Bielefeld; Kunsthalle
Tübingen
The Black Paintings, Baltimore
Museum of Art
1978
Fort Worth Art Museum, Texas
(Wanderausstellung)
1979
Indian Bird Maquettes, Museum of
Modern Art, New York
1980
Centre d'art plastique
contemporain, Bordeaux
1981
Zeichnungen, Staatliche Graphische
Sammlungen, München
1982
Knoedler Gallery, London

Gruppenausstellungen
1959
Sixteen Americans, Museum of
Modern Art, New York

1961
Abstract Expressionists and Imagists,
Guggenheim Museum, New York
1962
Geometric Abstraction in America,
Whitney Museum of American Art,
New York
1964
Post Painterly Abstraction, Los
Angeles County Museum;
Minneapolis; Toronto und Brandeis
Biennale Venedig
1965
The Responsive Eye, Museum of
Modern Art, New York
Biennale Sao Paulo
1966
Systematic Painting, Guggenheim
Museum, New York
1968
Documenta 4, Kassel
1970
Kelly, Louis, Noland, Stella, Museum
of Contemporary Art, Chicago
1978
American Painting of the 1970's,
Albright Knox Art
Gallery, Buffalo (Wanderausstellung)
1981
A New Spirit in Painting, Royal
Academy, London
Westkunst, Köln
Amerikanische Malerei 1930–1980,
Haus der Kunst, München
1982
Avanguardia – Transavanguardia,
Rom
'60 – '80, Stedelijk Museum,
Amsterdam

Eigene Schriften
B. Glaser, „Questions to Stella and
Judd", *Art News,* Nr. 65, Sept. 1966
G. Battcock, „The New Art, A
Critical Anthology", New York 1966
(Interview)

Wichtige Kataloge
Arts Council, London 1970
Museum of Modern Art,
New York 1970
The Black Paintings, Baltimore
Museum of Art, 1976
Kunsthalle Bielefeld 1976
The Fort Worth Art Museum 1978
Amerikanische Malerei 1930–1980,
Haus der Kunst, München 1981

Übrige Bibliografie
William Rubin, „Younger American
Painters", *Art International,* Jan. 1960
B. Glaser, „The Shaped Canvas", *Arts
Magazine,* Feb. 1965
Robert Rosenblum, „Frank Stella:
Five Years of Variation on an
Inreducible Theme", *Artforum,* Nr. 3,
März 1965
M. Fried, „Shape as Form, Frank
Stella's New Paintings", *Artforum,*
Nr. 5, Nov. 1966
A. R. Zimmerman, „Frank Stella", *Art
and Artists,* Sept. 1970
R. Krauss, „Stella's New Work and
The Problem of Series", *Artforum,*
Dez. 1971
Robert Rosenblum, „Frank Stella",
Harmondworth 1971
A. Mackintosh, „Making of the
President: The Career of Frank
Stella", *Art and Artists,* Sept. 1974

Volker Tannert

1955 im Ruhrgebiet geboren
    Kunstakademie Düsseldorf
1979/80 Längere Auslandsaufenthalte
    in New York
Lebt und arbeitet z. Zt. in Köln

Einzelausstellungen
1981
Galerie Rolf Ricke, Köln
Galerie E + O Friedrich, Bern
1982
Galerie Rolf Ricke, Köln
Galerie Peter Pakesch, Wien

Gruppenausstellungen
1981
Rundschau Deutschland I, München
„*between 8",* Kunsthalle Düsseldorf
Treibhaus, Kunstmuseum Düsseldorf
Rundschau Deutschland II, Köln
Front, Galerie Rolf Ricke, Köln
Neue Sammlung Museum Krefeld,
Haus Esters
1982
Zwölf Künstler aus Deutschland,
Kunsthalle Basel; Museum Boymans-
van Beuningen, Rotterdam
Galerie Peter Pakesch, Wien
Documenta 7, Kassel
Galerie Rolf Ricke, Köln

Bibliografie
Peter Iden, „Die hochgemuten Nichtskönner", *Frankfurter Rundschau,* 18. Juli 1981
Gerhard Storck, Faltblatt Neue Sammlung Krefelder Kunstmuseum, Sept. 1981
Jean-Christoph Ammann, Katalog der Kunsthalle Basel, 1982
Laszlo Glozer, *Süddeutsche Zeitung,* 24. Mai 1982
Jürgen Hohmeyer, *Spiegel,* Nr. 22, Mai 1982
Sigmar Gassert, *Basler Zeitung,* Nr. 63

Cy Twombly

1929 in Lexington, Virginia geboren
1948/49 Studium an der Boston School of Fine Arts
1950/51 an der Arts Students League, New York
1951/52 bei Franz Kline und Robert Motherwell am Black Mountain College in Beria (North Carolina)
Reisen durch Nordafrika, Spanien und Italien
1954 Bilder nach dem Prinzip der automatischen Schreibweise
1957 Übersiedlung nach Rom

Einzelausstellungen
1951
Kootz Gallery, New York
1953
Stable Gallery, New York
Galleria Contemporanea, Florenz
1958
Galleria La Tartaruga, Rom (und 1959, 1960, 1963, 1965, 1967, 1968, 1970)
Galleria Del Naviglio, Mailand
1960
Galerie 22, Düsseldorf (mit Robert Rauschenberg)
Leo Castelli Gallery, New York (und 1964, 1966, 1967, 1968, 1972)
1961
Galerie Rudolf Zwirner, Essen
Galerie J, Paris
1965
Museum Haus Lange Krefeld; Palais des Beaux-Arts, Brüssel
1966
Stedelijk Museum, Amsterdam

Kunstverein Freiburg
1971
Galleria Sperone, Turin
1973
Kunstmuseum Basel
Kunsthalle Bern
Städtische Galerie im Lenbachhaus, München
The Mayor Gallery, London
1975
Institute of Contemporary Art University of Pennsylvania, Philadelphia
San Francisco Museum of Modern Art
Galerie Karsten Greve, Köln
1976
Kestner-Gesellschaft, Hannover
Musée d'art moderne de la ville de Paris
Fifty Days at Iliam, Lone Star Foundation, New York
1979
Whitney Museum of American Art, New York
1981
Skulpturen, Museum Haus Lange, Krefeld
1982
Sperone Westwater Fischer Gallery, New York

Gruppenausstellungen
1964
Biennale Venedig
Contemporary Drawings, Guggenheim Museum, New York
1966
Recent American Painting, Museum of Modern Art, New York
1967
Annual Exhibition of Contemporary American Painting and Sculpture, Whitney Museum of American Art, New York
Ten Years Leo Castelli, New York
1971
The Structure of Color, Whitney Museum of American Art, New York
1973
New York Collection for Stockholm, Moderna Museet, Stockholm
1974
Contemporanea, Parcheggio di Villa Borghese, Rom
1976
Drawing Now, Museum of Modern Art, New York

Twentieth Century American Drawing: Three Avant-Garde Generations, Guggenheim Museum, New York
1976/77
Drawing Now, Zeichnung heute, Kunsthaus Zürich; Staatliche Kunsthalle Baden-Baden; Graphische Sammlung Albertina, Wien
1977
Formen und Funktionen der Zeichnung in den sechziger und siebziger Jahren, Documenta 6, Kassel
1981
Amerikanische Malerei 1930–1960, Haus der Kunst, München
A New Spirit in Painting, Royal Academy, London
1982
Avanguardia – Transavanguardia, Rom
Documenta 7, Kassel

Wichtige Kataloge
Cy Twombly, Bilder 1953–1973, Kunsthalle Bern 1973
Cy Twombly, Paintings, Drawings, Construtions, 1951–1974, Institute of Contemporary Art, University of Pennsylvania, Philadelphia 1975
Cy Twombly, Dessins 1954–1976, Musée d'art moderne de la ville de Paris 1976
Cy Twombly, Kestner-Gesellschaft, Hannover 1976
Cy Twombly, Paintings and Drawings 1954–1977, Whitney Museum of American Art, New York 1979

Übrige Bibliografie
L. Campbell, „Rauschenberg and Twombly", *Art News,* Sept. 1953;
Manfred de la Motte, „Cy Twombly", *Blätter und Bilder,* Nr. 12, Jan./Feb. 1961
Edouard Roditi, „The Widening Gap", *Arts Magazine,* Januar 1961
Gillo Dorfles, „Le immagini scritte di Cy Twombly", *Quadrum,* Nr. 60, 1964
Manfred de la Motte, „Cy Twombly", *Art International,* Nr. 9, Juni 1965
Nicolas und Elena Calas, „Icons and Images of the Sixties", New York 1971
Heiner Bastian, „Cy Twombly Zeichnungen 1953–1973", Berlin 1973
Heiner Bastian, „Cy Twombly, Bilder/Paintings 1952–1976", Bd. 1, Berlin 1978
Heiner Bastian, „Fifty Days at Iliam", Berlin 1979

Andy Warhol

1928 in Pittsburgh geboren
1945 – 49 Studium der
    Kunstgeschichte, Soziologie und
    Psychologie am Carnegie
    Institute of Technology in
    Pittsburgh
1949 Übersiedlung nach New York
    Illustrator für Glamour
    Magazine, Werbegraphiker,
    Bühnenbildner
1957 Art Directors Club Medal für
    Schuhanzeigen
    Nach Italienbesuch vollständige
    Hinwendung zur Kunst
1960 Beginn mit stark vergrößerten
    Comic-Strip-Versionen
    Danach Serienbilder von
    Dollarscheinen, Campbell-
    Suppendosen u. ä.
Seit 1963 Multipleserien in Siebdruck,
    durch die *Factory* reproduziert
    Filme
    Protagonist der Pop-Kunst

Einzelausstellungen
1952
Hugo Gallery, New York
1956
Bodley Gallery, New York
1962
Ferus Gallery, Los Angeles
Stable Gallery, New York
1964
Leo Castelli Gallery, New York
Galerie Ileana Sonnabend, Paris
1965
Gian Enzo Sperone, Arte Moderna,
Mailand
Institute of Contemporary Art,
University of Pennsylvania,
Philadelphia
1966
Institute of Contemporary Art,
Boston
1967
Galerie Rudolf Zwirner, Köln
1968
Stedelijk Museum, Amsterdam
Rowan Gallery, London
1969
Nationalgalerie Berlin
1970 – 71 Museum of Contemporary
Art, Chicago (Wanderausstellung
Paris, Eindhoven, Pasadena, London,
New York)

1974
Tokio (Retrospektive)
1976
Württembergischer Kunstverein,
Stuttgart
1977/78
Musée d'art et d'histoire, Genf
1978
Kunsthaus Zürich
1979/80
Portraits of the Seventies, Whitney
Museum of American Art, New York
1981
Kestner-Gesellschaft, Hannover

Gruppenausstellungen
1962
New Realists, Sidney Janis Gallery,
New York
1963
Six Painters and the Object,
Guggenheim Museum, New York
Pop Art U.S.A., Oakland Art Museum
1964
Pop Kunst, Stedelijk Museum,
Amsterdam
1965
Pop Art für U.S.A., Hamburger
Kunstkabinett, Hamburg
1966
The Photographic Image,
Guggenheim Museum, New York
1967
Kompas, Frankfurter Kunstverein
Artypo, Van Abbemuseum,
Eindhoven
1968
Ars Multiplicata, Kunsthalle Köln
Documenta 4, Kassel
Environments, Kunsthalle Bern
1977
Documenta 6, Kassel
1978
Biennale Venedig
1980
Biennale Venedig
1981
A New Spirit in Painting, Royal
Academy, London
Amerikanische Malerei 1930–1980,
Haus der Kunst, München
1982
Documenta 7, Kassel

Eigene Schriften
G. Swenson, „What is Pop Art?,
Interviews mit Roy Lichtenstein,

Andy Warhol und Jasper Johns", *Art
News,* Nr. 62, Nov. 63
„My Favorite Super Star: Notes on
My Epic, Chelsea Girls", Interview,
Arts, Feb. 1967
„Andy Warhols Index Book",
New York 1967, deutsch Köln 1971
„Blue Movie", New York 1970,
deutsch Köln 1971
„Pop: Interview with Andy Warhol",
Art News, Mai 1974
„Ladies and Gentlemen",
Mailand 1975
„From A to B and Back Again",
London und New York 1975
„The Philosophy of Andy Warhol",
New York 1977

Wichtige Kataloge
Institute of Contemporary Art,
University of Pennsylvania,
Philadelphia 1965
Tate Gallery, London 1971
*Andy Warhol, Das zeichnerische Werk
1942–75,* Württembergischer
Kunstverein, Stuttgart 1976
Kunsthaus Zürich 1978
*Andy Warhol – Portraits of the
Seventies,* Whitney Museum of
American Art 1979
Kestner-Gesellschaft Hannover 1981
(mit ausführlicher Bibliografie)

Übrige Bibliografie
Rolf-Gunter Dienst, „Pop Art",
Wiesbaden 1965
Rainer Crone, „Andy Warhol",
Stuttgart 1970
Rainer Crone, Wilfried Wiegand,
„Die revolutionäre Ästhetik Andy
Warhols in Kunst und Film",
Darmstadt 1972
Rainer Crone, „Andy Warhol",
Dissertation 1976 (mit vollständiger
Bibliografie)

Filme
Vgl. E. Patalas, „Andy Warhol und
seine Filme, Eine Dokumentation",
München 1971

Die ausgestellten Werke

Siegfried Anzinger

1   *Das weite Land* 1982
    200 x 300 cm
    Acryl auf Baumwolle
    Besitz des Künstlers
2   *Mondgeher* 1982
    200 x 160 cm
    Acryl auf Baumwolle
    Besitz des Künstlers
3   *Die schwarze Hand* 1982
    200 x 160 cm
    Acryl auf Baumwolle
    Besitz des Künstlers
4   *Der bestrafte Dieb* 1982
    200 x 160 cm
    Acryl auf Baumwolle
    Besitz des Künstlers
5   *Die Schlange* 1982
    200 x 160 cm
    Acryl auf Baumwolle
    Besitz des Künstlers
6   *Sie nannten ihn Hund* 1982
    200 x 160 cm
    Acryl auf Baumwolle
    Besitz des Künstlers

Georg Baselitz

7   *Weg vom Fenster* 17. 7. 1982
    Öl auf Leinwand 250 x 250 cm
    Xavier Fourcade Gallery,
    New York
8   *Adler im Fenster* 26. 7. 1982
    Öl auf Leinwand 250 x 250 cm
    Ileana Sonnabend, New York
9   *Sterne im Fenster* 6. 8. 1982
    Öl auf Leinwand 250 x 250 cm
    Galerie Neuendorf, Hamburg
10 *Mann im Bett* 13. 8. 1982
    Öl auf Leinwand 250 x 250 cm
    Galerie Neuendorf, Hamburg
11 *Mann auf rotem Kopfkissen*
    17. 8. 1982
    Öl auf Leinwand 250 x 250 cm
    Galerie Neuendorf, Hamburg
12 *Nacht mit Hund* 29. 8. 1982
    Öl auf Leinwand 250 x 250 cm
    Galerie Neuendorf, Hamburg
13 *Franz im Bett* 1. 9. 1982
    Öl auf Leinwand 250 x 250 cm
    Gillespie - Laage - Salomon, Paris
14 *Adler im Bett* 7. 9. 1982
    Öl auf Leinwand 250 x 250 cm
    Galerie Neuendorf, Hamburg
15 *Ohne Titel* 11. 9. 1982
    Öl auf Leinwand 250 x 200 cm
    Galerie Neuendorf, Hamburg

Joseph Beuys

16 *Hirschdenkmäler* Installation
    Martin-Gropius-Bau 1982

Peter Bömmels

17 *Sprung aus der Geschichte* 1982
    Dispersionsfarbe und
    Goldbronze auf Nessel (Zweiteilig)
    220 x 320 cm
    Galerie Paul Maenz, Köln
18 *Gefährliche Nähen des Denkens* 1982
    Dispersionsfarbe und
    Goldbronze auf Nessel (Dreiteilig)
    220 x 600 cm
    Galerie Paul Maenz, Köln
19 *Das Dach der Welt* 1982
    Dispersion auf Nessel
    (Zweiteilig) 220 x 320 cm
    Galerie Paul Maenz, Köln

Erwin Bohatsch

20 *Der Fluß* 1982
    Acryl auf Leinwand 200 x 370 cm
    Sammlung Peter Lüchau,
    Düsseldorf
21 *Zusammenkunft* 1982
    Acryl auf Leinwand 200 x 150 cm
    Galerie Ariadne, Wien
22 *Spirale* 1982
    Acryl auf Leinwand 200 x 150 cm
    Galerie Ariadne, Wien
23 *Teetrinker* 1982
    Acryl auf Leinwand 195 x 180 cm
    Galerie Ariadne, Wien
24 *Aufstieg und Fall* 1982
    Acryl auf Leinwand 200 x 380 cm
    Galerie Ariadne, Wien

Jonathan Borofsky

25 *Ruby Room/Rubinraum*
    Installation 1982
    Acryl auf Wand und Decke,
    Fliegender Mann, auf Kunststoff
    gemalt, vor dem Fenster
26 *Man with a Briefcase/*
    Mann mit Aktentasche 1982
    Installation aus schwarzer Pappe
    auf dem Glasdach des Lichthofes
    im Martin-Gropius-Bau 11,65 m

Werner Büttner

27 *Kaspar Hauser - Enten folgen einer*
    Attrappe 1981
    Öl auf Leinwand 120 x 150 cm
    Sammlung Grässlin, St. Georgen
28 *Badende Russen II* 1982
    Öl auf Leinwand 150 x 190 cm
    Sammlung Grässlin, St. Georgen

29 *Bitte um 20 Uhr wecken* 1982
    Öl auf Leinwand 190 x 150 cm
    Galerie Paul Maenz, Köln

James Lee Byars

30 *The House of The ZEITGEIST by*
    James Lee Byars 1982
    Rauminstallation, Zelt aus
    roter Seide

Pierpaolo Calzolari

31 *Chapeaux/Hüte* 1981
    Öl und Tempera auf Holz
    300 x 700 cm
    Galerie M. Knoedler, Zürich
    Karen & Jean Bernier, Athen
32 *Paysage naturel avec oiseau/*
    Natürliche Landschaft mit Vogel 1981
    Öl und Tempera auf Holz
    200 x 630 cm
    Galerie M. Knoedler, Zürich
    Karen & Jean Bernier, Athen
33 *Stuka* 1982
    Öl und Tempera auf Holz
    160 x 165 cm
    Galerie M. Knoedler, Zürich
    Karen & Jean Bernier, Athen
34 *Wind* 1982
    Öl und Tempera auf Holz
    160 x 165 cm
    Galerie M. Knoedler, Zürich
    Karen & Jean Bernier, Athen

Sandro Chia

35 *Melancholic Camping/*
    Melancholische Rast 1982
    Öl auf Leinwand 290 x 404 cm
    Sammlung Doris und
    Charles Saatchi, London
36 *Two Painters at Work/*
    Zwei Maler bei der Arbeit 1982
    Öl auf Leinwand 289 x 343 cm
    Sammlung Mr. und Mrs.
    Asher B. Edelman, New York
37 *Zattera temeraria/*
    Verwegenes Floß 1982
    Öl auf Leinwand 300 x 371 cm
    Besitz des Künstlers
38 *Pasto appassionato/*
    Leidenschaftliche Mahlzeit 1982
    Öl auf Leinwand 254 x 330 cm
    Besitz des Künstlers
39 *Courageous Boy with Flag/*
    Mutiger Junge mit Fahne 1982
    Öl auf Leinwand 234 x 198 cm
    Thomas Ammann Fine Art, Zürich

40 *Art in Life – Crocodile Strategy/*
    Kunst im Leben – Krokodilstrategie
    1982
    Öl auf Leinwand 232 x 198 cm
    Sammlung Gerald S. Elliott,
    Chicago

41 *Figura con lacrima/*
    Figur mit Träne 1982
    Bronze 170 x 68 x 68 cm
    Besitz des Künstlers

42 *Figura con freccia/*
    Figur mit Pfeil 1982
    Bronze 125 x 180 x 80 cm
    Besitz des Künstlers

Sandro Chia und Enzo Cucchi

43 *Scultura andata, scultura storna/*
    Verlorene Skulptur, graue Skulptur
    1982
    Bronze 200 x 180 cm
    Emilio Mazzoli, Modena

Francesco Clemente

44 *My House/Mein Haus* 1982
    Öl auf Leinwand 400 x 300 cm
    Besitz des Künstlers

45 *My Parents/Meine Eltern* 1982
    Öl auf Leinwand 400 x 300 cm
    Besitz des Künstlers

46 *My Journey/Meine Reise* 1982
    Öl auf Leinwand 400 x 300 cm
    Besitz des Künstlers

47 *Two Lovers/Zwei Liebende* 1982
    Öl auf Leinwand 400 x 300 cm
    Besitz des Künstlers

Enzo Cucchi

48 *La casa dei barbari/*
    Das Haus der Barbaren 1982
    Öl auf Leinwand 306 x 212 cm
    Emilio Mazzoli, Modena
    Gian Enzo Sperone, Rom

49 *Lo zingaro/Der Zigeuner* 1982
    Öl auf Leinwand 297 x 212 cm
    Emilio Mazzoli, Modena
    Gian Enzo Sperone, Rom

50 *Quadro sordo/Taubes Bild* 1982
    Öl auf Leinwand 305 x 212 cm
    Emilio Mazzoli, Modena
    Gian Enzo Sperone, Rom

51 *Fontana ebbra/*
    Trunkener Brunnen 1982
    Öl auf Leinwand 310 x 212 cm
    Emilio Mazzoli, Modena
    Gian Enzo Sperone, Rom

52 *Quadro tondo/Rundes Bild* 1982
    Öl auf Leinwand 280 x 360 cm
    Besitz des Künstlers

Walter Dahn

53 *Trinker* 1982
    Dispersionsfarbe auf Nessel
    200 x 150 cm
    Galerie Paul Maenz, Köln

54 *Die Schleuder* 1982
    Dispersionsfarbe auf Nessel
    200 x 150 cm
    Galerie Paul Maenz, Köln

55 *Asthma I* 1982
    Dispersionsfarbe auf Nessel
    200 x 150 cm
    Galerie Paul Maenz, Köln

56 *Nach(t)krieg* 1982
    Dispersionsfarbe auf Nessel
    200 x 160 cm
    Galerie Paul Maenz, Köln

57 *Selbst doppelt 1982* 1982
    Dispersionsfarbe auf Nessel
    200 x 250 cm
    Galerie Paul Maenz, Köln

58 *Der Kettenraucher* 1982
    Dispersionsfarbe auf Nessel
    200 x 150 cm
    Galerie Paul Maenz, Köln

René Daniels

59 *In de fles gedaan/*
    In die Flasche getan 1982
    Öl auf Leinwand 120 x 150 cm
    Galerie Helen van der Meij,
    Amsterdam

60 *Hollandse Nieuwe* 1982
    Öl auf Leinwand 120 x 135,5 cm
    Galerie Helen van der Meij,
    Amsterdam

61 *Academie* 1982
    Öl auf Leinwand 240 x 170 cm
    Galerie Helen van der Meij,
    Amsterdam

62 *De revue passeren/*
    Die Revue passieren 1982
    Öl auf Leinwand 130 x 190 cm
    Museum Boymans –
    van Beuningen, Rotterdam

63 *Coconuts Unfinished/*
    Kokosnüsse unvollendet 1982
    Öl auf Leinwand 210 x 160 cm
    Galerie Helen van der Meij,
    Amsterdam

64 *Caught in his Act/*
    Gefangen in seinem Akt 1982
    Öl auf Leinwand 200 x 150 cm
    Galerie Helen van der Meij,
    Amsterdam

Jiři Georg Dokoupil

    Aus der Serie „Masken" 1982
    Dispersionsfarbe auf Nessel

65 *Nr. II* 375 x 100 cm
66 *Nr. III* 375 x 100 cm
67 *Nr. IV* 375 x 100 cm
68 *Nr. V* 375 x 100 cm
    Galerie Paul Maenz, Köln
    Aus der Serie „Blaue Bilder über
    die Liebe" 1982
    Dispersionsfarbe auf Nessel

69 *Nr. II* 230 x 230 cm
70 *Nr. III* 230 x 230 cm
71 *Nr. IV* 220 x 160 cm
72 *Nr. V* 220 x 160 cm
    Galerie Paul Maenz, Köln

Rainer Fetting

73 *Die Häscher* 1982
    Dispersionsfarbe und Öl auf Nessel
    400 x 300 cm
    Besitz des Künstlers

74 *Die Bombe* 1982
    Dispersionsfarbe und Öl auf Nessel
    400 x 300 cm
    Besitz des Künstlers

72 *2 Harrisburger* 1982
    Dispersionsfarbe und Öl auf Nessel
    400 x 300 cm
    Besitz des Künstlers

76 *Kreuzigung* 1982
    Dispersionsfarbe und Öl auf Nessel
    400 x 300 cm
    Besitz des Künstlers

Barry Flanagan

77 *Elephant* 1981
    Bronze 47 x 41,5 x 24 cm Ed. 7
    Waddington Galleries, London

78 *Soprano/Sopran* 1981
    Bronze 37 x 48,2 x 71,7 cm Ed. 7
    Besitz des Künstlers, courtesy of
    Waddington Galleries, London

79 *Acrobats/Akrobaten* 1981
    Bronze 153 x 42 x 45,7 cm Ed. 3
    Privatsammlung, London

80 *Ball and Claw/Ball und Klaue* 1981
    Bronze H: 109 cm Ed. 7
    Waddington Galleries, London

81 *Hare and Helmet III/*
    Hase und Helm III 1981
    Bronze H: 116,8 cm
    Privatsammlung

82 *Cricketers/Kricketspieler* 1981
    Bronze 156,2 x 39,3 x 53,4 cm Ed. 7
    Private Collection, London

83 *Hare on Anvil/*
    Hase auf Amboß 1981
    Bronze H: 101,9 cm
    Waddington Galleries, London

84 *Frog Bites Hare/*
    Frosch beißt Hasen 1982
    Bronze 43,8 x 17,7 x 12,7 cm
    Besitz des Künstlers, courtesy of
    Waddington Galleries, London

Gérard Garouste
85 *Orion et Orthros* 1982
    Öl auf Leinwand 295 x 405 cm
    Besitz des Künstlers
86 *La constellation du chien/*
    Das Sternbild des Hundes 1982
    Öl auf Leinwand 295 x 250 cm
    Besitz des Künstlers
87 *Columba* 1982
    Öl auf Leinwand 295 x 250 cm
    Besitz des Künstlers
88 *Etudes le compagnon obscur/Studie*
    über die dunklen Gefährten 1982
    Pastell und Bleistift auf Papier
    296 x 405 cm
    Leo Castelli/Sperone Westwater
    Fischer, New York

Gilbert & George
89 *Good Night/Gute Nacht* 1982
    Foto-Arbeit 420 x 400 cm
    Anthony D'Offay, London
90 *Friendship/Freundschaft* 1982
    Foto-Arbeit 420 x 450 cm
    Anthony D'Offay, London
91 *Deatho Knocko* 1982
    Foto-Arbeit 420 x 400 cm
    Anthony D'Offay, London

Dieter Hacker
92 *Versuch, die Sonne in ihre*
    Schranken zu weisen 1982
    Öl auf Leinwand 200 x 200 cm
    Besitz des Künstlers
93 *Die Nacht* 1982
    Öl auf Leinwand 200 x 200 cm
    Besitz des Künstlers
94 *Am Strand* 1982
    Öl auf Leinwand 192 x 286 cm
    Besitz des Künstlers
95 *Ohne Titel* 1982
    Öl auf Leinwand 192 x 286 cm
    Besitz des Künstlers

Antonius Höckelmann
96 *Brückenplastik (weibliche Figur)*
    1970/71
    Styropor, bemalt 100 x 50 x 50 cm
    Sammlung Hahn, Köln

97 *Ohne Titel* 1972
    Styropor, Polyester, Farbe
    50 x 100 x 50 cm
    Galerie Michael Werner, Köln
98 *Weibliche Figur mit*
    schmutzigem Schnee 1978/79
    Styropor, farbig gefaßt H: 100 cm
    Sammlung Dürckheim
99 *Weibliche Figur und pflanzliche*
    Formen 1979
    Styropor, farbig gefaßt
    100 x 50 x 50 cm
    Privatsammlung, Köln
100 *Weibliche Figur, den Kopf zu*
    Boden gedrückt 1979/80
    Styropor, farbig gefaßt
    100 x 50 x 50 cm
    Privatsammlung
101 *Plastik mit Beil* 1979/80
    Styropor und Gips, bemalt
    119 x 52 cm
    Sammlung Dürckheim
102 *Judith* 1982
    Styropor, bemalt 100 x 67 x 55 cm
    Galerie Zimmer, Düsseldorf

K. H. Hödicke
    Aus der Bildserie
    „Ferne Küsten", oder: Über den
    Horizont
103 *Schwarze Küste* 1981
    Kunstharz auf Leinwand
    170 x 230 cm
    Galerie Folker Skulima, Berlin
104 *Sirene I* 1981
    Kunstharz auf Leinwand
    230 x 170 cm
    Besitz des Künstlers
105 *Grotte* 1981
    Kunstharz auf Leinwand
    170 x 230 cm
    Besitz des Künstlers
106 *Argonauten* 1981
    Kunstharz auf Leinwand
    (Zweiteilig)
    200 x 300 cm, 190 x 155 cm
    Galerie Folker Skulima, Berlin
107 *Vertreibung aus dem Paradies* 1982
    Kunstharz auf Leinwand
    200 x 300 cm
    Besitz des Künstlers
108 *Medea* 1982
    Kunstharz auf Leinwand
    (Zweiteilig)
    200 x 300 cm, 190 x 150 cm
    Besitz des Künstlers
109 *Pan* 1982
    Kunstharz auf Leinwand
    170 x 230 cm
    Besitz des Künstlers

Jörg Immendorff
110 *Fragen eines lesenden Arbeiters,*
    nach einem Gedicht von Bertolt
    Brecht, in sechs Bildern 1976
    Öl auf Leinwand je 110 x 90 cm
    Galerie Michael Werner, Köln
111 *Café Deutschland IV* 1978
    Kunstharz auf Leinwand
    282 x 330 cm
    Galerie Rudolf Zwirner, Köln
112 *Selbstbildnis im Atelier* 1974
    Öl auf Leinwand 200 x 149 cm
    Galerie Michael Werner, Köln
113 *Nachtwache* 1982
    Öl auf Leinwand 280 x 330 cm
    Galerie Michael Werner, Köln
114 *CD XIV Quadriga* 1982
    Öl auf Leinwand 283 x 400 cm
    Galerie Michael Werner, Köln
115 *Ölige Freunde* 1982
    Öl auf Leinwand 250 x 310 cm
    Galerie Michael Werner, Köln
116 *A. O. Was willst du mehr* 1982
    Öl auf Leinwand 250 x 310 cm
    Galerie Michael Werner, Köln
117 *Zeitschweiß* 1982
    Lindenholz bemalt
    265 x 60 x 60 cm
    Galerie Michael Werner, Köln

Anselm Kiefer
118 *Der Rhein* 1982
    Holzschnitt 380 x 200 cm
    Besitz des Künstlers
119 *Des Malers Ateliers* 1982
    Holzschnitt 380 x 280 cm
    Besitz des Künstlers
120 *Der Rhein* 1982
    Holzschnitt 330 x 400 cm
    Besitz des Künstlers
121 *Nürnberg* 1982
    Öl auf Leinwand 290 x 390 cm
    Besitz des Künstlers
122 *Dem unbekannten Maler* 1982
    Öl auf Leinwand 280 x 340 cm
    Besitz des Künstlers
123 *Die Meistersinger* 1982
    Öl auf Leinwand 280 x 380 cm
    Besitz des Künstlers

Per Kirkeby
124 *Der kleine Elephant schläft* 1982
    Öl auf Leinwand 200 x 130 cm
    Galerie Michael Werner, Köln

125 *Silber* 1982
Öl auf Leinwand 130 x 200 cm
Galerie Michael Werner, Köln
126 *Mayaland-Höhle* (fast vergessen)
1982
Öl auf Leinwand 200 x 130 cm
Galerie Michael Werner, Köln
127 *Stilleben in Bewegung* 1982
Öl auf Leinwand 200 x 130 cm
Galerie Michael Werner, Köln
128 *Fram* 1982
Öl auf Leinwand 116 x 200 cm
Galerie Michael Werner, Köln
129 *Requisiten I* 1982
Öl auf Leinwand 200 x 130 cm
Galerie Michael Werner, Köln
130 *Requisiten II* 1982
Öl auf Leinwand 200 x 130 cm
Galerie Michael Werner, Köln
131 *Gläser und Früchte* 1982
Öl auf Leinwand 200 x 130 cm
Galerie Michael Werner, Köln

Bernd Koberling
132 *Wale* 1982
Kunstharz und Öl auf Jute
210 x 300 cm
Besitz des Künstlers
133 *Brüter* 1982
Kunstharz und Öl auf Leinwand
190 x 245 cm
Besitz des Künstlers
134 *Vulkanischer Raum I* 1982
Kunstharz und Öl auf Nessel
210 x 210 cm
Besitz des Künstlers
135 *Vulkanischer Raum III* 1982
Kunstharz und Öl auf Jute
210 x 270 cm
Besitz des Künstlers
136 *Frau im Stein II* 1982
Kunstharz und Öl auf Jute
190 x 190 cm
Besitz des Künstlers
137 *Spannweiten III* 1982
Kunstharz und Öl auf Jute
220 x 180 cm
Besitz des Künstlers

Jannis Kounellis
138 *Installation* 1982
Martin-Gropius-Bau

Christopher LeBrun
139 *Xanthus* 26. 9. 81
Öl auf Leinwand 213 x 305 cm
Sammlung Doris und Charles
Saatchi, London

140 *Mars in the Air/Mars in der Luft*
19. 10. 81
Öl auf Leinwand 259 x 300 cm
Sammlung der Chase Manhattan
Bank, New York
141 *Hyperion* 13. 1. 82
Öl auf Leinwand 249 x 214 cm
Nigel Greenwood Inc. Ltd.,
London
Courtesy of Swindon Art Gallery
142 *Dream, Think, Speak/*
Traum, Denken, Sprechen 13. 1. 82
Öl auf Leinwand 244 x 226 cm
Trustees of the Tate Gallery,
London

Markus Lüpertz
Sechs Bilder über New York 1982
Öl und Pappe auf Leinwand
147 x 147 cm
143 *I Central Park*
144 *II Lohengrin*
145 *III Interieur*
146 *IV Club*
147 *V Broadway*
148 *VI Brooklyn*
Galerie Michael Werner, Köln
149 *Standbein, Spielbein* 1982
Bronze bemalt H: 320 cm
Besitz des Künstlers
150–155 *Standbein – Spielbein Serie*
1982 (6 Bilder)
Öl auf Leinwand 200 x 162 cm
Galerie Michael Werner, Köln
156 *Standbein – Spielbein Links* 1982
Öl auf Leinwand 380 x 140 cm
Galerie Michael Werner, Köln
157 *Standbein – Spielbein Mitte* 1982
Öl auf Leinwand 380 x 140 cm
Galerie Michael Werner, Köln

Bruce Mc Lean
158 *The General Manouver/*
Das große Manöver 1982
400 x 300 cm
Anthony D'Offay, London
159 *Exit The Hat/Ausgang Der Hut* 1982
400 x 300 cm
Anthony D'Offay, London
160 *Contained (Historically, Politically,*
Physically)/Enthalten (historisch,
politisch, physisch) 1982
400 x 300 cm
Anthony D'Offay, London
161 *Blue Spew (Study for an Office*
Carpet)/Blaue Kotze (Studie für
einen Büroteppich) 1982
400 x 300 cm
Anthony D'Offay, London

Mario Merz
162 *Bambusturm* 1982
Bambus, Mischtechnik auf
Reispapier 600 x 300 x 300 cm
Besitz des Künstlers

Helmut Middendorf
163 *Hämmer* 1982
Kunstharz und Öl auf Leinwand
400 x 300 cm
Besitz des Künstlers
164 *Flugzeugtraum* 1982
Kunstharz und Öl auf Leinwand
400 x 300 cm
Besitz des Künstlers
165 *Im Malen* 1982
Kunstharz und Öl auf Leinwand
400 x 300 cm
Besitz des Künstlers
166 *25-Einsamkeit der Köpfe* 1982
Kunstharz und Öl auf Leinwand
400 x 300 cm
Besitz des Künstlers

Malcolm Morley
167 *La plage/Der Strand* 1980
Öl auf Leinwand 181 x 246 cm
Sammlung Martin Z. Margulies,
Coconut Grove, Florida
168 *Camels and Goats/*
Kamele und Ziegen 1980
Öl auf Leinwand 166 x 250 cm
Sammlung Doris und Charles
Saatchi, London
169 *Landscape with Horses/*
Landschaft mit Pferden 1980
Sammlung Mr. and Mrs.
Richard C. Hedreen, Seattle,
Washington
170 *Indian Winter/Indischer Winter* 1981
Öl auf Leinwand 130 x 190 cm
Sammlung Doris und Charles
Saatchi, London
171 *Under the Lemontree/*
Unter dem Zitronenbaum 1981
Öl auf Leinwand 143 x 188 cm
Sammlung Sydney und Frances
Lewis, Richmond, Virginia
172 *Landscape with Bullocks/*
Landschaft mit Ochsen 1981
Öl auf Leinwand 270 x 180 cm
Sammlung Sydney und Frances
Lewis, Richmond, Virginia

Robert Morris

Firestorm Series/Feuersturmserie
1982
173 *I* Tusche, Kohle, Graphitstaub
und schwarzes Pigment
100 x 114 cm
174 *II* Tusche, Kohle, Graphitstaub
und schwarzes Pigment
76 x 150 cm
175 *III* Tusche, Kohle, Graphit und
schwarzes Pigment 76 x 150 cm
176 *IV* Tusche, Kohle, Graphit und
schwarzes Pigment 100 x 114 cm
177 *V* Tusche, Kohle, Graphit und
schwarzes Pigment 76 x 200 cm
178 *VI* Tusche, Kohle, Graphit und
schwarzes Pigment 76 x 150 cm
Sonnabend und Castelli Galleries,
New York

Mimmo Paladino
179 *Presepe/Krippe* 1982
Öl auf Leinwand 300 x 300 cm
Emilio Mazzoli, Modena
Gian Enzo Sperone, Rom
180 *Cometa delle Afriche/
Komet Afrikas* 1982
Öl auf Leinwand 300 x 300 cm
Emilio Mazzoli, Modena
Gian Enzo Sperone, Rom
181 *Anticamera/Vorzimmer* 1982
Öl auf Leinwand 300 x 300 cm
Emilio Mazzoli, Modena
Gian Enzo Sperone, Rom
182 *Poema alle porte di Belém/Gedicht
auf die Tore von Bethlehem* 1982
Öl auf Leinwand 300 x 300 cm
Emilio Mazzoli, Modena
Gian Enzo Sperone, Rom
183 *Giardino chiuso/Hortus conclusus/
Geschlossener Garten* 1982
Bronze 200 x 150 x 300 cm
Emilio Mazzoli, Modena
Gian Enzo Sperone, Rom

A. R. Penck
184 *Der Geist von L.* 1981
Holz 208 x 66 x 52 cm
Galerie Michael Werner, Köln
185 *Dis* 1982
Kunstharz auf Leinwand 5 x 10 m
Galerie Michael Werner, Köln
186 *Chi Tong* 1982
Kunstharz auf Leinwand 5 x 10 m
Galerie Michael Werner, Köln

Sigmar Polke
187 Werkgruppe I
Das war schon immer so! 1982
Besitz des Künstlers
188 Werkgruppe II
*Das haben wir noch nie so
gemacht!* 1982
Besitz des Künstlers
189 Werkgruppe III
Da könnte ja jeder kommen! 1982
Besitz des Künstlers

Susan Rothenberg
190 *Siena dos Equis* 1974
Acryl und Tempera auf Leinwand
285 x 685 cm
Besitz der Künstlerin, courtesy of
Willard Gallery, New York
191 *Algarve* 1975
Acryl und Tempera auf Leinwand
280 x 275 cm
Buscaglia-Castellani Art Gallery,
Niagara University, Niagara Falls,
New York, Leihgabe von Dr. und
Mrs. Armand Castellani
192 *United States* 1975
Acryl und Tempera auf Leinwand
289,6 x 480,1 cm
Sammlung Doris und Charles
Saatchi, London

Salomé
193 *Zeitgeist: Wettkampf im Abendlicht*
1982
Mischtechnik auf Leinwand
400 x 300 cm
Heiner Bastian, Berlin, courtesy of
Galerie Bruno Bischofberger,
Zürich
194 *Zeitgeist: Kaltes Ultramarin* 1982
Mischtechnik auf Leinwand
400 x 300 cm
Galerie Bruno Bischofberger,
Zürich
195 *Zeitgeist: Kampf im Seerosenteich,*
1982
Mischtechnik auf Leinwand
400 x 300 cm
Galerie Bruno Bischofberger,
Zürich
196 *Zeitgeist: Morgenstimmung* 1982
Mischtechnik auf Leinwand
400 x 300 cm
Galerie Bruno Bischofberger,
Zürich

Julian Schnabel
197 *Pre History: Glory, Honor, Privilege
and Poverty/Frühgeschichte: Ruhm,
Ehre, Privileg und Armut* 1981
Öl und Geweih auf Ponyhaut
324 x 450 cm
Sammlung Doris und Charles
Saatchi, London
198 *Aorta* 1981
Öl und Sisal auf Holz 300 x 420 cm
Sammlung Doris und Charles
Saatchi, London
199 *The Sea/Das Meer* 1981
Öl, Töpfe, Mörtel, Holz
300 x 390 cm
Besitz des Künstlers
200 *Untitled for Alan Moss/Ohne Titel
für Alan Moss* 1981
Öl auf Jute 270 x 300 cm
Sammlung Doris und Charles
Saatchi, London
201 *Oar: For the One who Comes Out to
Know Fear/Ruder: Für einen, der
auszieht, das Fürchten zu lernen* 1981
Öl, Uhrwerk, Karosserieteile,
Füllpaste, Holz auf Holz
318 x 438 cm
Sammlung Doris und Charles
Saatchi, London
202 *Portrait of my Daughter/
Bildnis meiner Tochter* 1982
Ölfarbe, Teller, Holz 270 x 210 cm
Besitz des Künstlers

Frank Stella
203 *Silverstone* 1981
Mixed Media auf Aluminium und
Glaswolle 267 x 307,5 cm
Collection of Whitney Museum of
American Art, Purchase, with
funds from the Louis and Bessie
Adler Foundation, Inc., Seymour
M. Klein, President; the Sondra
and Charles Gilman Foundation,
Inc.; Mr. and Mrs. Robert M.
Meltzer; and the Painting and
Sculpture Committee.
204 *Pau* 1981
Mixed Media auf Aluminium
325 x 290 cm
Galerie Strelow, Düsseldorf
205 *Silverstone II* 1982
Mixed Media auf Aluminium
282 x 320 cm
Privatsammlung, Bern
206 *Shards II* 1982
Mixed Media auf Aluminium
302,8 x 340,3 cm
M. Knoedler AG, Zürich

207 *Thruxton* 1982
     Mixed Media auf geätztem
     Magnesium und Aluminium
     275 x 278 cm
     Sammlung Doris und Charles
     Saatchi, London

Volker Tannert
208 *Unsere Wünsche wollen
     Kathedralen bauen* 1982
     Besitz des Künstlers
209 *Ohne Titel* 1982
     Öl auf Leinwand 200 x 150 cm
     Besitz Joachim Linte, Köln
210 *Triumph des Willens* 1982
     Öl und Acryl auf Nessel
     200 x 300 cm
     Sammlung Karl Pfefferle,
     München
211 *Ohne Titel* 1982
     Öl auf Leinwand 200 x 150 cm
     Besitz des Künstlers

Cy Twombly
212 *Goethe in Italy/Goethe in Italien*
     1978
     Bild in sechs Teilen
     I   Ölstift und Bleistift auf Papier
         119,5 x 62 cm
     II Ölstift und Bleistift
         auf Leinwand 192 x 156 cm
     III Ölstift und Bleistift auf Papier
         120 x 88,7 cm
     IV Ölstift und Bleistift
         auf Leinwand 192 x 156 cm
     V   Ölstift und Bleistift
         auf Leinwand 192 x 312 cm
     VI Bleistift auf Papier 71,5 x 101 cm
     Besitz des Künstlers
213 *Orpheus* 1978
     Bleistift und Öl auf Leinwand
     192 x 334 cm
     Galleria Gian Enzo Sperone, Rom
     Besitz des Künstlers
     Suma 1982
214 *I*   Ölstift, Bleistift, Pastell
          auf Papier 100 x 70 cm
          Besitz des Künstlers
215 *II* Ölstift, Bleistift, Pastell
          auf Papier 143,5 x 127,5 cm
          Besitz des Künstlers
216 *III* Ölstift, Bleistift, Pastell
          auf Papier 143,5 x 127,5 cm
          Besitz des Künstlers
217 *IV* Ölstift, Bleistift, Pastell
          auf Papier 100 x 70 cm
          Besitz des Künstlers

218 *V*   Ölstift, Bleistift, Pastell
          auf Papier 81 x 57 cm
          Besitz des Künstlers
219 *Nimphidia* 1982
     Ölstift, Bleistift, Pastell
     auf Papier 100 x 71 cm
     Besitz des Künstlers
220 *Nimphidia* 1982
     Ölstift, Bleistift, Pastell
     auf Papier 100 x 71 cm
     Besitz des Künstlers

Andy Warhol
     The Zeitgeist-Paintings 1982
     Acryl und Siebdruck auf Leinwand
221 *I*   Acryl und Siebdruck
            auf Leinwand 225 x 175 cm
222 *II*   Acryl und Siebdruck
            auf Leinwand 225 x 175 cm
223 *III* Acryl und Siebdruck
            auf Leinwand 225 x 175 cm
224 *IV*   Acryl und Siebdruck
            auf Leinwand 225 x 175 cm
225 *V*   Acryl und Siebdruck
            auf Leinwand 225 x 175 cm
226 *VI*   Acryl und Siebdruck
            auf Leinwand 225 x 175 cm
227 *VII* Acryl und Siebdruck
            auf Leinwand 225 x 175 cm
228 *VIII* Acryl und Siebdruck
            auf Leinwand 325 x 175 cm
229 *IX*   Acryl und Siebdruck
            auf Leinwand 325 x 175 cm
230 *X*   Acryl und Siebdruck
            auf Leinwand 450 x 175 cm
231 *XI*   Acryl und Siebdruck
            auf Leinwand 450 x 175 cm
232 *XII* Acryl und Siebdruck
            auf Leinwand 450 x 175 cm
233 *XIII* Acryl und Siebdruck
            auf Leinwand 415 x 175 cm
     Galerie Bruno Bischofberger,
     Zürich

Nach Redaktionsschluß:

David Salle
234 *Zeitgeist Painting I* 1982
     Öl und Acryl auf Leinwand
     400 x 300 cm
     Courtesy: Mary Boone and
     Leo Castelli, New York
235 *Zeitgeist Painting II* 1982
     Öl und Acryl auf Leinwand
     400 x 300 cm
     Courtesy: Mary Boone and
     Leo Castelli, New York
236 *Zeitgeist Painting III* 1982
     Öl und Acryl auf Leinwand
     400 x 300 cm
     Courtesy: Mary Boone and
     Leo Castelli, New York
237 *Zeitgeist Painting IV* 1982
     Öl und Acryl auf Leinwand
     400 x 300 cm
     Courtesy: Mary Boone and
     Leo Castelli, New York

Fotonachweis

Aurelio Amendola, Pistoja
Paul Th. Andriesse, Amsterdam
Bildarchiv Preußischer Kulturbesitz, Berlin
Capone & Gianvenuti
Geoffry Clements, Staten Island, New York
Prudence Cumming Assoc. Ltd., London
Studio Ebel, Ancona
Tjeerd Frederikse, New York
Christos M. Joachimides, Berlin
Bruce C. Jones Fine Art Photography, New York
Landesbildstelle Berlin
Jochen Littkemann, Berlin
Helmut Metzner, Berlin
F. Rosenstiel, Köln
Pressefoto R. Schachinger, Wien
Fee Schlapper, Baden-Baden
Lothar Schnepf, Köln
Gerd Stallbaum, Berlin
Stewart Color Labs, New York
Hildegard Weber, Köln
Adam Wojciech Rzepka, Paris
Zindman/Fremont, New York